Les plus grands
Mystères
de l'histoire de l'humanité

Les plus grands Mystères

de l'histoire de l'humanité

Bill Price

 **Broquet**

97-B, Montée des Bouleaux, Saint-Constant, Qc, Canada, J5A 1A9
Internet : www.broquet.qc.ca   Courriel : info@broquet.qc.ca
Tél.: 450 638-3338   Téléc.: 450 638-4338

Catalogage avant publication de Bibliothèque et Archives nationales du Québec et Bibliothèque et Archives Canada

Price, Bill

[History's greatest mysteries. Français]

Les plus grands mystères de l'histoire de l'humanité

Traduction de : History's greatest mysteries.

ISBN 978-2-89654-402-8

1. Histoire universelle – Miscellanées. I. Titre. II. Titre : History's greatest mysteries. Français.

D21.3.P7414 2013   909   C2013-941098-8

Nous reconnaissons l'aide financière du gouvernement du Canada par l'entremise du Fonds du livre du Canada pour nos activités d'édition. Nous remercions également l'Association pour l'exportation du livre canadien (AELC), ainsi que le gouvernement du Québec : Programme de crédit d'impôt pour l'édition de livres – la Société de développement des entreprises culturelles (SODEC).

Titre original : *History's greatest mysteries and the secrets behind them*
Copyright © 2012 par Quid Publishing, tous droits réservés.

Traduction, adaptation : Marie-Paule Zierski

Pour l'édition canadienne en langue française
Copyright © Ottawa 2013 Broquet inc.
Dépôt légal – Bibliothèque et Archives nationales du Québec
3e trimestre 2013

Crédits photographiques de la page couverture :
f9photos | Shutterstock.com, 2e photo de la première de couverture
  et haut de la quatrième de couverture ;
Phillip Minnis | Dreamstime.com, 4e photo de la première de couverture ;
Prehor | Dreamstime.com, 5e photo de la première de couverture ;
Ccaetano | Dreamstime.com, image en arrière plan.

ISBN : 978-2-89654-402-8

Imprimé à Singapour

SOMMAIRE

INTRODUCTION

Rien de tel qu'un bon mystère pour séduire et captiver son auditoire. Dans la fiction, les histoires se terminent toujours par une conclusion nette, lorsque le meurtrier est démasqué ou que le trésor caché est découvert, mais nous savons tous que la vie est rarement aussi simple. Même si l'on nous répète que nous vivons à l'ère de l'information, et que nous disposons d'un nombre inestimable de connaissances à notre portée, il est un leurre de penser que l'on sait tout ce qu'on doit savoir. En réalité, le monde est plein de zones d'ombre et d'énigmes, de mystères non résolus et d'histoires non élucidées, ce qui peut fasciner, intriguer et parfois nous ennuyer dans une égale mesure.

Ce livre se penche sur ces zones grises et examine les histoires impondérables et parfois peu probables d'événements et de personnes réelles. Certaines des histoires relatées ici sont des plus sérieuses, certaines un peu moins. Il existe des personnes déterminées qui ont lutté contre vents et marées pour tenter de démêler la vérité, tandis que d'autres n'ont pas observé le principe du rasoir d'Occam selon lequel la réponse la plus simple est souvent la bonne, et recherchent toutes sortes de théories alambiquées afin de tenter de dénicher une explication. Parfois, la persévérance du chercheur a porté ses fruits et une solution au mystère a été trouvée. Le plus souvent, la réponse à l'énigme est hors de portée ou échappe à toute approche sensible ou rationnelle.

Afin de mettre un peu d'ordre dans notre exposé, les mystères ont été divisés en sept catégories, en commençant par les « événements inexpliqués », ces circonstances étranges, telles que l'explosion massive dans la région de la Toungouska en Sibérie, qui n'ont aucune cause apparente et défient toute interprétation rationnelle. Puis il y a ces mystères, rassemblés sous le thème « raison inconnue », et pour lesquels des individus ont consacré beaucoup d'efforts à faire quelque chose, comme c'est le cas des pierres levées de Stonehenge ou des statues de l'Île de Pâques, sans nous laisser le moindre indice quant à ce qu'ils essayaient d'accomplir. « Réalité ou fiction ? » s'intéresse au cas d'individus et de lieux, comme le roi Arthur et l'Atlantide, qui ont peut-être réellement existé ou ont pu être complètement inventés, tandis que « personne disparue » concerne le sort de personnes réelles qui ont disparu, comme Lord Lucan et Jimmy Hoffa. « Personne inconnue » aborde des questions d'identité, comme ce fut le cas de Kaspar Hauser. « Vérité ou mensonge ? » se penche sur la plausibilité d'objets contestés, comme le saint suaire de Turin, l'existence d'animaux comme le yéti et le monstre du loch Ness. La dernière catégorie, « crime non élucidé », parle d'elle-même : elle est composée de ces cas célèbres qui ont dérouté les enquêteurs au fil du temps et qui, dans certains cas, n'ont toujours pas été résolus.

Tout au long de ce livre, j'ai essayé de maintenir une bonne dose de scepticisme sur les revendications les plus extravagantes et bizarres faites au sujet de certains mystères abordés dans ce livre par ceux qui préfèrent ne pas laisser les faits prendre le chemin d'une bonne histoire. En adoptant cette approche, il en ressort que plusieurs possèdent des explications plus claires que ce que l'on a parfois inventé, et que, dans un ou deux cas, des événements soi-disant inexplicables ne sont pas aussi mystérieux qu'on le prétend. Ces mystères fabriqués de toutes pièces ont généralement plus à voir avec l'imagination de ceux qui en assurent la promotion qu'avec la réalité du terrain et, en creusant un peu, on découvre souvent facilement ce qu'ils sont vraiment : les boniments de charlatans désireux de profiter de l'engouement du public pour tout ce qui a trait à l'inconnu.

Mais, en dehors de ces cas flagrants d'exagération ou de fraude pure et simple, je ne prétends pas connaître toutes les réponses à ces événements inexpliqués et crimes non résolus. Et au final, c'est exactement ce sens du mystère, de l'inconnu et de l'inconnaissable, qui nous attire en premier lieu dans ces histoires inachevées. Mon intention est plutôt de passer au crible les éléments de preuve et de présenter l'affaire. La plupart du temps, il n'y a pas une seule bonne réponse de toute façon. Aussi, si vous en sentez l'envie, jetez un œil par vous-même et faites-vous votre propre idée. Vous aurez peut-être plus de questions que de réponses, mais, là encore, c'est le risque que vous encourez en lisant un livre sur les mystères. Après tout, qui veut vivre dans un monde où tout est transparent et où rien ne demeure incertain ? Ce serait un endroit très triste.

LES PREMIERS AUSTRALIENS

- 50 000 ans

Mystère : qui étaient les premiers habitants d'Australie ?

Protagonistes : les premiers hommes, les premiers aborigènes australiens

Dénouement : une date antérieure à ce que l'on pensait.

Par le séquençage du génome, les chercheurs ont démontré que les Australiens aborigènes descendent directement d'une expansion précoce de l'homme en Asie qui a eu lieu il y a environ 70 000 ans, et au moins 24 000 ans avant les mouvements de population qui ont donné naissance aux Européens et Asiatiques actuels. Les résultats indiquent que les aborigènes australiens des temps modernes sont en fait les descendants directs des premiers individus qui sont arrivés en Australie il y a 50 000 ans.

sciencedaily.com, 22 septembre 2011

Même selon les normes australiennes, la région de Kimberley est isolée. Elle est située au fin fond de l'ouest de l'Australie, séparée des îles de l'archipel indonésien par la tranchée profonde de la mer de Timor. Le paysage y est rugueux et accidenté et le climat, comme la plupart du reste du pays, est chaud et sec, sauf pendant la saison humide, lorsque des pluies torrentielles rendent la région inaccessible. Le Kimberley possède en abondance les trois animaux les plus dangereux d'Australie : les araignées, les serpents et les crocodiles. Malgré le caractère inhospitalier de cette région, on pense qu'elle fut l'une des premières régions habitées du continent et, à ce titre, les recherches archéologiques menées ont le potentiel de faire la lumière sur l'une des questions les plus controversées dans l'étude des premiers humains : quand et comment l'Australie d'abord fut-elle colonisée et qui étaient ces premiers Australiens ?

Les preuves d'une colonie humaine primitive dans le Kimberley se présentent sous forme de peintures rupestres baptisées du nom plutôt incongru d'art Bradshaw, d'après le colon qui les a décrites le premier au XIXe siècle. Il est notoirement difficile de dater des pétroglyphes, terme employé dans les milieux scientifiques pour désigner les peintures rupestres. Là où cela fut possible, on a estimé que les peintures Bradshaw avaient plusieurs milliers d'années, ce qui permit à certains de dater l'arrivée des aborigènes qui aujourd'hui vivent dans la région. De telles affirmations ont suscité la controverse, qui a été utilisée par ceux qui cherchent à saper les droits fonciers des peuples aborigènes à la fois dans le Kimberley et dans d'autres régions de l'Australie.

L'étude de l'art Bradshaw a illustré les difficultés rencontrées par ceux qui essaient d'enquêter sur la colonisation de l'Australie. Ces études deviennent rapidement des champs de mines de préjugés et de conformité politique. C'est peut-être la raison pour laquelle, en Australie, on ne parle que très peu de l'abondance de peintures rupestres — des dizaines de milliers d'exemples ont été retrouvés éparpillés sur une superficie de la taille de l'Espagne — et que ces œuvres d'art primitif sont presque totalement inconnues en dehors du pays. Mais cela n'a pas arrêté tout le monde. Les individus dotés d'une nature plus déterminée, qui ont bravé les critiques et les insultes que cela entraîne inévitablement, ont considérablement

LES PEINTURES RUPESTRES DE BRADSHAW

© Rob Walls | Alamy

PEINTURES RUPESTRES
Un personnage stylisé, représentant peut-être un ancêtre mythique du « temps du rêve ».

élargi notre connaissance sur l'époque et la manière dont sont arrivés les premiers hommes en Australie.

HOMME DE MUNGO

Le squelette fossilisé du premier Australien connu fut découvert en 1974, près du lac Mungo au sud de la Nouvelle-Galles du Sud. La datation de l'homme de Mungo, tel qu'on l'a baptisé, fut largement controversée. Au bout du compte, on a déclaré que son âge se situait entre 40 000 et 60 000 ans, la première colonisation du continent ayant été estimée, à l'époque, à 30 000 ans en arrière. Cette datation n'est toujours pas acceptée par tout le monde, mais un certain consensus existe quant à la façon dont les premiers aborigènes sont arrivés. Sans autre possibilité qu'un immense voyage à travers l'océan, il est généralement admis que les hommes ont traversé la mer de Timor dans des bateaux et des radeaux. À l'époque, l'expédition aurait été beaucoup plus facile que la traversée maritime de 480 km d'aujourd'hui. Jusqu'à la fin de la dernière ère glaciaire, il y a environ 10 000 ans, le niveau des mers était beaucoup plus bas, ce qui entraîna la création de la masse continentale du Sahul, comprenant l'Australie, la Nouvelle-Guinée et la Tasmanie. Ces terres étaient encore séparées du plateau continental de Sunda dans le sud-est asiatique, par la tranchée dans la mer de Timor, mais la distance n'était à l'époque que de 100 km. Alors que les températures montaient et que les glaciers fondaient, le niveau de la mer augmenta et les traces laissées par ces premiers habitants furent recouvertes. Si des objets archéologiques existent encore, ils se situent à 90 m sous l'eau.

HOMME DE MUNGO
Le squelette fossilisé découvert près du Lac Mungo est âgé d'au moins 40 000 ans.

Il est donc peu probable de trouver des preuves matérielles à la surface, mais il existe d'autres moyens pour enquêter sur le sujet. Une étude publiée en 2011 et menée par des chercheurs de l'université de Copenhague, détaille le premier séquençage du génome aborigène, en utilisant de l'ADN isolé à partir d'un échantillon de cheveux recueillis il y a cent ans sur un aborigène d'Australie-Occidentale. L'analyse du génome a montré que les premiers Australiens se sont séparés des autres êtres humains il y a environ 70 000 ans et sont arrivés en Australie 20 000 ans plus tard. Ceci corrobore largement la datation de l'homme de Mungo et suggère que, lorsque ces hommes sont arrivés, ils se sont propagés à travers le continent relativement vite. Le génome indique également que les Aborigènes vivant aujourd'hui en Australie descendent directement des premiers arrivants, faisant d'eux l'une des plus anciennes sociétés à avoir occupé de manière permanente le même territoire du monde en dehors de l'Afrique.

La diversité des langues parlées à travers l'Australie aborigène est une autre indication de l'âge de ces sociétés. Plus de 250 groupes linguistiques ont été identifiés, avec de nombreux dialectes existants au sein de chaque groupe, ce qui suggère que les peuples autochtones ont été présents sur le continent depuis des milliers d'années en raison de la durée requise pour que d'aussi nombreuses langues se développent. On peut trouver d'autres indications de l'âge des sociétés aborigènes dans certains contes traditionnels, qui racontent des légendes sur des ancêtres mythiques dont on dit qu'ils ont créé à la fois le peuple aborigène et les endroits où ils vivent. C'est le sujet du thème central de la culture aborigène, appelée le « temps du rêve » (*dreamtime* en anglais), une époque mythique associée à aucune période historique spécifique. Selon ces histoires, dès l'instant où les hommes ont existé, ils ont toujours vécu au même endroit. Les différences entre ces récits mythologiques sur la création et les résultats obtenus par la recherche dans les domaines de l'archéologie, de la génétique et de la linguistique, sont assez évidents, mais en même temps, un parallèle peut être établi entre eux parce qu'ils parviennent à la même la conclusion : les Aborigènes vivent sur le continent australien depuis très longtemps.

Ces dernières années, les progrès de la science ont amélioré nos connaissances sur la présence des premiers hommes en Australie, dans la mesure où il est désormais possible d'affirmer, avec un degré raisonnable de certitude, que ceux qui vivent sur le continent aujourd'hui sont les descendants des premiers habitants qui ont colonisé le continent il y a environ 50 000 ans. Les peintures Bradshaw du Kimberley pourraient se rapporter à la période de cette première colonie, ce qui signifierait qu'elles comptent parmi les premiers exemples d'art rupestre au monde, ce qui les rend tout aussi importantes que les peintures rupestres néolithiques d'Europe occidentale. Si c'est le cas, alors, plutôt que de vouloir saper les droits des Aborigènes, comme certains l'ont suggéré, elles peuvent fournir une confirmation supplémentaire, avec le soutien de la science, de leurs revendications d'avoir toujours vécu sur leurs terres.

LE GÉNOME ABORIGÈNE

L'EXTINCTION DE L'HOMME DE NÉANDERTAL

- 28 000 ans

Mystère : qu'est-ce qui a causé la disparition de l'homme de Néandertal ?

Protagonistes : les espèces *Homo neanderthalensis* et *Homo sapiens*

Dénouement : les hommes sont la dernière espèce d'humains au monde.

Bien sûr, si les hommes de Néandertal ont transmis leurs gènes à l'homme moderne, leur espèce ne s'est pas entièrement éteinte, car une partie de leur ADN vit en nous. Néanmoins, en tant que population avec ses propres caractéristiques physiques distinctives, ils ont disparu, et on a échafaudé de nombreux scénarios sur ce qui a pu leur arriver. On a donné des explications très différentes, de l'hypothèse de maladies importées contre lesquelles ils avaient peu d'immunité naturelle, aux théories de concurrence économique, voire de conflit avec les premiers humains modernes.

Chris Stringer, *L'origine de notre espèce*

Au moment où l'homme moderne arrive en Europe, il y a 40 000 ans environ, le continent abrite depuis très longtemps une autre espèce d'hominidé très proche. Les hommes de Néandertal sont arrivés là plusieurs centaines de millénaires avant nous. Si tôt, en fait, que nous n'avons pas encore évolué en une espèce distincte en Afrique, notre berceau ancestral. Selon les preuves archéologiques, les deux espèces partagent cet espace vital, sans se mélanger, pendant environ 10 000 ans, jusqu'à ce que Néandertal s'éteigne. La dernière trace que nous avons retrouvée de lui prouve qu'il a occupé des grottes sur le rocher de Gibraltar il y a environ 28 000 ans. Ce site est décrit comme le dernier refuge d'une espèce condamnée qui, après sa disparition, a fait de nous les seuls occupants de la région et la dernière espèce survivante de notre genre. De nombreuses questions demeurent sur l'homme de Néandertal, la plus essentielle pour le comprendre étant de découvrir comment cette disparition est survenue.

© Olaf Tausch | Creative Commons

GIBRALTAR
Le dernier refuge connu de l'homme de Néandertal en Europe.

Néandertal a rarement eu bonne presse. Depuis sa description au milieu du XIXe siècle, après la découverte d'un squelette dans la vallée de Neander, près de Düsseldorf en Allemagne, on le présente comme l'archétype même de l'homme des cavernes : l'esprit lent, communiquant avec ses semblables par des grognements gutturaux, et généralement pas tout à fait aussi « humain » que nous. Les représentations de l'homme de Néandertal le montrent voûté, portant le plus souvent une massue, vêtu de peaux de bêtes grossières, avec des cheveux enchevêtrés et une barbe négligée. Son nom même est devenu synonyme de barbare et de comportement grossier.

Dans une veine plus scientifique, les recherches archéologiques ont prouvé que ce portrait de Néandertal est tout à fait inexact. Les Néandertaliens vivaient en petits groupes familiaux reposant sur l'union monogame entre les hommes et les femmes. Ils prenaient soin des personnes malades ou blessées, et enterraient leurs morts d'une manière semblable aux humains. Ils étaient des chasseurs et des artisans accomplis, ils communiquaient avec une forme précoce de langue, et voyageaient en eau libre. On a en effet trouvé des traces de Néandertal sur des îles méditerranéennes qui n'ont jamais été reliées au continent par des ponts terrestres. Ou bien les Néandertaliens étaient d'extraordinaires nageurs, ou ils avaient compris

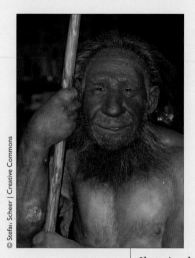

**L'HOMME
DE NÉANDERTAL**
Une reconstitution
de l'homme de Néandertal
par le *Neanderthal Museum*
de Mettman en Allemagne

comment faire des bateaux ou des radeaux. Tout porte à croire qu'ils étaient aussi artistes. La peinture rupestre d'une voile découverte dans une grotte en Espagne date d'environ 42 000 ans, avant que les humains modernes n'arrivent dans la région. Soit la date n'est pas correcte, ce qui est toujours une possibilité, soit la peinture a été faite par un homme de Néandertal. Nous aimerions croire que nous sommes uniques, mais la vérité est que les Néandertaliens nous ressemblaient en fait énormément.

Les similitudes mises à part, les humains et les Néandertaliens n'étaient nullement identiques. Anatomiquement, les différences sont plus apparentes au niveau du crâne. Néandertal avait un front incliné en arrière, avec des arcades sourcilières proéminentes et un menton beaucoup moins saillant que nous. Il était plus petit et plus robuste, donc mieux adapté au climat froid de l'Europe, ce qui n'est guère surprenant étant donné que notre corps mince et moins musclé a évolué dans la chaleur de la savane africaine. Mais en dépit de ces différences, avec une bonne coupe de cheveux, une douche et vêtu d'un jean et d'une chemise, Néandertal ne se démarquerait guère dans la rue aujourd'hui. Il ressemblerait au genre de type avec qui il vaut mieux éviter de se mesurer — pas très grand, mais bâti comme une armoire à glace.

Le patrimoine archéologique fournit également des preuves de certaines différences culturelles entre les humains et les Néandertaliens. Il semblerait que les Néandertaliens étaient moins sociables que nous; ils avaient tendance à vivre dans des groupes plus petits que nous et n'avaient que peu de contacts avec d'autres personnes de l'extérieur en dehors de leur cercle immédiat. Notre homme de Néandertal ne se démarquerait peut-être pas dans une rue en ville, mais il ne serait probablement pas très à l'aise d'être entouré par tant d'étrangers. On observe une autre différence importante dans la gamme d'outils en pierre utilisés par les Néandertaliens et les hommes modernes. Les outils en pierre néandertaliens appartiennent à un type connu sous le nom de moustérien, d'après une caverne située au Moustier en Dordogne. Leur conception n'a que très peu évolué pendant des centaines de millénaires. Les « assemblages lithiques », c'est-à-dire les séries d'outils en pierre découverts dans les sites archéologiques, permettent de distinguer les sites utilisés par les Néandertaliens de ceux utilisés par les hommes modernes. Le manque d'adaptation des Néandertaliens a été considéré par certains archéologues comme la preuve qu'ils n'étaient pas capables de faire preuve d'inventivité ou de résoudre des problèmes, contrairement aux humains.

Ces différences ne sont pas surprenantes. Même si les archives archéologiques ne sont pas encore assez complètes pour le dire avec certitude, il semble que les Néandertaliens soient séparés de la ligne d'évolution qui allait conduire à l'homme moderne il y a environ 400 000 ans. On pense que l'ancêtre commun est *Homo heidelbergensis*, lui-même un ancêtre d'*Homo erectus*, le premier hominidé à marcher avec une posture droite. On suppose qu'un groupe d'*Homo heidelbergensis* se répandit de l'Afrique vers l'Europe, et devint isolé de la population d'origine au cours d'une période glaciaire. Dans de telles conditions climatiques radicalement différentes, le groupe européen donna naissance aux Néandertaliens. Pendant ce temps, en Afrique, les humains modernes se sont séparés d'*Homo heidelbergensis* il y a environ 150 000 ans, puis, il y a 70 000 ans peut-être, ont commencé à quitter l'Afrique. À cette époque, les hommes de Néandertal se sont assez largement dispersés à travers le Moyen-Orient et l'Asie centrale, ainsi qu'en Europe, et c'est dans ces régions que les premières rencontres entre Néandertaliens et hommes modernes ont le plus probablement eu lieu.

Il existe quelques indications de l'interaction entre Néandertaliens et hommes modernes, mais la plupart du temps, les deux groupes semblent être restés entre eux. Durant plusieurs millénaires, le périmètre de Néandertal s'est réduit jusqu'à ce qu'un dernier groupe de population soit isolé dans les grottes de Gibraltar. Une cause possible de ce déclin est l'arrivée de l'homme moderne. Soit par la confrontation directe, la concurrence pour les mêmes ressources, la propagation de maladies, ou par une combinaison de tous ces facteurs, nous avons peut-être chassé les hommes de Néandertal de leur territoire. L'historique de notre expansion dans d'autres régions du monde à des époques plus récentes tendrait à étayer ce scénario. Chaque fois que les hommes ont colonisé une nouvelle région, ils ont causé des ravages. Des forêts ont été rayées de la carte, la faune a été décimée, et les populations autochtones ont été soit totalement anéanties, soit leur société en fut tellement perturbée que leur mode de vie devint intenable. Il n'est pas difficile d'imaginer qu'un ensemble de

ÉTAIT-CE NOUS?

circonstances similaires a rongé la société néandertalienne, entraînant leur extinction. Le problème avec cette théorie est qu'elle se fonde uniquement sur l'hypothèse de la façon dont se comportent les hommes modernes, et elle n'est étayée par aucune preuve connue.

CHANGEMENT DE CLIMAT

L'apogée de l'expansion de l'homme de Néandertal se situe il y a environ 100 000 ans, alors qu'il s'était répandu vers l'est jusqu'en Chine. Le déclin fut ensuite constant, pour s'accélérer considérablement il y a environ 50 000 ans. Cela correspond à une période d'instabilité climatique, notamment des vagues de froid intense dont on pense qu'elles sont survenues très brusquement, en une génération ou deux pour les hommes de Néandertal. L'évolution rapide de l'environnement provoquée par ces vagues de froid, au cours desquelles la toundra et la steppe ont remplacé les forêts, se serait accompagnée d'un changement des espèces de proies disponibles pour les chasseurs néandertaliens et, comme les outils de pierre qu'ils utilisaient étaient restés sensiblement les mêmes, peut-être n'ont-ils pas été en mesure de s'adapter assez rapidement aux nouvelles circonstances forcées.

Selon Clive Finlayson, les stratégies de chasse de Néandertal ne pouvaient pas faire face à ces bouleversements soudains provoqués par le changement de climat. Sa population a donc été considérablement réduite et les survivants ont été contraints de se réfugier dans les zones où les changements ont été moins rudes, comme dans le sud de l'Espagne. Le climat a commencé à se réchauffer à nouveau il y a environ 40 000 ans, permettant aux hommes modernes de se développer sur le territoire autrefois occupé par les Néandertaliens. Ainsi, selon cette théorie, l'extinction de l'homme de Néandertal ne serait pas de notre faute, ce fut simplement une question de chance. Comme le dit Finlayson, Néandertal se trouvait simplement au mauvais endroit au mauvais moment.

Une troisième possibilité est apparue en 2010, lorsque la séquence complète de l'ADN de Néandertal a été publiée. Tout en soulignant à quel point les êtres humains et les Néandertaliens étaient liés étroitement les uns aux autres, les résultats ont révélé que tous les hommes modernes, à l'exception des individus originaires d'Afrique, ont directement hérité entre 1 et 4 % de leurs gènes des Néandertaliens, ce qui démontre que des croisements entre nous et les Néandertaliens ont non seulement eu lieu après notre départ de l'Afrique, mais ont produit une descendance viable. Cela ouvre toutes sortes de questions intéressantes, non des moindres,

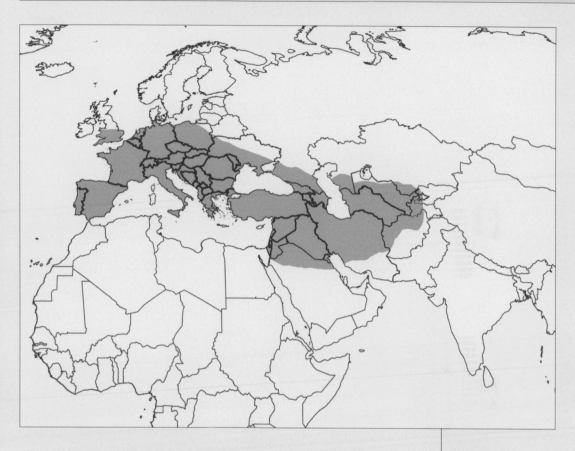

comme de savoir si les Néandertaliens et les hommes modernes, ainsi que notre ancêtre commun *Homo heidelbergensis*, doivent être considérés comme des espèces distinctes. En suivant ce raisonnement, faut-il considérer que les Néandertaliens ont disparu, ou ont tout simplement été absorbés dans les populations d'humains modernes qui ont commencé à occuper leur territoire ? Si la seconde hypothèse se confirme, l'homme de Néandertal n'a pas complètement disparu. Il vit en nous, car il fait partie de nous. Il est dans notre ADN.

L'EXPANSION DE L'HOMME DE NÉANDERTAL

Il y a environ 100 000 ans, les Néandertaliens se sont répandus à travers l'Europe, le Moyen-Orient et l'Asie Centrale.

MYSTÈRE

Événement inexpliqué

Raison inconnue

Réalité ou fiction ?

Vérité ou mensonge ?

Personne disparue

Personne inconnue

Crime non élucidé

L'HOMME DE FLORÈS
- 12 000 ans

Mystère : qui étaient ces drôles de petits hommes ?

Protagonistes : *Homo floresiensis* et nous

Dénouement : rien n'est simple dans l'évolution humaine.

hobbit **n. masc.** *dans les romans de J.R.R. Tolkien (1892–1973): membre d'une race fictive apparentée à l'homme, et caractérisé par sa petite taille et ses pieds poilus.*

Définition du *Shorter Oxford* Dictionnaire de langue anglaise

Les légendes que racontent les habitants de la belle île indonésienne de Florès (qui signifie « fleurs » en portugais), et qui mettent en scène de petits hommes espiègles, ne furent pas davantage prises au sérieux que les tonnes d'histoires semblables qui existent partout dans le monde. Ce n'est qu'en 2004 que l'on commença à y prêter attention : des archéologues découvrent dans une grotte de l'île des squelettes d'êtres humains adultes qui ne mesuraient pas plus d'un mètre. Selon l'équipe qui a fait la découverte, ces individus étaient anatomiquement différents de l'homme moderne, et pas seulement en termes de taille. Ils avaient des cerveaux minuscules, de la taille d'une pomme, avec des pieds énormes et une articulation du poignet qui, par rapport à la nôtre, était beaucoup plus primitive. Selon elle, ces différences, étaient suffisamment importantes pour que ces spécimens soient décrits comme une nouvelle espèce d'hominidé, qu'elle a baptisée *Homo floresiensis*.

Il faut cependant savoir que les archéologues adorent monter en épingle un événement afin d'en faire un débat scientifique sérieux. Les déclarations faites à propos des découvertes de Florès leur fournissent cette occasion sur un plateau. Au moment le plus vif du débat, la presse, qui s'est emparée de l'histoire, surnomme *Homo floresiensis* le « hobbit de Florès », probablement en raison de sa petite taille, et non en référence aux aventures de Bilbon et Frodon dans la Terre du Milieu.

HOBBIT OU HUMAIN ?

Désigner les hobbits comme une nouvelle espèce, c'est vraiment laisser entrer le loup dans la bergerie en ce qui concerne les théories de l'évolution humaine. Jusque-là, on pensait que l'homme s'était réparti dans le monde de manière assez simple. On distinguait alors trois vagues de migration : *Homo erectus* quittant l'Afrique il y a environ 1,5 million d'années, suivi d'*Homo heidelbergensis* il y a environ 400 000 ans, et enfin, il y a environ 70 000 ans, nos ancêtres, dont on pense qu'ils ont remplacé leurs prédécesseurs lorsqu'ils se sont installés. Or cette thèse généralement admise soulève un sérieux problème : elle ne peut pas expliquer la présence des hobbits sur l'île de Florès car ils étaient anatomiquement différents des trois espèces humaines précitées.

L'équipe qui a fait la découverte pense que les hobbits descendaient d'*Homo erectus*, ce qui n'est pas absurde étant donné que le premier spécimen connu d'*Homo erectus* a été trouvé à la fin du XIXe siècle sur l'île de Java, à quelques centaines de kilomètres à l'ouest de l'île de Florès. Le

© Equinox Graphics | SPL

TÊTE DE HOBBIT
Comparaison
entre un crâne de hobbit
adulte (à gauche) et celui
d'un humain moderne.

problème de ce scénario reste évidemment la différence de taille. *Homo erectus* était beaucoup plus grand et robuste que les humains modernes, sans parler des mini-hobbits. Cette différence s'explique par le phénomène biologique de nanisme insulaire, selon lequel une population d'une espèce isolée sur une île, évolue en étant plus petite en réponse à des ressources limitées. La découverte d'ossements d'une espèce disparue d'éléphant pygmée au même endroit semble étayer cette hypothèse. Des outils de pierre ont également été trouvés dans la grotte, y compris ceux censés avoir été utilisés pour tuer et découper les éléphants pygmées. Ceux-ci sont semblables aux outils trouvés ailleurs sur Florès, qui remontent à un million d'années, créditant la théorie d'*Homo erectus*. Mais ceci pose un autre problème : comment les hobbits, avec ces petits cerveaux primitifs et ces poignets, ont-ils pu fabriquer et utiliser ces outils ?

Les détracteurs de la théorie ont marqué un point, mais leur principale pomme de discorde concerne la désignation des hobbits comme une nouvelle espèce. Selon eux, les hobbits sont en fait des êtres humains qui, atteints d'une maladie ou d'une anomalie, ont subi un retard de croissance. On a évoqué la microcéphalie, une affection neurologique qui empêche le cerveau de se développer à sa taille habituelle. Or cette hypothèse, comme d'autres, ne tient compte que des différences de hauteur et de taille du cerveau, et n'explique pas toutes les autres anomalies anatomiques. Les comparaisons entre des crânes de hobbits et ceux d'humains modernes ayant souffert de maladies similaires, ont révélé des différences significatives, ce qui tend à confirmer que les hobbits ne souffraient d'aucune d'elles.

Malgré des constatations prouvant le contraire, certains scientifiques ont refusé d'accepter que les hobbits représentent une nouvelle espèce d'hominidé. Il semblerait que certaines de ces objections aient été faites par jalousie professionnelle, peut-être parce que les personnes concernées n'ont pas fait elles-mêmes la découverte, tandis que d'autres ont réfuté la théorie parce qu'elles n'étaient pas prêtes à remettre en cause leur propre opinion de l'évolution humaine. Le faire reviendrait à les forcer à réévaluer, et peut-être même à rejeter, le travail qu'elles ont accompli depuis de nombreuses années. Or peu de gens admettent volontiers qu'ils ont tort.

Ces dernières années, une autre théorie sur l'origine des hobbits a vu le jour, partant des preuves telles qu'elles sont, et non de ce que certains voudraient qu'elles soient. Cette hypothèse suggère que les hobbits seraient en fait les descendants de premiers hominidés, peut-être *Australopithecus afarensis* ou *Homo habilis*. Ces deux espèces vivaient en Afrique entre 2 et 3 millions d'années en arrière. Le plus célèbre spécimen d'entre elles est Lucy, le squelette d'un *A. afarensis* découvert en Éthiopie en 1974 et appelée la « grand-mère de l'humanité ». Lucy avait un petit cerveau, des poignets primitifs, et mesurait moins de 1 m de haut. La comparaison avec les hobbits est évidente. Aucun élément de preuve d'un hominidé antérieur à *Homo erectus* n'ayant jamais été découvert en dehors de l'Afrique, cette théorie, si elle s'avère exacte, entraîne une remise en cause fondamentale de l'évolution humaine.

Il existe un moyen de résoudre ce mystère. L'analyse de l'ADN pourrait déterminer une fois pour toutes qui étaient les hobbits et trancher le débat : s'agit-il d'une autre espèce ou étaient-ils des hommes modernes souffrant d'une maladie ? Malheureusement, l'ADN se dégrade beaucoup plus rapidement dans les climats chauds que dans les régions froides. Même si de l'ADN a été prélevée à partir d'échantillons plus anciens que les hobbits, sur les os de Néandertaliens par exemple, aucune méthode n'est encore au point pour extraire de l'ADN à partir des ossements trouvés à Florès. Tant qu'il n'existe aucune technique pour surmonter ces difficultés, nous devrons nous contenter des différentes théories concurrentes.

Un mystère entoure encore les curieux hobbits de Florès. Selon les données actuelles, ils se seraient éteints il y a environ 12 000 ans, soit avant l'arrivée des humains modernes sur l'île, soit directement à cause de leur arrivée. Certains scientifiques n'écartent cependant pas la possibilité qu'ils aient survécu plus longtemps. Si ce scénario est vrai, les hobbits et les humains modernes auraient vécu sur l'île en même temps et ont donc interagi les uns avec les autres. Les légendes de l'île racontent comment les petits hommes ont survécu jusque dans les temps modernes, peut-être même jusqu'au XIXᵉ siècle et bien qu'il n'y ait aucune preuve pour étayer cette thèse, il serait imprudent de la balayer d'un revers de la main. Les conteurs, après tout, ont toujours raison.

DES COUSINS DE L'HOMME MODERNE

MYSTÈRE

Événement inexpliqué

Raison inconnue

Réalité ou fiction ?

Vérité ou mensonge ?

Personne disparue

Personne inconnue

Crime non élucidé

L'ATLANTIDE, LE CONTINENT PERDU

- 9 000 av. J.-C.

Mystère : l'Atlantide a-t-elle vraiment existé ?

Protagonistes : Platon et d'autres

Dénouement : un mystère fascinant et persistant ou une absurdité totale, selon la façon dont on le considère.

Nos écrits rapportent comment votre cité anéantit jadis une puissance insolente qui envahissait à la fois toute l'Europe et toute l'Asie et se jetait sur elle du fond de l'Atlantique. Car en ce temps-là, on pouvait traverser cette mer. Elle avait une île devant ce passage que vous appelez, dites-vous, les colonnes d'Hercule [détroit de Gibraltar]. Cette île était plus grande que la Libye et l'Asie réunies. Et les voyageurs de ce temps-là pouvaient passer de cette île sur les autres îles, et de ces îles ils pouvaient gagner tout le continent [l'Amérique] sur le rivage opposé de cette mer qui méritait vraiment son nom.

Platon, *Le Timée*

L'histoire de l'Atlantide, qui raconte comment un continent fut englouti dans l'océan Atlantique, est bien connue. Les scientifiques l'ont largement reléguée au rang de fantasme imaginé par des pseudo-historiens afin de promouvoir telle ou telle théorie farfelue. Ce seraient ces mêmes personnes qui prétendent que les Atlantes étaient des êtres suprêmes, membres d'une civilisation avancée à qui l'on doit toutes les réalisations de l'Ancien monde, depuis les pyramides d'Égypte et d'Amérique du Sud, à Stonehenge et le complexe du temple d'Angkor Vat au Cambodge. Y a-t-il quelque substance dans cette histoire ou est-elle simplement le fruit des divagations de cette catégorie d'individus qui pensent que les agroglyphes sont des messages des extraterrestres, et non le travail de deux types munis d'un poteau et d'une corde qui n'avaient rien de mieux à faire après la fermeture des *pubs* ? Après tout, l'histoire a été racontée par Platon qui, avec Socrate et Aristote, est l'un des pères fondateurs de la philosophie occidentale et, à ce titre, n'est pas un homme dont les écrits sont prendre à la légère.

Vers la fin de sa vie, Platon (429 – 347 av. J.-C.) se lance dans un ambitieux projet, une tentative de résumer sa pensée sur certaines de ses principales préoccupations, notamment la nature de l'État et ce qui constituerait un idéal de vie. À son habitude, il expose ses idées sous forme de dialogue, dans lequel il est censé rapporter une discussion tenue par d'autres. Dans le cas qui nous intéresse, les protagonistes sont Socrate, Timée et Critias et la discussion se déroule en 421 av. J.-C., alors que Platon a 7 ans. Les dialogues sont divisés en trois parties — *Le Timée*, *Le Critias* et *L'Hermacrate* — mais Platon semble avoir abandonné le projet sans avoir terminé *Le Critias* et, autant que nous puissions le dire, avant d'avoir commencé *L'Hermacrate*. Il est donc difficile de savoir quelle était son intention générale.

Dans *Le Timée*, Platon raconte l'histoire de l'Atlantide comme la réponse donnée par Critias à Socrate, qui avait parlé de la nature de l'État idéal. Selon Platon, il s'agit d'un long épisode oublié de l'histoire d'Athènes, à l'époque d'une guerre entre Athènes et l'Atlantide, un État insulaire situé « au-delà des Colonnes d'Hercule ». Il s'agit des deux promontoires qui se trouvent de chaque côté du détroit de Gibraltar, ce qui signifie que l'Atlantide se trouve dans l'océan Atlantique. L'Atlantide est beaucoup plus grande et plus puissante qu'Athènes, mais les Atlantes ont laissé

CE QU'A ÉCRIT PLATON

le pouvoir à leurs élites, de plus en plus sûres d'elles et décadentes, ce qui conduit à leur défaite face aux Athéniens plus terre à terre et mieux organisés. Après la défaite des Atlantes, survint une série de catastrophes naturelles. Platon écrit :

> Mais dans le temps qui suivit il y eut des tremblements de terre effroyables et des cataclysmes. Dans l'espace d'un seul jour et d'une nuit terribles, toute votre armée fut engloutie d'un seul coup sous la terre, et de même l'Atlantide s'abîma dans la mer et disparut. Voilà pourquoi, aujourd'hui encore, cet océan de là-bas est difficile et inexplorable par l'obstacle des fonds vaseux et très hauts que l'île en s'engloutissant a déposés [la mer des Sargasses].

PLATON
Buste du grand philosophe athénien qui fut le premier à décrire l'Atlantide.

Même si Athènes fut endommagée par les tremblements de terre et les inondations qui ont suivi la guerre, la cité a survécu, alors que l'Atlantide a été détruite, engloutie par les flots de l'océan Atlantique. Le dialogue passe ensuite à d'autres thèmes, avant que Platon ne permette à Critias de revenir à son sujet dans la partie des *Dialogues* qui porte son nom. Il s'ensuit un compte rendu long, décousu et, à dire vrai, fastidieux sur l'Atlantide et la société atlante. Le travail s'arrête à ce stade. Il est difficile de savoir si Platon a fait une pause pour rassembler ses pensées ou s'il a renoncé à poursuivre ; quelle que soit la raison, il n'a pas pu finir. Il est cependant clair que Platon parle vraiment d'Athènes et utilise l'exemple de l'Atlantide pour montrer ce qui arrive à un État s'il devient pléthorique et corrompu. L'Atlantide, dans le récit de Platon, n'est pas un État idéal, mais un État qui est tombé en disgrâce et a été détruit, une destinée, comme nous pouvons le déduire, qui attend aussi Athènes si elle ne s'amende pas.

Il est impossible de savoir aujourd'hui si l'histoire de l'Atlantide selon Platon repose sur une preuve documentaire ou si le philosophe l'a inventée lui-même afin de démontrer ce qu'il souhaitait. Il n'existe apparemment aucun précédent. Hérodote (484 – 425 av. J.-C.), surnommé le « père de l'histoire », ne fait aucune mention de l'Atlantide dans ses *Histoires*, écrites une génération avant Platon, ce qui suggère que son histoire n'est pas populaire à Athènes. Certains auteurs classiques postérieurs ont plus tard traité cette histoire comme un fait historique, mais la plupart, comme les savants modernes classiques, y ont vu un dispositif utilisé par Platon pour servir son sujet.

Depuis l'Antiquité classique, nombreux sont ceux à avoir écrit sur l'Atlantide sous une forme ou une autre. Le philosophe élisabéthain Sir Francis Bacon (1561 – 1626) a écrit un roman intitulé *La Nouvelle Atlantide*, qui parle d'une société utopique sur une île au large des côtes de l'Amérique du Nord. Au contraire, le sérieux scientifique suédois Olaus Rudbeck (1679 – 1702) a déployé d'énormes efforts dans le but de prouver que la Suède était en fait l'Atlantide. Mais il a fallu attendre Ignatius Donnelly (1831 – 1901) et la publication en 1882 de son *Atlantide : monde antédiluvien* avant que l'idée de l'Atlantide telle que nous la connaissons aujourd'hui prenne racine dans l'imagination du public.

Donnelly était un avocat et homme politique américain d'origine irlandaise. Selon sa théorie, l'Atlantide a été détruite par le Déluge qui survint à l'époque de Noé et de son arche, dans l'Ancien Testament. Il raconte que l'Atlantide est à l'origine de toutes les civilisations anciennes et la patrie de la race aryenne qui, après le déluge, a été forcée de se déplacer, de s'installer en Irlande et où elle a fondé une nouvelle patrie de surhommes roux.

Les idées de Donnelly ont eu de l'influence sur certains de ses contemporains. Le philosophe et mystique autrichien Rudolf Steiner qui a par ailleurs développé le système éducatif Waldorf et l'agriculture biodynamique, était un adepte, tout comme le guérisseur psychique américain Edgar Cayce. Plus récemment, les œuvres des écrivains J.V. Luce et Graham Hancock peuvent être considérées comme des évolutions modernes des théories de Donnelly qui, tout en n'étant pas prises au sérieux dans le monde universitaire, ont de nombreux adeptes.

À en croire certains articles de presse et sites Internet, l'Atlantide a été découverte à plusieurs reprises. Au même titre que la Suède et l'Irlande, elle est identifiée aux Açores, à Cuba, aux Bahamas et un banc de sable au large des côtes espagnoles. Google Earth a récemment changé une photo satellite des fonds marins de l'ouest des îles Canaries qui montrait à l'origine une série de lignes droites qui n'était pas sans rappeler le quadrillage régulier des rues d'une ville. Google a déclaré qu'ils étaient

L'ARCHÉOLOGIE ET L'ATLANTIDE

OLAUS RUDBECK
Illustration d'*Atlantica*
de Rudbeck le montrant
en train de désigner
l'Atlantide à, entre autres,
Platon.

en train de corriger une erreur qui s'est produite au cours du transfert d'une image numérique, une explication que tout le monde n'a pas crue. Certains y ont vu un autre exemple d'un complot de grande envergure pour cacher la vérité au peuple.

En dehors des spéculations de la presse et d'Internet, certains archéologues sérieux ont essayé d'étudier la question. D'après l'une des théories les plus connues, la destruction de l'Atlantide a été provoquée par une énorme éruption volcanique survenue sur l'île de Théra en mer Égée. Elle se serait produite vers 1600 av. J.-C., provoquant un gigantesque raz-de-marée qui aurait contribué à l'effondrement de la civilisation minoenne en Crète, ainsi qu'à la destruction de Théra. Ce qui est resté de l'île après l'éruption s'appelle maintenant Santorin et l'ampleur de l'éruption volcanique peut être mesurée par la taille de la caldeira qu'elle a laissée après avoir soufflé le cœur de l'île d'origine. Ce cratère mesure près de 13 km de long et 6,4 km de large, avec des falaises sur trois côtés qui font 300 m de haut. Les fouilles archéologiques continuent sur le site d'Akrotiri, une ville minoenne entièrement recouverte de cendres volcaniques, où l'on a découvert des maisons entières et quelques peintures murales de toute beauté.

Les parallèles entre le récit de Platon sur la destruction de l'Atlantide et ce que les preuves archéologiques nous montrent sur le destin de la civilisation minoenne sur Théra sont évidents. L'attrait de cette théorie est qu'elle se fonde sur des preuves observables et non sur des spéculations sauvages. Malheureusement, les différences sont également flagrantes. Par rapport à ce que Platon nous dit à propos de l'Atlantide, Théra est de la bonne taille, mais au mauvais endroit. De même, l'éruption s'est produite sur l'île au mauvais moment, environ 7 500 ans après la disparition de l'Atlantide. Ignorer ces différences majeures, ou essayer de les justifier comme si elles ne posaient pas de problème, place la théorie de Théra au même niveau que toutes les spéculations les plus folles parce que les faits ont été manipulés pour s'adapter à une idée préconçue au lieu de les laisser parler d'eux-mêmes.

Nous ne saurons jamais avec certitude si le récit que Platon fait de l'Atlantide a un rapport avec la réalité, ou s'il a simplement inventé

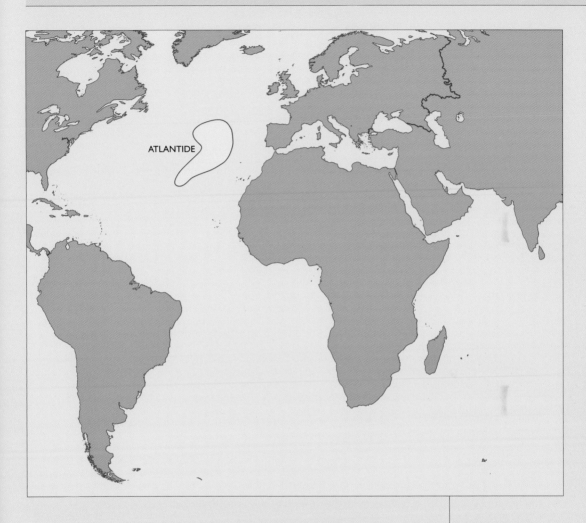

ATLANTIDE

toute l'histoire. Dans un sens, cela n'a pas beaucoup d'importance de toute façon car Platon l'a utilisée afin d'illustrer une démonstration. Les spéculations modernes n'ont peut-être ni les intentions sérieuses ni la rigueur de la démarche philosophique de Platon, mais le recours à l'histoire de l'Atlantide pour exprimer une certaine vision du monde est bien le même. Les pseudo-historiens ne nous présentent peut-être pas une image tout à fait exacte du monde, et ce qu'ils disent à propos de l'Atlantide n'est peut-être pas tout à fait vrai, mais, une fois encore, Platon n'essayait probablement pas de raconter non plus la vérité.

**L'ATLANTIDE
DE PLATON**
Selon Platon, l'Atlantide
se situait en face
des Colonnes d'Hercule,
dans l'océan Atlantique.

MYSTÈRE

Événement inexpliqué

Raison inconnue

Réalité ou fiction ?

Vérité ou mensonge ?

Personne disparue

Personne inconnue

Crime non élucidé

STONEHENGE

v. 2 500 av. J.-C.

Mystère : pourquoi a-t-on construit Stonehenge ?

Protagonistes : les habitants de la Grande-Bretagne dans l'Antiquité

Dénouement : de nombreuses théories, mais aucune certitude

Les plus anciens monuments construits avec des pierres massives sont en Europe occidentale.
Bien que les visiteurs modernes ne s'en rendent pas compte, ces structures impressionnantes…
sont plus anciennes que les pyramides d'Égypte, et elles consacrent des croyances aussi puissantes
et aussi complexes que celles des Égyptiens plus tard. Les mégalithes d'Europe occidentale
remontent à la période néolithique ancienne, sans doute le virage le plus important dans toute
l'histoire de l'humanité. La période complète s'étale d'environ 10 000 ans à 5 000 ans en
arrière… et correspond à l'époque durant laquelle l'agriculture est devenue un mode de vie.

David Lewis-Williams et David Pearce,
Inside the Neolithic Mind

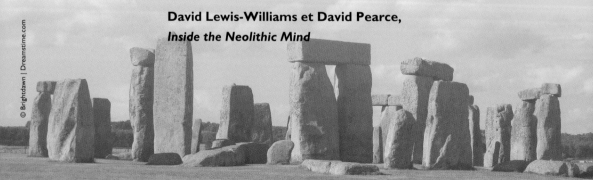

La plaine de Salisbury, en plein hiver, peut être un endroit morne. Cela peut expliquer pourquoi il y a beaucoup moins de gens qui se rassemblent à Stonehenge pour célébrer le soleil couchant au moment du solstice d'hiver, que six mois plus tard au lever du soleil, le jour le plus long de l'année, même si ceux qui ont érigé le site à l'origine, ont aligné les pierres en fonction de ces deux périodes. Lors du solstice d'été, une procession de druides en tenue complète pénètre dans le cercle de pierre et accomplit des rituels lorsque le soleil se lève, tandis qu'une foule de badauds se connectent à leur « dimension spirituelle ». Dans les années 1970 et 80, l'endroit était beaucoup plus bruyant. Un festival gratuit avait lieu sur le site, où des hordes de personnes trouvaient leur moi intérieur en prenant des substances qui altéraient l'esprit, tout en buvant du cidre bon marché. Il est difficile d'y trouver un lien avec Stonehenge. Les gens qui l'ont bâti il y a 4 500 ans ne nous ont laissé aucune indication sur leurs intentions. Il est évident qu'ils avaient un but lorsque l'on songe à la quantité monumentale de travail qu'il a fallu pour construire le cercle de pierres. Personne n'entreprend tous ces efforts sans une très bonne raison et, tandis que l'archéologie a permis de découvrir l'identité de ces personnes et comment elles ont pu ériger ces pierres, nous n'avons toujours pas la moindre idée de la raison pour laquelle ils l'ont fait.

LA GRANDE-BRETAGNE DURANT LE NÉOLITHIQUE

Les monuments mégalithiques érigés en Grande-Bretagne et le long de la côte atlantique de l'Europe datent du Néolithique, ou nouvel âge de pierre, une période de grands changements dans le mode de vie des humains. En Grande-Bretagne, cette période a commencé autour de 4 000 av. J.-C., et comprend l'adoption de ce qui a été qualifié par certains archéologues comme le « paquet néolithique ». Savoir exactement comment et pourquoi ce grand changement s'est produit, demeure une question persistante de l'archéologie, notamment parce que l'aube de la période néolithique a entraîné le changement le plus important que la société humaine ait jamais connu : le passage de la chasse et de la cueillette à l'agriculture. Cette transition a conduit à un mode de vie plus sédentaire au sein d'une société plus stratifiée, à l'utilisation d'outils plus avancés, et à la première utilisation de la poterie.

L'archéologue français Jacques Cauvin suppose que la transition néolithique a été causée par des changements dans la façon dont les individus pensaient leur place dans le monde ou, en d'autres termes, leur religion. Les agriculteurs ayant une relation différente avec le monde qui les entoure que les chasseurs-cueilleurs, il n'est donc pas surprenant de constater que la façon dont ils réagissent est également différente. En d'autres termes, les chasseurs-cueilleurs vivent dans le présent, se procurant ce qui est disponible dans leur environnement. Cela s'est traduit dans la nature de leurs systèmes de croyance, qui mettaient l'accent sur les caractéristiques locales telles que le paysage, les animaux et les plantes. Les agriculteurs du Néolithique, en revanche, étaient plus préoccupés par ce que l'avenir leur réservait — un changement du temps au mauvais moment pouvant détruire leur récolte. Cette incertitude se reflète dans leurs religions; les offrandes seraient un effort pour apaiser les dieux et mettre de l'ordre dans un monde chaotique.

Les individus qui ont construit Stonehenge étaient des fermiers qui vivaient dans de petites communautés sédentaires. Il est bien sûr impossible de reconstituer exactement ce qu'ils pensaient ou comment ils réagissent au monde qui les entourait, mais il n'est pas absurde de penser que leur vie religieuse était dans la lignée de celle d'autres communautés agricoles. D'après ce qu'ils nous ont laissé, on peut certainement dire qu'ils étaient hautement qualifiés dans le travail de la pierre et qu'ils devaient aussi avoir des capacités d'organisation très développées pour réaliser ce qu'ils ont fait. Le fait qu'ils aient dépensé cette énergie et ces ressources colossales pour construire Stonehenge, qui ne peut qu'avoir eu un sens rituel, prouve qu'ils devaient avoir un sens religieux très développé, probablement fondé sur la vénération des morts et des ancêtres. Le placement des pierres suggère également une prise de conscience cosmologique avancée, dans laquelle une grande importance est accordée aux mouvements du soleil et aux changements de saisons qui sont, bien sûr, des composantes essentielles du mode de vie agricole.

LES PHASES DE STONEHENGE

Stonehenge, comme Rome, ne s'est pas fait en un jour. On a identifié trois phases de construction qui s'étendent sur les 1 600 ans durant lesquels le site a été utilisé. Durant la première phase, environ 3 100 av. J.-C., un fossé circulaire a été creusé, la terre et la craie extraites ayant servi à former un talus. À l'intérieur du talus une série de 56 trous, que l'on a appelés « trous d'Aubrey », ont été creusés à intervalles réguliers. La fonction de ces puits n'est pas claire, mais on peut imaginer qu'ils ont servi à ériger soit des poteaux en bois, soit des mégalithes. Selon une hypothèse, il s'agit de la position d'origine des pierres bleues, qui ont ensuite été déplacées vers leur position actuelle au sein du cercle principal à une date ultérieure. Ces pierres, qui pèsent entre 4 et 5 tonnes, sont originaires des collines de Preseli dans le Pembrokeshire, à 240 km, et ont été vraisemblablement soit transportées sur une sorte de traîneau, soit prélevées la plupart du temps autour de la côte en bateau et traînées sur le reste du chemin. Quelle que soit la méthode utilisée, il s'agit d'une entreprise gigantesque, ce qui donne une indication de l'importance que les générations qui se sont succédé accordaient au site.

Il ne reste rien de la deuxième phase des travaux, qui a eu lieu au cours des 500 années suivantes. Elle a porté sur la construction de structures en bois, dont la plupart ont ensuite été remplacées par des pierres lors de la troisième et dernière phase de la construction. Celle-ci a débuté vers 2 600 av. J.-C. et s'est poursuivie pendant quelques centaines d'années. Les énormes pierres de sarsen du cercle extérieur, pesant chacune 25 tonnes, ont été amenées sur le site à partir de Marlborough Downs, à 30 km de distance. Elles ont été taillées sur place, chacune ayant une saillie au sommet qui s'adapte à un trou correspondant sur les linteaux de pierre plus petits afin de former un tenon et une mortaise. Ces linteaux de pierre ont eux aussi été taillés de telle sorte que les extrémités reliées entre elles par une languette et une rainure se touchent, chacun étant légèrement incurvé : l'ensemble forme ainsi un anneau continu suspendu au sommet de la structure. L'impression qui ressort de cette construction est qu'elle a été effectuée par une main-d'œuvre hautement qualifiée qui avait transféré les techniques développées à l'origine pour le travail du bois sur la pierre.

Des pierres de sarsen encore plus importantes pouvant aller jusqu'à 50 tonnes ont été érigées à l'intérieur du cercle pour former 5 trilithes — 2 pierres verticales réunies par un linteau — disposés en fer à cheval. Les pierres bleues ont également été disposées dans le cercle selon un schéma similaire et d'autres pierres ont été érigées, dont une au milieu du cercle désormais appelé la pierre d'autel. Cette phase de construction semble

© Jason Hawkes

STONEHENGE
Les pierres de sarsen forment le cercle extérieur, avec un fer à cheval de trilithes au centre.

incomplète, une section du cercle extérieur étant resté ouverte, peut-être parce que les constructeurs n'avaient plus de pierres de sarsen de taille suffisante. Des modifications mineures ont été réalisées durant la période d'utilisation du site au cours du millénaire suivant, jusqu'à environ 1 500 av. J.-C., après quoi aucune activité de construction supplémentaire n'est visible et le site est tombé en désuétude.

Au fil des ans, des centaines d'hypothèses ont été émises pour tenter d'expliquer ce qu'avaient voulu faire les agriculteurs néolithiques à Stonehenge. Le professeur Mike Parker Pearson de l'université de Sheffield au Royaume-Uni, à l'origine du projet Stonehenge Riverside, a mené une série de fouilles sur le site ces dernières années. Il est considéré comme l'un des meilleurs spécialistes au monde de Stonehenge.

Selon sa théorie, Stonehenge est un élément d'un paysage rituel, un complexe interconnecté de monuments néolithiques de la région, qui comprend des éléments contemporains tels que Durrington Walls, les restes d'un *henge* en bois un peu plus à l'ouest, où l'on a mis au jour un village néolithique d'environ 100 maisons. Durrington Walls et Stonehenge se situent tous deux près de la rivière Avon à laquelle ils étaient reliés par des avenues bordées de terrassement. Parker Pearson pense qu'elles servaient lors des rituels associés à l'enterrement des morts, les corps étant transportés du domaine des vivants, représenté par le bois de Durrington Walls, au domaine des morts, la pierre de Stonehenge, *via* la rivière qui, selon lui, était considérée comme une zone de transition entre les domaines de la vie et de la mort.

De nombreuses sépultures ont été trouvées à l'intérieur et autour de Stonehenge, y compris, le plus célèbre, l'archer d'Amesbury, le squelette d'un homme retrouvé enterré avec de nombreux objets funéraires à proximité du site. La découverte de plus de 200 sépultures cinéraires dans les terrassements extérieurs, tend à prouver que le site était un lieu de sépulture. La théorie de Parker Pearson ne fait pas cas de l'orientation solaire des pierres, mais il n'y a aucune raison pour que le site n'ait pas eu plus d'un objectif, un peu comme une cathédrale ou un temple aujourd'hui.

LE PROJET STONEHENGE RIVERSIDE A MIS AU JOUR PLUS DE 200 SÉPULTURES CINÉRAIRES DANS LES TERRASSEMENTS EXTÉRIEURS.

Même si les cérémonies et les rituels ne sont plus célébrés depuis longtemps à Stonehenge, on peut considérer qu'à bien des égards, les nôtres ne sont peut-être pas si différents.

LE PAYS DE POUNT

v. 2 000 av. J.-C.

MYSTÈRE

Événement inexpliqué

Raison inconnue

Réalité ou fiction ?

Vérité ou mensonge ?

Personne disparue

Personne inconnue

Crime non élucidé

Mystère : où se trouvait le pays de Pount ?

Protagonistes : les Égyptiens et le peuple de Pount dans l'Antiquité

Dénouement : plusieurs endroits possibles

L'hypothèse d'un emplacement africain pour le pays de Pount repose sur des motifs très fragiles. Elle est contredite par de nombreux textes et n'est devenue un fait établi en égyptologie que parce que personne n'a pris en compte l'ensemble des éléments de preuve sur le sujet indépendamment du lieu d'origine ou de la date. Lorsque toutes les preuves sont réunies, le caractère incohérent et peu plausible d'une telle hypothèse africaine devient évidente. La seule façon de concilier toutes les données est de localiser le pays de Pount dans la péninsule arabique.

**Dmitri Meeks, « Localiser le pays de Pount »,
extrait de *Mysterious Lands***

S'il y a une chose que l'on peut dire à propos de l'Égypte antique, c'est qu'on aimait construire des monuments. Pyramides, temples, tombeaux, obélisques et statues parsèment le paysage de l'Égypte actuelle. Non contents d'avoir construit des monuments, les Égyptiens aimaient les décorer: inscriptions, bas-reliefs et, là où ils ont survécu, peintures et dessins innombrables. Avec les documents écrits sur des papyrus (rouleaux de papier égyptien) et des tablettes d'argile, ils nous ont laissé un remarquable aperçu d'une culture qui a duré 3 000 ans, d'environ 3 000 av. J.-C. jusqu'à l'époque romaine et la naissance du Christ. En plus de nous renseigner sur eux-mêmes et leurs exploits, les Égyptiens nous ont aussi laissé une mine d'informations sur les peuples qui occupaient les territoires environnants. La plupart d'entre eux sont bien connus, mais l'un d'eux reste une énigme. Il existe un certain nombre de références à des missions commerciales vers un endroit que les Égyptiens appelaient le pays de Pount. Ils le considéraient comme un lieu d'une grande beauté, une sorte de vieux Shangri-La, où la vie était facile, ou du moins, beaucoup plus facile qu'elle ne l'était en Égypte. Mais ce qu'ils ne nous disent pas, c'est où cette terre se situait réellement.

LA MISSION COMMERCIALE DE LA REINE HATCHEPSOUT

Les Égyptiens sont les seuls à avoir parlé du pays de Pount, ce qui signifie soit qu'il n'était pas bien relié avec le monde extérieur, soit qu'il était connu ailleurs sous un autre nom. En Égypte, le pays de Pount est mentionné tout au long de l'histoire de la civilisation et il y est presque toujours décrit de manière positive, généralement en rapport avec l'abondance des ressources qui y sont disponibles et les bonnes relations commerciales entre les deux pays. Contrairement à presque tous les autres pays connus des Égyptiens, qui étaient toujours en guerre contre un peuple, il n'existe aucun récit de guerres ou d'invasions entre les deux pays. Le pays de Pount semble avoir été considéré comme totalement pacifique et harmonieux, tout en étant à l'origine de nombreux produits commerciaux hautement convoités.

Le récit le plus complet sur le pays de Pount provient du temple de la reine Hatchepsout à Deir el-Bahari, sur la rive ouest du Nil, en Haute-Égypte, près de la Vallée des Rois. Au deuxième niveau des trois terrasses qui composent le bâtiment, de vastes bas-reliefs dépeignent une mission commerciale au pays de Pount. Ces bas-reliefs sont les seuls connus qui montrent les individus et les paysages d'un pays autre que l'Égypte, ce qui donne une indication de l'importance qu'attachaient les Égyptiens, par ailleurs très égocentriques, au pays de Pount.

Hatchepsout devint reine à la mort de son mari, Thoutmosis II. Elle régna pendant 22 ans, à partir de 1479 à 1458 av. J.-C. Appartenant à la XVIIIᵉ dynastie, elle était un ancêtre direct de Toutankhamon, qui monta sur le trône environ un siècle plus tard. Bien qu'inhabituel en Égypte, le couronnement d'une reine n'était cependant pas sans précédent. Le règne d'Hatchepsout coïncide avec une période de prospérité et de stabilité, qui se reflète dans la quantité de travaux de construction mis en œuvre durant sa vie, dont le temple mortuaire qui lui permettrait de s'assurer qu'on ne oublierait pas après sa mort.

© ModWilson | Creative Commons

MISSION COMMERCIALE
Une peinture murale du temple funéraire d'Hatchepsout illustrant les échanges entre un Égyptien et un Pountite.

Le nombre de bas-reliefs du temple funéraire qui dépeignent le pays de Pount démontre qu'Hatchepsout considérait la mission commerciale comme l'une de ses plus grandes réalisations en tant que reine et montre peut-être le rétablissement des liens commerciaux après une longue période d'inactivité. Hatchepsout a envoyé 5 navires au pays de Pount, où ils ont échangé, entre autres choses, de l'or, de l'ivoire, des animaux sauvages et diverses résines aromatiques, en particulier de la myrrhe. Les bas-reliefs montrent le roi de Pount, nommé Parahu, et son épouse, Ati, qui n'est pas présentée sous son jour le plus flatteur. C'est une dame assez forte qui se déplace à dos d'âne. Dans les scènes de vie villageoise, les habitants de Pount sont dépeints comme étant grands et beaux, les hommes ayant, contrairement aux Égyptiens, une courte barbe et de longs cheveux. Ils vivent dans des maisons coniques bâties sur pilotis, et élèvent des bovins à petites cornes. Il existe de nombreuses représentations d'animaux sauvages, notamment des girafes, des rhinocéros, des hippopotames et des léopards. Ceux-ci, ainsi que les scènes montrant des poissons de la Mer Rouge, laissent à penser que le pays de Pount était situé sur la côte de la mer Rouge de l'Afrique, dans la région de ce qui est maintenant l'Érythrée, Djibouti et la Somalie. Cette hypothèse est étayée par les marchandises commerciales acquises pendant la mission égyptienne, et qui étaient toutes disponibles dans cette partie de l'Afrique. Selon une autre hypothèse, le pays de Pount se situerait plus à l'intérieur, le long des rives du Nil supérieur dans ce qui est aujourd'hui le Soudan du sud. Un fascinant faisceau de preuves semble converger vers cette théorie. Les Dinka, qui vivent aujourd'hui dans la région, sont grands et, pendant la saison des pluies, construisent encore des maisons coniques sur pilotis. Mais en plus d'un décalage de 3 500 ans, les poissons représentés sur les bas-reliefs sont des espèces d'eau salée de la mer Rouge et non des poissons d'eau douce qu'on trouve dans le Nil.

Les bas-reliefs du temple d'Hatchepsout ne fournissent peut-être pas suffisamment de preuves pour situer le pays de Pount avec exactitude, mais ils désignent certainement un emplacement africain situé quelque part au sud de l'Égypte. Tout le monde n'accepte cependant pas cette interprétation. L'égyptologue français Dimitri Meeks soutient que si toutes les sources d'information sur le pays de Pount sont prises en considération, et pas uniquement les bas-reliefs, l'hypothèse selon laquelle le pays de Pount est en Afrique souffre de sérieux doutes. Il pense que la localisation la plus probable se situe sur les côtes de la mer Rouge de la péninsule arabique, en particulier l'extrémité sud de celle-ci, dans ce qui est aujourd'hui le Yémen. Dans les textes faisant référence au pays de Pount et tirés de différentes périodes de l'histoire égyptienne, l'emplacement, bien que n'étant pas précisé avec exactitude, semble se trouver à l'est de l'Égypte, plutôt que vers le sud, et peut être atteint par voie terrestre à travers les déserts du Sinaï et du Néguev, ainsi qu'en traversant la mer Rouge en bateau.

La liste des biens commerciaux donnés par les Égyptiens pointe, à certains égards, en direction de la péninsule arabique. Les Égyptiens étaient particulièrement désireux d'acquérir des résines aromatiques, dont ils se servaient dans les rituels religieux, ainsi que de la myrrhe, que l'on trouve en Afrique et en Arabie. Ils échangeaient aussi d'autres variétés, comme la résine du pistachier, que l'on trouve seulement au Moyen-Orient. La présence de la faune africaine sur les bas-reliefs du temple d'Hatchepsout pourrait, selon Meeks, être le résultat des échanges par les Pountites, qui auraient agi comme des intermédiaires en fournissant aux Égyptiens des animaux provenant d'ailleurs. On pourrait bien sûr avancer le même argument pour la présence de résines arabes en Afrique, donc, en l'absence de tout élément de preuve concordant, il est difficile de le savoir avec certitude.

DANS LES TEXTES FAISANT RÉFÉRENCE AU PAYS DE POUNT ET TIRÉS DE DIFFÉRENTES PÉRIODES DE L'HISTOIRE ÉGYPTIENNE, L'EMPLACEMENT SEMBLE SE TROUVER À L'EST DE L'ÉGYPTE.

Les Égyptiens considéraient peut-être le pays de Pount comme une terre mythique d'abondance et non comme un lieu spécifique, qui variait ainsi à différentes époques et en fonction des produits commerciaux qu'ils recevaient. Le situer avec exactitude devient alors inutile. Pour l'instant, nous ignorons totalement la véritable identité du pays de Pount.

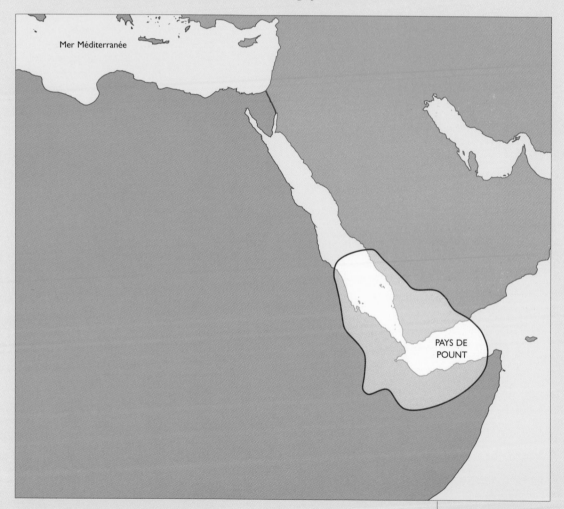

Mer Méditerranée

PAYS DE POUNT

LE PAYS PERDU
L'emplacement le plus probable du pays de Pount se situerait sur la côte de la mer Rouge, soit en Afrique, soit dans la péninsule arabique.

LA MORT
DE TOUTANKHAMON

v. 1 360 av. J.-C.

Mystère : Toutankhamon a-t-il été assassiné ?

Protagonistes : Toutankhamon, Aÿ et Horemheb

Dénouement : probablement pas

*Cependant, Sa Majesté est apparue en qualité de roi,
alors que les temples des dieux et des déesses, depuis
Éléphantine jusqu'aux marais du Delta étaient sur le point
de tomber en ruine, alors que leurs chapelles étaient
sur le point de tomber en décrépitude, transformées
en décombres gagnés par les buissons, alors que leurs
sanctuaires étaient comme n'ayant jamais existé, leurs
temples réduits en chemins de promenade. C'est dans
le chaos que le pays se trouvait, les dieux, ils s'étaient
détournés de ce pays.*

**Stèle de la Restauration
de Toutankhamon**

La découverte du tombeau de Toutankhamon par l'archéologue britannique Howard Carter en 1922 a propulsé l'un des pharaons les plus obscurs de l'Égypte antique sous les projecteurs et à la « une » des journaux. Contrairement aux tombes connues de tous les autres pharaons, qui avaient toutes été pillées durant l'Antiquité, la tombe de Toutankhamon a été découverte presque entièrement intacte. Les objets récupérés, dont son masque funéraire en or massif, ont fait le tour du monde dans les expositions et résident maintenant au musée égyptien du Caire. La momie embaumée a d'abord reçu un peu moins d'attention : elle a été endommagée lorsque les bandelettes qui l'entouraient ont été défaites par l'équipe de Carter, plus intéressée par le fait de récupérer des amulettes et des bijoux trouvés dans les bandelettes et sur le corps que par le corps lui-même. Lorsque l'autopsie a été pratiquée, le corps avait subi tant de dégâts que la cause du décès n'a pas pu être établie.

LE TOMBEAU DE TOUTANKHAMON
Howard Carter (agenouillé) examine un sanctuaire funéraire dans la tombe avec deux de ses collègues.

Le corps de Toutankhamon a été passé aux rayons X en 1968. Les radiographies ont révélé une tache sombre à la base du crâne et deux fragments d'os à l'intérieur de la boîte crânienne. À l'époque, certains ont pensé y voir la preuve qu'il avait été assassiné par un coup porté à la tête avec un objet contondant, ce qui a entraîné toutes sortes de spéculations sinistres sur l'auteur du crime. On a alors montré du doigt ceux à qui sa mort aurait le plus profité, notamment son principal conseiller à la cour royale, un dénommé Aÿ, qui lui succéda en tant que pharaon, et Horemheb, le chef de l'armée, qui devint pharaon à son tour après Aÿ. Mais à la lumière de recherches plus poussées, en pratiquant un scanner et une analyse de l'ADN, que pouvons-nous dire sur la façon dont est mort Toutankhamon ?

Toutankhamon n'a peut-être pas vécu très longtemps, puisqu'il est mort à environ 18 ou 19 ans, mais il a vécu durant l'une des périodes les plus extraordinaires des 3 000 ans qu'a duré l'histoire de l'Égypte ancienne. Ce fut une époque de grands changements sociaux et d'agitation religieuse, pendant laquelle tous les dieux du panthéon égyptien ont été remplacés par un dieu unique, Aton, représenté par le symbole d'un disque solaire. Cette réforme a été initiée par Akhénaton, surnommé le

LE CONTEXTE

pharaon hérétique, qui a déplacé la capitale de son pays loin de la vieille capitale religieuse de Thèbes et mis en place la nouvelle ville d'Amarna, dans le désert, d'où il pouvait gouverner le pays sans l'ingérence des prêtres d'Amon, le clergé de l'ancienne religion.

De récentes analyses ADN ont prouvé ce que l'on supposait depuis longtemps, à savoir qu'Akhénaton était le père de Toutankhamon, sa mère étant, conformément à la tradition des pharaons d'Égypte, l'une des sœurs d'Akhénaton. Cette consanguinité est probablement en grande partie responsable des problèmes congénitaux qui ont été décrits sur le corps de Toutankhamon, notamment un bec-de-lièvre et, selon certains chercheurs, un pied-bot. Toutankhamon lui-même a perpétré la tradition en épousant sa demi-sœur, Ânkhésenamon, une union qui a engendré la naissance de deux filles mort-nées. Leurs corps momifiés ont été découverts dans la tombe de Toutankhamon et ont été décrits par Howard Carter comme parmi les choses les plus tristes qu'il ait jamais vues.

Akhénaton fut remplacé à sa mort par Smenkhkarê, un pharaon dont on ne sait presque rien si ce n'est qu'il a régné à Amarna pendant 4 ans avant d'être remplacé à son tour, vers 1340 av. J.-C., par Toutankhamon, qui est devenu le douzième pharaon de la XVIIIᵉ dynastie du Nouveau Royaume d'Égypte. Il n'avait que 8 ou 9 ans à l'époque et il est généralement admis qu'il était conseillé par des membres de sa cour royale, au premier rang desquels Horemheb et Aÿ. Au cours de la troisième année de son règne, la cour a été déplacée vers Thèbes et le culte d'Aton, ainsi que la ville d'Amarna, ont été abandonnés. L'ancienne religion a été restaurée et les prêtres d'Amon sont retournés à leurs postes. Cette rupture avec le passé et le rejet de l'hérésie d'Akhénaton ont été confirmés par un changement dans le nom du pharaon : Toutânkhaton, qui signifie « l'image vivante d'Aton », est devenu Toutankhamon, « l'image vivante d'Amon ».

La seule inscription substantielle que l'on a retrouvée et qui se rapporte à Toutankhamon fait référence à cette période. Il s'agit de la Stèle de la restauration, qui relate la façon dont l'Égypte était tombée en ruine avant la restauration du culte d'Amon, et comment le pays a retrouvé le chemin de la prospérité. On avait tenté de manière grossière de remplacer le cartouche de Toutankhamon — le contour elliptique entourant le nom d'un pharaon pour le protéger — par celui d'Horemheb, bien que le nom de Toutankhamon fût encore visible. Le cartouche a vraisemblablement été défiguré après la mort de Toutankhamon pour tenter d'effacer sa mémoire. Dans la croyance égyptienne, pour qu'une personne vive dans l'au-delà, il faut entretenir son souvenir, ce qui explique pourquoi les pharaons construisaient autant de monuments à leur gloire et y inscrivaient leurs noms et leurs grandes actions. Ainsi, en retirant son nom des inscriptions, il était non seulement effacé de l'histoire, mais également rayé dans l'au-delà. Akhénaton avait déjà subi le même sort, ainsi que tous ceux qui étaient associés à la période d'Amarna. C'est l'une des raisons pour laquelle on ne savait que si peu de chose sur Toutankhamon avant de découvrir son tombeau.

Toutankhamon est mort au bout de dix ans de règne et a été enterré dans la Vallée des Rois, le lieu de sépulture traditionnel des pharaons du Nouvel Empire. La tombe et son contenu donnent l'impression que l'enterrement a été organisé à la hâte. Comparé aux tombeaux d'autres pharaons, celui-ci est petit et à un mauvais emplacement, taillé dans la roche au fond de la vallée, un endroit sujet à des inondations soudaines. Les peintures murales de la tombe sont assez brutes par rapport aux normes de l'époque et une partie des murs est restée sans décor, tandis que quelques-uns des objets funéraires semblent avoir été recyclés à partir d'autres tombes. Même le sarcophage de pierre dans lequel le corps a été placé était destiné à quelqu'un d'autre. Les inscriptions ont été modifiées pour ajouter le nom de Toutankhamon, et le couvercle semble avoir été conçu pour une base complètement différente. Il comporte également une grosse fissure, qui a été réparée à la hâte et sans application. Toutankhamon a donc été enterré dans l'urgence et sans beaucoup de soin ni d'attention, ce qui laisserait penser qu'Aÿ, qui a réglé les frais funéraires, a voulu se débarrasser de lui le plus rapidement possible.

LA PREUVE

Lorsqu'un jeune homme meurt de façon inattendue, comme cela semble avoir été le cas pour Toutankhamon, il ne peut y avoir que deux conclusions : soit il est mort à la suite d'un accident, soit il a été assassiné. Dans le cas de Toutankhamon, les choses sont compliquées par le fait que nous ne savons pas avec certitude s'il est mort subitement. Ce n'est qu'une supposition fondée sur l'état de sa tombe. Autre scénario possible : le tombeau dans lequel il a effectivement été enterré dans un premier temps n'était peut-être pas destiné à être son dernier lieu de repos, mais aurait été utilisé de manière provisoire dans l'attente d'une autre tombe, plus grande et plus digne de son statut. On a supposé que le tombeau dans lequel Aÿ a été enterré 4 ans après Toutankhamon, était peut-être destiné à l'origine à Toutankhamon, mais que le transfert ne s'est jamais produit parce qu'Aÿ, devenu pharaon, aurait décidé de garder le plus grand tombeau pour lui.

La preuve radiographique d'un coup porté à l'arrière de la tête ne nous éclaire pas vraiment non plus. Pour commencer, même si c'est ce qui a causé sa mort, cela ne dit pas si le coup a été causé intentionnellement par quelqu'un d'autre. Cette hypothèse a largement été discréditée depuis. La tache sombre que l'on voit sur la radiographie est beaucoup plus vraisemblablement la conséquence du processus d'embaumement, au cours duquel le cerveau de Toutankhamon a été retiré par le nez et l'espace vide dans le crâne rempli de résine. Le point noir est tout simplement le résidu de cette résine, tandis que les fragments d'os dans le crâne auraient plus probablement été délogés lors de l'embaumement ou à la suite de la première autopsie.

Le scanner et l'analyse de l'ADN, bien que non concluants, ont permis d'imaginer plusieurs causes de la mort. On a observé que Toutankhamon s'était cassé la jambe peu de temps avant sa mort et qu'une partie de sa cage thoracique et de son sternum semble manquer. On ignore pourquoi les côtes et le sternum sont absents, ils ont pu être retirés après sa mort. Si tel est le cas, on ne sait pas pourquoi, à moins que l'équipe de Howard Carter ait endommagé le corps en retirant les bijoux du cou de Toutankhamon et ait décidé de ne pas le mentionner. En plus de ces blessures et des maladies congénitales citées précédemment, le jeune pharaon souffrait également d'une forme sévère de paludisme qui, à elle seule, aurait pu se révéler fatale.

LE VERDICT | Si l'on analyse ensemble tous les éléments dont nous disposons, la cause la plus probable de la mort de Toutankhamon serait liée à un accident au cours duquel il se serait cassé la jambe et peut-être même les côtes. Cela aurait peut-être suffi à le tuer, et si ce n'est pas le cas, cet accident aurait aggravé l'état de faiblesse dans lequel il se trouvait et qui était dû à ses maladies congénitales ainsi qu'au paludisme dont il souffrait. De nombreuses hypothèses ont été émises sur le type d'accident dont il a été victime. On pense que le jeune Toutankhamon a pu tomber de son char en chassant et qu'il aurait ensuite été écrasé par un hippopotame. Même si ce n'est pas impossible, rien ne l'atteste.

À la lumière de toutes ces incertitudes, le seul verdict sensé est celui d'une mort inexpliquée. Le meurtre n'est pas la cause la plus probable, mais on ne peut l'exclure. Qui peut dire si Toutankhamon n'a pas été poussé de son char tandis qu'un hippopotame serait arrivé en sens inverse, ou s'il est tombé seul ? Quand bien même il aurait été assassiné, il n'existe aucune preuve irréfutable de l'implication et du rôle des principaux suspects désignés, à savoir Aÿ et Horemheb. Ils avaient tous les deux un mobile puisqu'ils ont tous les deux profité de sa mort. Pourtant il est tout aussi facile d'imaginer qu'ils étaient tous les deux dévoués à leur pharaon et qu'ils ont été dévastés par sa mort à un si jeune âge. Avec près de 3 500 ans de recul, il est tout simplement impossible de fournir une réponse définitive.

QUI PEUT DIRE SI TOUTANKHAMON N'A PAS ÉTÉ POUSSÉ DE SON CHAR TANDIS QU'UN HIPPOPOTAME SERAIT ARRIVÉ EN SENS INVERSE, OU S'IL EST TOMBÉ SEUL ?

MYSTÈRE

Événement inexpliqué

Raison inconnue

Réalité ou fiction?

Vérité ou mensonge ?

Personne disparue

Personne inconnue

Crime non élucidé

L'ARCHE D'ALLIANCE
v. 1 000 av. J.-C.

Mystère : où se trouve l'Arche d'alliance ?

Protagonistes : Moïse et les Israélites

Dénouement : à part Indiana Jones, personne ne l'a trouvée.

Tu feras en bois d'acacia une arche. (…) Tu la plaqueras d'or pur, au-dedans et au-dehors, et tu feras sur elle une moulure d'or, tout autour. Tu fondras pour elle quatre anneaux d'or, et tu les mettras à ses quatre pieds : deux anneaux d'un côté et deux anneaux de l'autre. Tu feras aussi des barres en bois d'acacia ; tu les plaqueras d'or, et tu engageras dans les anneaux fixés sur les côtés de l'arche les barres qui serviront à la porter. (…) Tu mettras dans l'arche le Témoignage que je te donnerai.

Exode 25 : 10 – 16

Dans *Les Aventuriers de l'Arche perdue*, Indiana Jones part à la découverte de l'Arche d'alliance avant que les nazis, qui pensent qu'elle les rendra invincibles, ne parviennent à mettre la main sur elle. Au cours des aventures qui s'ensuivent, Indi frôle plusieurs fois la mort, donne et reçoit de nombreux coups de poing, sauve sa compagne à plus d'une occasion et est pourchassé par un rocher, avant de déjouer les plans des nazis et de sauver le monde libre. Et il accomplit tout cela sans perdre son chapeau une seule seconde. En règle générale, il est probablement préférable de ne pas accorder trop d'importance aux films hollywoodiens pour leur exactitude historique, et *Les Aventuriers de l'Arche perdue* n'y fait très certainement pas exception. Le film prouve cependant notre fascination sur le sort de l'Arche, qui a été perdue depuis 586 av. J.-C., après la destruction par les Babyloniens durant le siège de Jérusalem, du Temple de Salomon, où elle était abritée.

L'ARCHE
Une illustration datant du XVIIIe siècle d'après les informations fournies dans le livre de l'Exode.

Le livre de l'Exode, qui raconte comment Moïse a emmené les enfants d'Israël, réduits en esclavage, d'Égypte en Terre Promise, nous livre un récit un peu plus sobre et réfléchi de l'Arche que la version qui nous en est donnée dans le film de Steven Spielberg. En chemin, Moïse passe 40 jours et 40 nuits sur le mont Sinaï, où Dieu lui remet les Dix Commandements écrits sur deux tablettes de pierre. Dieu donne aussi à Moïse un ensemble détaillé d'instructions sur ce qu'il faut faire avec les Dix Commandements, notamment la façon de construire une arche portative pour y transporter à l'intérieur les Tables de la Loi, ainsi que les matériaux exacts à utiliser pour sa construction. L'arche doit être faite en bois d'acacia et plaquée d'or, avec quatre anneaux fixés sur ses côtés afin de pouvoir y glisser des barres de transport. Le couvercle doit être en or, avec deux chérubins, les ailes déployées, posés au-dessus. Dieu déclare à Moïse (Exode, 25 : 22) : « C'est là, au-dessus du propitiatoire, entre les deux chérubins placés sur l'arche, que je me manifesterai à toi. »

L'EXODE

Lorsque Moïse descend de la montagne, il découvre que les Israélites ont commencé à adorer un veau d'or comme idole. Dans un accès de colère, Moïse brise les tablettes, mais heureusement pour tout le monde, Dieu les remplace par de nouvelles. Les Israélites châtiés suivent les instructions à la lettre. Ils passent les 40 années suivantes à se repentir dans le désert, l'Arche portée devant eux. Lorsqu'ils s'arrêtent chaque nuit, le coffre est placé dans une tente sacrée, le Tabernacle, la demeure de Dieu parmi le peuple d'Israël. Finalement, l'Arche conduit les Israélites du désert vers Canaan, où ils utilisent sa puissance mystique dans une série de batailles contre les Cananéens, notamment dans un épisode célèbre où ils font tomber les murs de Jéricho. L'Arche permet ainsi aux Israélites de trouver refuge en Terre Promise.

L'ARCHE PERDUE

L'histoire raconte que le roi Salomon, fils de David, amena l'Arche à Jérusalem au début du Xe siècle avant notre ère. L'Arche fut placée dans le sanctuaire de son temple sur le mont Sion, désormais appelé le Mont du Temple, où elle resta pendant 400 ans, jusqu'au pillage de la ville par les Babyloniens sous le commandement du roi Nabuchodonosor. Le temple fut complètement détruit et les Juifs furent exilés à Babylone. Le sort de l'Arche est cependant loin d'être clair. L'issue la plus probable est qu'elle fut détruite avec le temple. À moins que Nabuchodonosor

SALOMON
Le roi Salomon, ici en compagnie de la reine de Saba, apporte l'Arche à Jérusalem.

l'ait emportée à Babylone. Il existe de nombreux récits, tous différents, sur la manière dont les Juifs l'auraient fait sortir du temple et cachée avant que la ville ne tombe aux mains des Babyloniens. L'emplacement de cette cachette a fait l'objet d'intenses spéculations depuis ; selon une des versions de l'histoire, elle aurait été cachée dans une grotte qui se trouverait directement sous le Saint des Saints. D'après un autre récit, elle aurait été emmenée sur le mont Nebo, en Jordanie actuelle, avec d'autres objets sacrés du temple, et enterrée dans une grotte. Quelle que soit la vérité, la seule chose que nous pouvons dire aujourd'hui avec certitude, plus de 2 500 ans après l'événement, c'est que nous n'avons aucune preuve fiable de ce qui lui est arrivé ou, si elle existe encore, où elle se trouve maintenant.

Selon une version encore différente, l'Arche aurait été prise à l'Éthiopie par Ménélik Ier, le fils de Salomon et de la reine de Saba, qui est devenu le premier empereur juif d'Éthiopie. Salomon possédait des répliques de l'Arche destinées à être remises à ses fils. Avec l'aide divine, Ménélik aurait échangé la réplique qu'on lui avait donnée dans le Saint des Saints, en faisant croire qu'il s'agissait de l'Arche réelle. C'est ce que prétend le *Kebra Nagast, La Gloire des Rois d'Éthiopie*, qui date de la fin du XIIIᵉ siècle. Il s'agit d'une compilation de textes provenant de nombreuses sources différentes, telles que des œuvres sacrées juives et des légendes éthiopiennes, certaines étant même beaucoup plus anciennes. Les érudits modernes croient que le livre a été écrit afin de légitimer le pouvoir de l'empereur éthiopien Amlak Yekuno, qui monta sur le trône en 1270 après avoir destitué le précédent empereur, et qui prétendait être un descendant direct de Salomon. La présence de l'Arche en Éthiopie donnait ainsi à l'empereur et à ses successeurs une plus grande légitimité en raison de ses liens avec Ménélik Iᵉʳ. Cette situation s'est poursuivie jusqu'en 1974, date à laquelle le dernier empereur de la dynastie, Hailé Sélassié, a été renversé par un coup d'État militaire.

Selon l'Église orthodoxe éthiopienne, l'Arche demeure dans le pays et est abritée dans une chapelle spécialement construite à côté de l'église Sainte-Marie de Sion dans la ville d'Axoum. L'Arche joue un rôle important dans l'Église orthodoxe : des répliques appelées tabots, sont présentes dans chaque église éthiopienne et sont au centre des fêtes religieuses et des processions. On croit que l'Arche elle-même possède une telle puissance spirituelle qu'il est dangereux pour quiconque de la voir, en dehors d'un prêtre spécialement désigné et qui, étant donné sa position, devient son tuteur à vie, vie qu'il va passer entièrement à l'intérieur de la chapelle. Comme personne d'autre n'est autorisé à voir l'Arche, il n'est pas possible de vérifier l'histoire de sa présence en Éthiopie, même s'il s'agit d'un article de foi pour les chrétiens de ce pays.

Dans une autre version, l'Arche a voyagé beaucoup plus au sud, et est détenue par le peuple Lemba d'Afrique du Sud et du Zimbabwe — peuple que nous retrouverons au chapitre suivant sur les tribus perdues d'Israël (*voir page 51*). Selon la tradition orale, l'Arche aurait été transportée d'Arabie en Afrique, mais à un certain moment, l'Arche originale se serait autodétruite. Une nouvelle Arche aurait été faite à partir des restes de l'ancienne et gardée dans un lieu secret, connu seulement de quelques initiés du peuple Lemba. Dans les années 1940, cet objet a été découvert par un missionnaire allemand qui l'a emmené dans un musée à Harare. Cet article qui, il faut le dire, ne ressemble en rien à l'arche telle qu'elle a été décrite dans le livre de l'Exode, a été daté au carbone 14 comme étant du XIVᵉ siècle apr. J.-C. Les Lemba l'appellent « Ngoma Lungundu », qui signifie « le tambour des ancêtres », ce qui laisse penser qu'ils l'ont toujours considéré comme étant un tambour sacré plutôt qu'un objet ayant un lien avec l'Arche d'alliance.

Dans le livre qu'il a consacré à ce sujet, Stuart Munro-Hall conclut à contrecœur qu'il n'y a aucune chance qu'une boîte en bois construite dans le désert du Sinaï à l'époque de Moïse, ait pu survivre jusque dans les temps modernes en Éthiopie ou en Afrique australe, ou n'importe où d'ailleurs. Il existe peut-être une arche correspondant à cette description dans la chapelle de l'église d'Axoum, mais Munro-Hall pense qu'il s'agit d'une réplique. Elle continue à être vénérée par les chrétiens éthiopiens comme une représentation symbolique d'un lien entre eux et leur Dieu, et, à cet égard, peu importe si elle a été faite il y a plus de 3 000 ans ou assemblée la semaine dernière par un menuisier de la ville. Cet objet est important par ce qu'il représente, et non pas par ce qu'il est réellement.

L'Arche d'alliance, disparue depuis 2 500 ans, reste une énigme. La seule possibilité pour qu'elle ait survécu, est d'avoir été cachée avant le pillage de Jérusalem par Nabuchodonosor. Le Mont du Temple est connu pour comporter de nombreux tunnels, dont certains datent probablement de la période concernée. Si l'on devait un jour découvrir l'Arche, ce serait le plus probablement dans ces tunnels. La nature contestée du site, et la situation politique actuelle en Israël, empêchent toutes fouilles archéologiques du Mont du Temple. Si cette situation venait un jour à changer, mais il est difficile de l'envisager, qui sait ce qui peut arriver ?

LES DIX TRIBUS PERDUES

v. 720 av. J.-C.

Mystère : qu'est-il arrivé aux Dix tribus d'Israël ?

Protagonistes : les Israélites, les Assyriens et de nombreuses autres personnes

Dénouement : elles sont toujours perdues.

Ainsi parle le Seigneur Dieu : J'irai prendre les fils d'Israël parmi les nations où ils sont allés. Je vais les rassembler de partout et les ramener sur leur terre ; j'en ferai une seule nation dans le pays, sur les montagnes d'Israël. Ils n'auront tous qu'un seul roi ; ils ne formeront plus deux nations ; ils ne seront plus divisés en deux royaumes.

Ézékiel 37 : 21 – 22

Les Israélites qui suivent Moïse hors d'Égypte, selon la Bible hébraïque et l'Ancien Testament, composent douze tribus. Chacune de ces tribus est dirigée par l'un des douze fils de Jacob, qui, après avoir eu une vision dans laquelle il lutte avec Dieu, prend le nom d'Israël. Après l'installation des Israélites en Terre Promise, toutes les tribus, à l'exception d'une, reçoivent une terre, les membres de la tribu de Lévi servant de prêtres aux autres tribus. Afin de maintenir le nombre de douze, qui a une signification religieuse pour les Israélites, la tribu de Joseph est divisée en deux et ces douze tribus forment le royaume d'Israël, ce qui correspond à peu près aujourd'hui à Israël et aux territoires palestiniens.

MOÏSE
Moïse et les Dix commandements, de Rembrandt, 1659. Le tableau montre Moïse en train de briser les Tables de la Loi.

L'unité du royaume dure jusqu'au Xe siècle av. J.-C., lorsqu'après la mort de Salomon, la plupart des dix tribus implantées dans le nord du pays refusent d'accepter leur successeur. Cela entraîne la division du royaume, avec Israël au nord, et Juda au sud. Vers 732 av. J.-C., Israël est envahi par les Assyriens conduits par leur roi Tiglarth-Pilesar. Ils annexent une partie du pays et commencent à déporter les Israélites hors de la région. Le roi assyrien Sargon le Grand poursuit cette entreprise, envahissant ce qu'il reste d'Israël en 721 av. J.-C. et exilant le reste des habitants qui, avec ceux qui ont déjà été déportés, forment les Dix tribus perdues d'Israël.

HISTOIRE ET MYTHOLOGIE

Il est généralement admis aujourd'hui, du moins par ceux qui acceptent au préalable le récit biblique, que toute la population d'Israël n'a pas été expulsée. Les chercheurs supposent que les dirigeants et leurs familles, ainsi que quelques autres personnes de premier plan, formèrent la diaspora, représentant probablement environ 20 % du total, soit environ 40 000 individus. Selon le Livre des Rois, ils furent transférés en Assyrie et dans d'autres parties de l'empire assyrien. C'est la dernière fois que l'on entendit parler d'eux. On peut supposer qu'au bout de quelques générations, ils se sont assimilés à la population locale et ont donc disparu de l'histoire.

C'est ici que l'adepte de mythologie met les bouchées doubles. Une version raconte que les Dix tribus perdues seront réunies en Israël au cours de l'ère messianique, une période de paix et de prospérité qui, selon certains, suivra la venue d'un nouveau Messie. Dans plusieurs autres versions, des individus de toutes sortes affirment avoir identifié l'une des Dix tribus perdues. Habituellement, ceux qui font ces revendications le font pour eux-mêmes afin d'étayer leur conviction : bien qu'étant en apparence un groupe d'hommes et de femmes *lambda*, ils sont en réalité le peuple élu de Dieu. Au fil des ans, ces revendications ont été faites au nom des Britanniques, des Irlandais et des Américains, ce qui doit être, si nous sommes honnêtes, un cas grave de pensée illusoire.

Peut-être conviendrait-il davantage de chercher parmi les communautés dispersées de Juifs du monde entier, dont beaucoup s'identifient elles-mêmes aux tribus perdues. Des communautés juives ont persisté dans certains endroits improbables, comme la Chine, la Birmanie, le sud de l'Inde et l'Iran, et ont souvent été l'objet de persécutions. Dans de telles circonstances, croire qu'elles descendent de l'une des tribus perdues devient un mécanisme de défense, leur procurant un sentiment d'identité collective, ce qui renforce leurs liens communautaires. Parmi les groupes qui affirment descendre des tribus perdues, celui des Pachtounes, qui réside dans les régions frontalières de l'Afghanistan et du Pakistan, est peut-être le plus surprenant. Malgré la piété musulmane des Pachtounes, la tradition orale perpétue des histoires sur leurs ancêtres juifs, en particulier sur l'une des tribus perdues. Certaines de leurs pratiques religieuses, telles que le respect du sabbat comme jour de repos, ont un lien évident avec la foi juive. C'est pourquoi certains universitaires ont émis la possibilité de leur ascendance juive comme étant plus crédible que pour d'autres. Il serait sans doute imprudent de suggérer une telle chose aux talibans, qui sont principalement des Pachtounes.

DANS LE MONDE ENTIER

Il existe un autre groupe de tradition orale similaire et dont les pratiques religieuses ont une certaine ressemblance avec les traditions juives : il s'agit du peuple Lemba en Afrique australe, que nous avons déjà rencontré au chapitre précédent. Ils prétendent être les descendants de peuples juifs qui ont migré vers le sud de l'Afrique à partir d'un endroit qu'ils appellent Sena. On a pensé que cela pouvait être soit Sanaa, la capitale du Yémen, ou bien la ville abandonnée de Sena au nord du pays, qui avaient toutes deux d'importantes populations juives il y a quelques siècles. Les tests génétiques effectués sur les hommes Lemba ajoutent un peu de poids scientifique à la tradition orale. On a trouvé un pourcentage similaire de ces hommes portant le même marqueur génétique unique que

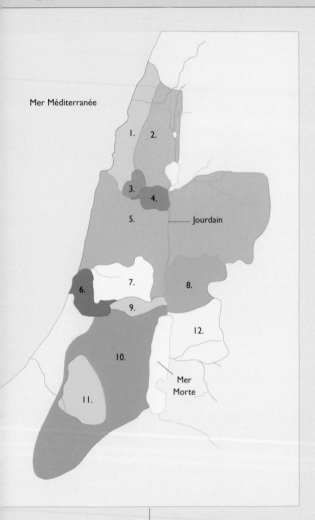

Mer Méditerranée

Jourdain

Mer
Morte

TRIBUS
Les douze tribus
du royaume d'Israël :

1. Aser ; 2. Nephtali
3. Zabulon ; 4. Issachar
5. Manassé ; 6. Dan
7. Ephraïm ; 8. Gad
9. Benjamin ; 10. Juda
11. Siméon ; 12. Ruben

dans les communautés juives d'Israël et d'Amérique. L'incidence la plus élevée de ce marqueur se trouve dans le clan Bhunda, qui a traditionnellement fourni des dirigeants aux Lemba, que l'on peut comparer aux Cohanim, les prêtres juifs dont on dit qu'ils seraient les descendants directs d'Aaron, le frère de Moïse. On n'a trouvé chez aucun autre groupe non-juif un tel niveau du marqueur et, bien que cela ne prouve pas que les Lemba sont l'une des tribus perdues d'Israël, cela montre clairement que les histoires sur leur ascendance juive ont un fondement.

Utiliser l'analyse de l'ADN pour montrer que les gens sont d'ascendance juive, et prétendre qu'ils font partie des tribus perdues d'Israël, sont deux choses différentes. L'histoire juive étant une longue histoire d'exils et de migrations constants, à la fois forcés et volontaires, toute tentative de démêler l'écheveau pour connaître l'endroit d'où sont originaires tous ceux qui prétendent avoir une ascendance juive, est extrêmement difficile. Ceux qui ont prétendu faire partie d'une tribu perdue l'ont généralement fait pour leurs propres intérêts : soit pour montrer qu'ils sont en quelque sorte spéciaux ou différents des autres, soit pour unifier leur communauté face à la persécution. Même s'il n'est pas impossible que des communautés actuelles aient pour ancêtres les hommes des tribus perdues, le prouver près de 3 000 ans plus tard serait à peu près impossible. En réalité, les tribus perdues seront très probablement toujours exactement cela : perdues.

LES JARDINS SUSPENDUS DE BABYLONE

v. 600 av. J.-C.

MYSTÈRE

Événement inexpliqué

Raison inconnue

Réalité ou fiction ?

Vérité ou mensonge ?

Personne disparue

Personne inconnue

Crime non élucidé

Mystère : les jardins suspendus de Babylone ont-ils réellement existé ?

Protagonistes : Nabuchodonosor II et sa femme qui avait le mal du pays.

Dénouement : si Strabon dit que les jardins ont existé, cela me suffit.

Le jardin est de forme quadrangulaire et chaque côté à 4 plèthres. Il consiste en arcs voûtés qui sont situés, l'un derrière l'autre, sur des soubassements cubiques en damier. Ces soubassements, qui sont évidés, sont recouverts d'une si grande quantité de terre, qu'ils peuvent recevoir les plus grands des arbres, car les soubassements eux-mêmes, les voûtes et les arcs, sont construits en brique crue et en bitume. L'ascension jusqu'au toit en terrasse le plus élevé, se fait par un escalier ; et le long de cet escalier, il y avait des vis d'Archimède, à travers lesquelles l'eau était continuellement acheminée vers le haut, dans le jardin, depuis l'Euphrate, par ceux qui étaient employés à cette tâche, car le fleuve, large d'un stade, coule au milieu de la ville ; et le jardin est sur la rive du fleuve.

Strabon d'Amasée, *Géographie, XVI, I, 5*

Les Grecs de l'Antiquité avaient établi la liste des Sept Merveilles du Monde, sorte de premier guide de voyage pour les personnes du monde classique. Parmi ces merveilles, une seule reste en grande partie intacte : la Grande Pyramide de Gizeh en Égypte. Nous en connaissons cinq autres, même si elles sont en ruines ou n'existent plus du tout : la statue de Zeus à Olympie, le temple d'Artémis à Éphèse, le Mausolée d'Halicarnasse, le colosse de Rhodes et le phare de Pharos à Alexandrie. Leurs emplacements ont tous été formellement établis, et là où les ruines subsistent encore, ils ont été étudiés par des archéologues. Il en demeure une seule, les jardins suspendus de Babylone, dont nous ne savons presque rien, en dehors de ce que l'on peut en déduire de son nom. Nous ne savons pas exactement où étaient les jardins, à quoi ils ressemblaient, ou même s'ils ont réellement existé.

PREMIERS INDICES

Les premières descriptions que nous avons des jardins suspendus, datent de la période classique, avec des récits d'écrivains grecs et romains, comme Strabon au début du Ier siècle av. J.-C. Ces récits attribuent la création des jardins à Nabuchodonosor, roi de l'empire néo-babylonien de 605 à 562 av. J.-C., qui, comme nous l'avons vu, détruisit le Temple de Salomon et envoya les Juifs en exil. Ce fut une période de grande prospérité et d'expansion pour l'empire — marquée par un programme de travaux de construction à Babylone par Nabuchodonosor. L'histoire raconte que les jardins suspendus auraient pu faire partie de ces œuvres, et auraient été construits par le roi afin de tenter d'apaiser le mal du pays dont souffrait sa femme Amyitis. Elle avait grandi dans les montagnes de l'Iran actuel et, après son arrivée dans la plaine chaude et aride de Mésopotamie, le paysage et les plantes de son enfance lui manquaient.

Aussi romantique l'histoire soit-elle, il n'existe aucun moyen de savoir si elle est fondée, ou si elle s'apparente à des tentatives de compléter le puzzle pour cette période, en ajoutant des pièces manquantes et quelques anecdotes colorées. On n'a trouvé aucune référence aux jardins suspendus ni à une reine appelée Amyitis dans les textes cunéiformes babyloniens, qui ont été mis au jour dans les ruines de la ville, et qui datent de la période de Nabuchodonosor. Hérodote, historien du Ve siècle av. J.-C., n'en parle pas, mais donne une longue description des murs de Babylone, considérés par certains comme une autre merveille du monde antique. L'archéologie moderne n'a pas non plus été en mesure de confirmer l'histoire, l'inaccessibilité du site de Babylone en Irak ayant limité les possibilités de fouilles ces dernières années.

L'emplacement de la cité antique de Babylone est bien connu, à environ 100 km au sud de Bagdad, sur la rive de l'Euphrate où est située la ville moderne d'Hilla. Les sources antiques décrivent l'Euphrate traversant le milieu de la ville au temps de Nabuchodonosor, alors qu'aujourd'hui il coule sur un parcours différent à l'ouest des ruines. Malheureusement pour les archéologues qui espèrent découvrir les vestiges du palais du roi, ainsi que les jardins qu'il aurait pu construire, le changement du cours du fleuve a pu entraîner l'inondation des ruines qui pourraient se trouver désormais sous l'eau.

Nous n'avons aucune preuve solide de l'existence des jardins de Nabuchodonosor à Babylone, mais selon de nombreuses indications, les jardins faisaient partie intégrante des palais royaux dans d'autres régions

MÉSOPOTAMIE
Le mot signifie le « pays entre les fleuves », où l'empire néo-babylonien de Nabuchodonosor florissait au VIe siècle av. J.-C.

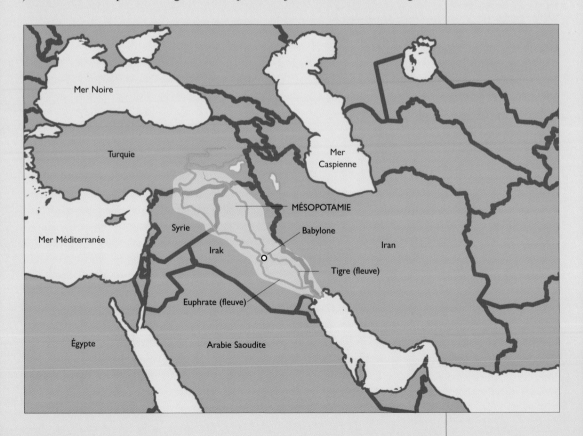

JARDINS D'AGRÉMENT

de la Mésopotamie. Il n'est pas difficile d'imaginer un roi se retirer des tracas de sa cour et de la chaleur torride de la journée pour se détendre dans un jardin d'agrément, où l'eau courante et les plantes créent un microclimat tempéré et une atmosphère de tranquillité. On sait que le roi assyrien Sennachérib (704-681 av. J.-C.) avait fait construire un jardin dans son palais de Ninive, dont les ruines se trouvent à proximité de la ville irakienne de Mossoul au nord du pays. L'intérieur du palais était bordé de bas-reliefs en pierre, dont beaucoup sont désormais au

JARDINS SUSPENDUS
Une illustration spéculative de l'édition de 1829 de l'*Histoire Ancienne* de Charles Rollin.

British Museum. On peut y voir dans l'un d'eux un roi assyrien, se tenant debout dans son jardin. Il est entouré de treillages dont les vignes luxuriantes pendent autour de lui, ce qui indique que les jardins suspendus de Babylone, aussi merveilleux qu'ils aient pu être, pouvaient très bien être une structure beaucoup plus simple que les récits qui en ont été faits plus tard.

Selon certains chercheurs, les auteurs classiques auraient confondu les rois assyriens et babyloniens dans leurs récits sur Babylone, et ils auraient effectivement décrit le jardin suspendu de Sennachérib, et non celui qu'ils ont attribué à Nabuchodonosor. Il existe certainement des similitudes entre ces descriptions classiques et ce que nous savons du jardin de Sennachérib. Ce dernier était aménagé en terrasses le long d'une colline et était irrigué au moyen d'un système mécanique similaire à la vis d'Archimède, l'eau de la rivière étant transportée jusqu'au sommet avant de s'écouler vers le bas à travers le jardin.

Quelle que soit la vérité dans cette affaire, le jardin de Ninive nous permet de savoir que les riches rois mésopotamiens disposaient de ce type d'aménagement dans leurs palais. En plus d'être un lieu apaisant pour se détendre, un jardin aurait pu être considéré comme un *must* à l'époque. Si tel était le cas, Nabuchodonosor aurait fait aménager un jardin dans son nouveau palais de Babylone. Et il est donc possible qu'un de ces jours, on le découvre sous les eaux de l'Euphrate.

LA MACHINE D'ANTICYTHÈRE

v. 100 av. J.-C.

MYSTÈRE

Événement inexpliqué

Raison inconnue

Réalité ou fiction ?

Vérité ou mensonge ?

Personne disparue

Personne inconnue

Crime non élucidé

Mystère : à quoi servait-elle et qui l'a construite ?

Protagonistes : des Grecs de l'Antiquité

Dénouement : quelqu'un a fabriqué un mécanisme à engrenages 1 500 ans avant tout le monde.

Cet appareil est tout simplement extraordinaire, la seule chose de ce genre. Le design est beau, l'astronomie est tout à fait exacte. La façon dont les mécanismes sont conçus est à s'en décrocher la mâchoire. Celui qui a fait ça l'a extrêmement bien réussi. Cela pose la question suivante : Qu'ont-ils fait d'autre à l'époque ? En termes de valeur historique et de rareté, je considère ce mécanisme plus précieux que « la Joconde ».

Professeur Michael Edmunds, cité dans *The Scotsman*, 30 novembre 2006

De nombreux articles sont parus dans la presse en 2006 sur le mécanisme d'Anticythère, le décrivant comme l'un des objets les plus extraordinaires et mystérieux réalisés dans l'Antiquité. Les journaux titraient « Découverte d'un ordinateur datant de 2000 ans », ce qui n'est pas totalement faux, mais pas tout à fait exact non plus. Il n'avait probablement pas dû se passer grand-chose dans le monde cette semaine-là, car la découverte du mécanisme n'était pas une nouvelle de dernière heure. La machine d'Anticythère a été découverte en 1900 et on en a largement parlé depuis. L'hypothèse la plus répandue aujourd'hui, selon laquelle elle aurait servi à calculer les positions du Soleil, de la Lune et des planètes, a été émise dans les années 1950.

La précision des « unes » de journaux dépend de ce que l'on entend par ordinateur, lorsque l'on décrit ce mécanisme. Il n'aurait par exemple pas beaucoup d'utilité pour vérifier vos e-mails ou mettre à jour votre profil sur Facebook. Mais qu'aurait-il été capable de faire, s'il n'avait pas passé les 2 000 dernières années sous l'eau, compte tenu qu'il a été conçu au Ier siècle avant notre ère ? On ne peut peut-être pas le connecter à l'Internet, mais on ne connaît aucun autre appareil approchant ce degré de complexité construit avant le XVe siècle, date des premières horloges mécaniques. Maintenant que nous savons ce qu'il était capable de faire, reste à savoir dans quel but il était utilisé et qui l'a mis au point.

LA DÉCOUVERTE

Le mécanisme a été découvert dans l'épave d'un navire romain trouvé à 60 m sous l'eau au large des côtes de la petite île d'Anticythère en mer Égée. Des pêcheurs d'éponges grecs qui revenaient de leurs sites de plongée au large de la côte de l'Afrique et rentraient chez eux sur une autre île grecque, ont été forcés de s'arrêter sur l'île en raison du mauvais temps. Profitant de cette escale, ils plongent au large des côtes lorsqu'ils trébuchent sur ce qu'ils décrivent comme des corps gisant sur le plancher océanique. Ces corps s'avèrent être des statues grecques en marbre et en bronze, qui seront repêchées l'année suivante et envoyées au Musée national archéologique d'Athènes, où certaines d'entre elles sont exposées aujourd'hui.

Il semble que le navire transportait vers Rome une cargaison d'œuvres d'art en provenance des provinces de la Grèce, sans que l'on sache si elles avaient été achetées ou pillées. L'importance archéologique de cette découverte est immédiatement reconnue. Peu de statues en bronze de la Grèce classique sont restées intactes, la quasi-totalité d'entre elles ayant été refondues dans l'Antiquité afin de réutiliser le métal à d'autres fins. Les seules statues qui ont survécu sont celles qui ont été perdues, comme celles de l'épave d'Anticythère. Lorsque celles-ci ont été récupérées, beaucoup étaient brisées en plusieurs fragments et ont dû être restaurées au musée. Dans certains cas, des statues complètes ont été

reconstituées, un exploit rendu possible car le bronze survit assez bien dans l'eau de mer. En immersion, une croûte se forme rapidement à la surface exposée, protégeant le métal en dessous, mais une fois remonté à la surface, le bronze commence à rouiller plus rapidement, et il est essentiel que des mesures de conservation soient prises dès que possible.

LE MÉCANISME
Même rouillés, les engrenages du mécanisme d'Anticythère peuvent être mis en marche.

Le mécanisme a été découvert avec les statues mais, au début du moins, on n'y a prêté que peu d'attention. Ce bloc incrusté de bronze et de bois ne fit que peu d'impression sur le personnel du musée. Au bout de quelques mois, on raconte qu'il se serait fendu tout seul, la corrosion du bronze ayant attaqué le milieu du bloc, exposant alors un certain nombre de rouages et d'engrenages ainsi que quelques lettres grecques et ce qui semblait être des cadrans, des crans et des aiguilles. Il est cependant plus probable que quelqu'un du musée ait donné un coup de marteau sur le bloc pour voir ce qui allait se passer et, quand il s'est ouvert, a décidé qu'il serait préférable de ne pas dire ce qu'il avait fait. Quelle que soit la vérité sur cette affaire, l'importance de la découverte ne faisait aucun doute et les mesures de conservation appropriées ont été prises pour les autres morceaux de bronze très corrodés.

À l'époque, la nature de cet objet a donné lieu à un débat houleux et parfois virulent entre les archéologues grecs. Les archéologues du musée les plus anciens pensaient qu'il s'agissait une sorte d'astrolabe antique, un dispositif astronomique relativement simple dont le fonctionnement ne dépend pas de rouages et d'engrenages. Même si le mécanisme ne ressemblait en rien à un astrolabe, et malgré les protestations de certains membres subalternes du personnel, qui avaient compris qu'il s'agissait d'un mécanisme beaucoup plus élaboré, on n'effectua que peu d'autres recherches. L'objet demeura relativement obscur jusqu'à ce que dans les années 1950, un scientifique britannique, Derek de Solla Price, fît des radiographies des fragments, afin de déterminer sa véritable raison d'être, et de construire une maquette qui fonctionne. Il montra que l'objet était composé de plus de 30 roues dentées, dont certaines étaient différentielles, ce qui permettait au mécanisme de tourner dans les deux sens. Il était actionné au moyen d'une manivelle permettant d'entrer une date donnée, ce qui entraînait les rouages et les engrenages et faisait tourner les aiguilles pour indiquer la position du Soleil, de la Lune et des planètes sur un certain nombre de cadrans différents. Il s'agit donc d'une machine à calculer astronomique, que l'on pourrait décrire, sans aucune exagération, comme un ordinateur manuel analogique.

Les connaissances n'ont pas évolué pendant 60 ans, jusqu'à ce que des scientifiques reprennent les travaux de Price. C'est la raison pour laquelle en 2006, les journaux ont ressorti le mécanisme d'Anticythère des tiroirs. La plupart des déductions de Price sur le fonctionnement du mécanisme étaient correctes. La seule chose sur laquelle il s'est trompé concerne la nature de l'engrenage, qui s'est avéré être épicycloïdal, un système qui reflète les mouvements des planètes autour du Soleil. Au cours de ces dernières années, on est parvenu à déchiffrer plusieurs inscriptions, ce qui confirme une fois de plus les soupçons de Price, selon lesquels certaines inscriptions seraient un manuel d'instruction du mécanisme. Nouveau rebondissement dans l'affaire : on découvre que l'un des cadrans permettait de calculer la date des prochains jeux panhelléniques, notamment ceux qui se déroulaient à Olympia. Le calendrier de ces jeux était d'une grande importance culturelle pour les Grecs, même si leur présence sur un dispositif astronomique n'avait que peu d'utilité pratique. C'est comme si celui qui a construit le mécanisme avait intentionnellement intégré plus que ce qui était nécessaire afin de montrer ce qu'il était capable de réaliser.

QUI L'A FAIT ET POURQUOI ?

Étant donné que l'on n'a jamais rien retrouvé de comparable au mécanisme d'Anticythère, il est presque impossible de dire avec certitude où il a été réalisé, et malheureusement pour nous, celui qui l'a fait ne semble pas l'avoir signé et ne nous a laissé aucun indice sur son identité. Il existe depuis l'Antiquité des références à l'utilisation d'engrenages simples, notamment dans les travaux d'Archimède, devenu célèbre pour l'histoire apocryphe de la façon dont il est sorti de sa baignoire pour courir nu dans la rue en criant « Eurêka », après avoir découvert « la poussée d'Archimède ». Installé à Syracuse en Sicile au IIIᵉ siècle av. J.-C., plus de 100 ans avant la date présumée de la construction du mécanisme, Archimède ne peut l'avoir mis au point. Les inscriptions qui y figurent sont rédigées dans un style de grec en usage dans la cité de Corinthe vers 100 av. J.-C., ce qui nous donne à la fois une date approximative de sa construction, et un indice possible de l'endroit où il a été fait. À cette époque, Syracuse était une colonie corinthienne, et il ne serait donc pas insensé de conclure qu'il a été créé à Syracuse, peut-être dans un atelier travaillant sur le type d'expérimentations techniques innovantes commencées par Archimède.

Selon une autre hypothèse, le mécanisme a été imaginé plus à l'est, dans l'un des endroits que le navire sur lequel il a été découvert, avait visité avant qu'il ne fasse naufrage. La cargaison et les pièces de monnaie trouvées dans l'épave indiquent que le navire partait sans doute de Pergame, une ancienne cité grecque située sur les côtes de la Turquie actuelle. Il semble avoir d'abord navigué vers l'île de Rhodes, puis vers Alexandrie, avant de partir pour son dernier voyage funeste, sans doute avec l'intention de ramener à Rome le butin qu'il avait recueilli. Rhodes et Alexandrie étant toutes les deux des centres d'apprentissage dans le monde grec, le mécanisme a pu être mis au point dans l'une ou l'autre ville, peut-être par quelqu'un originaire de Corinthe. Les chercheurs privilégient généralement Rhodes par rapport à Alexandrie, car on sait qu'un certain nombre d'astronomes grecs ont travaillé à peu près au bon moment et, tout en ayant un haut niveau de compétence technique, la personne qui a effectué le mécanisme devait aussi avoir une connaissance détaillée de l'astronomie.

La nature complexe du mécanisme signifie que la personne qui l'a fait y a consacré beaucoup de temps et d'efforts, ce qui laisse supposer qu'elle le destinait à un usage spécifique. Il n'aurait pas été de grand secours comme aide à la navigation, car il était en bronze et, s'il avait été emmené en mer pendant longtemps, le métal se serait rapidement corrodé, le rendant inutile. On a également émis l'hypothèse qu'il aurait été réalisé pour des démonstrations publiques d'astronomie et d'ingénierie, un phénomène assez courant en Grèce à cette époque. Mais le mécanisme, qui fait la taille d'une boîte à chaussures, n'aurait pas été visible à une

LA CARGAISON ET LES PIÈCES DE MONNAIE TROUVÉES DANS L'ÉPAVE INDIQUENT QUE LE NAVIRE PARTAIT SANS DOUTE DE PERGAME, UNE ANCIENNE CITÉ GRECQUE SITUÉE SUR LES CÔTES DE LA TURQUIE ACTUELLE.

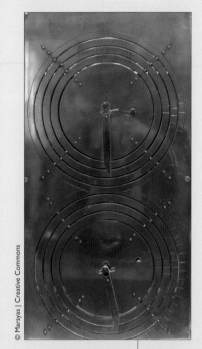

LES CADRANS
Détail d'une maquette
du mécanisme montrant
à quoi auraient ressemblé
ses cadrans.

certaine distance. Étant donné que certains de ses cadrans sont à l'arrière, encore une fois, le mécanisme ne pouvait pas servir pour des démonstrations publiques. En dehors de cela, il est difficile de savoir à quoi il aurait pu servir, à moins qu'il n'ait eu d'autre intention que de susciter la curiosité, l'étonnement et l'admiration.

Après la chute de l'Empire romain, une grande partie des connaissances accumulées par les Grecs a été perdue, y compris les travaux d'Archimède sur l'utilisation des engrenages, si bien que nous ne saurons jamais si le mécanisme a été utilisé pour quelque chose en particulier. Une grande partie de ce qui a survécu a été copiée par les savants arabes de l'Empire byzantin, avant d'être réintroduit en Europe aux XVe et XVIe siècles. Il a peut-être été la source de connaissance utilisée en Europe pour développer les premières horloges mécaniques et, si tel est le cas, cela établirait un lien direct entre le mécanisme d'Anticythère et l'utilisation d'appareils d'horlogerie 1 500 ans plus tard. À ce jour, il n'existe aucune preuve permettant d'accréditer cette théorie. Pour le moment, le mécanisme demeure un exemple unique de l'ingénierie et de l'érudition de l'Antiquité. Jusqu'à sa découverte, rien ne nous avait laissé supposer que les Grecs de l'Antiquité étaient capables de réaliser une telle chose.

LES MANUSCRITS DE LA MER MORTE

v. 100 av. J.-C. - 70 apr. J.-C.

Mystère : qui a écrit les manuscrits de la mer Morte ?

Protagonistes : les Juifs et les Romains

Dénouement : ils ont été probablement écrits par une secte juive.

La découverte des manuscrits du désert de Judée, aussi appelés manuscrits de la mer Morte, est peut-être la plus importante découverte archéologique du XXᵉ siècle. Dans la première moitié de ce siècle, la question s'est posée de savoir si le texte de l'Ancien Testament, tel que nous le connaissons aujourd'hui, est identique à la Bible écrite par les Anciens ou si des changements avaient été apportés. Il ne faut pas oublier que jusqu'au début du XIXᵉ siècle, on ne possédait pas de versions anciennes de la Bible et que des érudits juifs et chrétiens affirmaient que des changements avaient été apportés à l'Ancien Testament – et ce, afin de corroborer la révélation de Jésus comme étant le fils de Dieu et dans le but d'éradiquer toute preuve relative à Jésus.

Uzi Dahari, « L'importance de la découverte des manuscrits de la mer Morte »

Si une communauté religieuse a décidé de vivre une vie austère dans le but de se rapprocher de son Dieu, choisir un endroit près de la mer Morte l'aiderait certainement dans ses efforts. Il s'agit de l'emplacement situé à la plus basse altitude à la surface de la Terre et le terrain qui l'entoure est principalement désertique. Le climat n'est guère mieux : il est chaud et aride, rendant l'endroit inhospitalier à toute forme de vie, à l'exception de ceux qui sont spécialement adaptés pour y vivre. À Qumrân, un site archéologique situé sur un plateau rocheux près de la rive nord-ouest de la mer, c'est exactement ce qu'une secte juive semble avoir fait, exprimant sa dévotion en vivant dans des conditions difficiles et en faisant des copies de textes religieux importants. Mais en dehors du fait que des individus ont choisi de vivre ici, ce qui est tout à fait remarquable, c'est que ces textes ont survécu. Ils étaient cachés dans des grottes dans les parois abruptes d'une vallée à proximité du site et, depuis leur découverte, on les a baptisés les manuscrits de la mer Morte (ou manuscrits de Qumrân).

Dans les années qui ont suivi cette découverte, toutes sortes d'histoires ont circulé sur les manuscrits, alimentées par l'incroyable lenteur avec laquelle leur contenu a été publié. Les théories de complot, concernant surtout les implications des manuscrits pour la foi chrétienne, se sont concentrées sur ce que les personnes en possession des manuscrits ont essayé de cacher. En particulier, elles ont allégué que les parchemins contenaient des passages bibliques perdus ou supprimés, et qui racontent une histoire très différente de celle des livres du Nouveau Testament. Au fur et à mesure que le contenu a été rendu public, sur une période de 50 ans, il est devenu évident que toutes ces théories n'étaient pas fondées. Le vrai mystère entourant les rouleaux n'est pas tant ce qu'ils contiennent, ce qui est suffisamment remarquable, mais qui les a écrits et pourquoi il a été décidé de les cacher dans des grottes.

LES ROULEAUX

Le premier des manuscrits a été découvert en 1947 par un berger bédouin qui, tandis qu'il veillait sur son troupeau près de Qumrân, est tombé accidentellement dans l'une des grottes. Au cours des 10 années suivantes, plus de 900 rouleaux ont été découverts dans 11 grottes différentes, la majorité étant écrits sur du parchemin, en hébreu ou en araméen. La quasi-totalité d'entre eux date d'une période comprise entre 150 av. J.-C. et 70 apr. J.-C., une période cruciale dans le développement des religions juive et chrétienne, et le contenu est essentiellement de nature religieuse.

Environ 40 % des manuscrits contiennent des livres de la Bible hébraïque. Tous les livres de celle-ci y sont représentés, sauf le Livre d'Esther. Les manuscrits bibliques hébreux de la mer Morte sont antérieurs de plusieurs siècles aux plus anciens textes connus jusqu'alors.

Un deuxième groupe de rouleaux, correspondant à 30 % du total, est constitué de textes religieux qui n'avaient pas obtenu le statut canonique car ils n'ont pas été retenus dans la Bible. Appelés apocryphes et pseudépigraphes, ils comprennent le Livre d'Hénoch et le Livre des Jubilés. Un troisième groupe rassemble divers rouleaux. Leur contenu fait référence à la secte qui a rédigé les textes et contient des commentaires religieux, les règles et les calendriers de la secte. Ces calendriers sont des documents importants, car les différends concernant les dates des cérémonies religieuses étaient souvent à l'origine d'un désaccord entre la communauté religieuse juive traditionnelle, représentée à l'époque par les prêtres du Second Temple, et les sectes qui la quittaient.

ROULEAUX DE PSAUMES
L'un des manuscrits de la mer Morte parmi les mieux conservés, comprenant des psaumes en hébreu.

L'importance des manuscrits est à la fois liée à leur âge, et à ce qu'ils peuvent nous apprendre sur le développement de la Bible hébraïque et du judaïsme rabbinique au Ier siècle av. J.-C. et au Ier siècle apr. J.-C. Au cours des premières années de recherche sur les manuscrits, on s'attacha principalement à la façon dont ils se rapportent au christianisme, mais comme la plupart ont été écrits au Ier siècle avant la naissance du Christ, l'attention des chercheurs se concentre aujourd'hui principalement sur la vie religieuse juive à cette époque. Cela ne veut pas dire que les rouleaux ne sont pas des documents importants pour le christianisme, la Bible hébraïque formant la base de l'Ancien Testament.

Les parchemins font également la lumière sur le contexte juif du Nouveau Testament et donnent un aperçu de l'état général de la vie religieuse en Judée dans les années qui ont immédiatement précédé et suivi la naissance du Christ. C'était une période d'effervescence religieuse, durant laquelle de nombreuses sectes très dispersées, comme celle dont on pense qu'elle a rédigé les manuscrits, ont été formées par les déçus du Second Temple. Les premiers chrétiens n'ont pas été impliqués dans la rédaction des manuscrits, mais ils faisaient partie de l'ensemble des mouvements religieux de l'époque, qui, pour une secte au moins, y a trouvé son expression.

QUMRÂN Les parchemins ne contiennent pas de références directes à l'identité de la secte qui les a écrits. On peut rassembler un grand nombre d'informations sur elle à partir des divers manuscrits portant sur les règles de la secte, mais pas assez pour dire avec certitude qui elle était. Depuis la découverte des grottes à proximité de la colonie de Qumrân, la plupart des universitaires ont conclu que c'est ici qu'ils ont été écrits. On pense qu'il s'agissait d'un séminaire dans le désert, qui n'est pas sans rappeler plus tard les monastères chrétiens, où la copie des textes religieux était considérée comme un acte de dévotion. Cette interprétation est loin d'être acceptée par tous. Certains chercheurs pensent qu'il ne s'agissait pas du tout d'un établissement religieux, mais au contraire, d'une auberge pour les voyageurs, d'un lieu de résidence, ou bien d'une usine pour la fabrication de la poterie, et que les manuscrits ont été écrits ailleurs avant d'être amenés dans la région spécialement pour y être cachés.

GROTTE 4
Cette grotte située dans la falaise à Qumrân contenait près de 90 % des manuscrits mis au jour.

Donc, si les rouleaux n'ont pas été écrits à Qumrân, comme le suggèrent les différentes théories dissidentes, où ont-ils alors été écrits ? Ils pourraient venir de la bibliothèque de Jérusalem et auraient été retirés de la ville afin d'être cachés dans le désert lors du siège romain de la ville après la grande révolte juive de 66 apr. J.-C. Celle-ci a commencé par un conflit religieux entre Juifs et Grecs, avant de devenir une protestation contre l'imposition dans la province romaine de Judée, puis de dégénérer en rébellion totale. La garnison romaine, débordée, mena des représailles massives et sanglantes, dirigées par le général romain Vespasien et son fils Titus. En 70 apr. J.-C., la révolte fut écrasée par les Romains et Jérusalem fut saccagée, période durant laquelle le Second Temple fut détruit.

La menace que présentait le siège romain de Jérusalem constitue une très bonne raison pour retirer les documents importants de la ville, mais n'explique pas pourquoi ils auraient été cachés si près dans une colonie existante. Certaines de ces grottes étant à un jet de pierre des bâtiments de Qumrân, leur cachette semble être un très mauvais choix si l'emplacement était censé être secret. Il semble plus probable que les personnes vivant à Qumrân ont caché les manuscrits dans les grottes et, tandis que certains ont pu être portés à la colonie afin d'y être cachés, la plupart ont probablement été écrits sur le site. De récentes fouilles archéologiques à Qumrân ont mis au jour un certain nombre d'encriers, ce qui conforterait cette théorie. Quelle que soit la vérité sur cette affaire, des preuves archéologiques montrent également que Qumrân a été attaqué et détruit par les Romains vers 68 apr. J.-C. S'il y a eu des survivants, ils ne sont jamais revenus récupérer les manuscrits.

En l'absence de preuve définitive, et avec 2 000 ans de recul, il n'est pas possible de dire avec certitude qui a écrit les parchemins. L'historien juif Flavus Josèphe (v. 37-100 apr. J.-C.), né à Jérusalem, donne des précisions sur plusieurs sectes en Judée pendant la période où les rouleaux ont été écrits. En comparant ce qu'il a écrit avec les règles sectaires données dans certains des manuscrits, certains chercheurs pensent avoir réussi à identifier les Esséniens comme les auteurs les plus probables. Les Esséniens étaient une secte juive formée au IIe siècle av. J.-C., peut-être par des prêtres qui avaient fait sécession du Second Temple, et qui se consacraient à l'ascèse, s'abstenaient des plaisirs du monde, et vivaient volontairement dans la pauvreté. L'une de leurs pratiques rituelles consistait à s'immerger quotidiennement dans l'eau pour atteindre la pureté, et l'on a d'ailleurs retrouvé plusieurs baignoires rituelles à Qumrân. Cela prouve que les Esséniens étaient à Qumrân, et bien que le bain quotidien fût loin d'être un rituel unique à eux, cela crée un faisceau de preuve qui semble les désigner.

Il est tout à fait possible que c'est une secte dont nous ne savons rien qui a en fait rédigé les manuscrits. Cette période de l'histoire juive est parsemée de troubles religieux constants et, par conséquent, on ne pourra peut-être jamais découvrir avec certitude qui a écrit les manuscrits et pourquoi ils ont été cachés. En fin de compte, ces manuscrits demeurent sans doute la plus grande découverte relative à l'histoire du judaïsme et du christianisme. L'identité des personnes qui les ont écrits est, à certains égards, d'une importance secondaire par rapport aux manuscrits en eux-mêmes, mais en même temps, ils font partie intégrante de l'histoire et sont importants pour notre connaissance générale de la période. Les travaux se poursuivent à la fois sur les rouleaux et sur le site de Qumrân. Qui sait, un jour pourrons-nous peut-être terminer le puzzle.

L'IDENTITÉ DE LA SECTE

MYSTÈRE

Événement inexpliqué

Raison inconnue

Réalité ou fiction ?

Vérité ou mensonge ?

Personne disparue

Personne inconnue

Crime non élucidé

LE GRAAL

v. Ier siècle apr. J.-C.

Mystère : qu'est-ce que le saint Graal, s'il existe, et où se trouve-t-il ?

Protagonistes : Joseph d'Arimathie, le roi Arthur, des chevaliers médiévaux et un tas d'autres personnes

Dénouement : la quête se poursuit…

Une demoiselle très belle, et élancée et bien parée qui avec les valets venait, tenait un graal entre ses mains. Quand en la salle elle fut entrée avec le Graal qu'elle tenait, une si grande lumière en vint que les chandelles en perdirent leur clarté comme les étoiles quand se lève soleil ou lune. Derrière elle une autre pucelle qui apportait un plat d'argent. Le Graal qui allait devant était fait de l'or le plus pur. Des pierres y étaient serties, pierres de maintes espèces, des plus riches et des plus précieuses qui soient en la mer ou sur terre. Nulle autre ne pourrait se comparer aux pierres sertissant le Graal.

Chrétien de Troyes,
Perceval ou le Conte du Graal
(première apparition du Graal
dans la littérature, v. 1180)

© Duncan Walker

Le Graal est la mère de tous les mystères. Pour commencer, on ne sait pas vraiment ce qu'il est censé être, ni à quoi il peut servir. Il pourrait s'agir d'une pièce de vaisselle, comme la coupe ou le plat utilisé par le Christ lors de la Cène, ou il pourrait s'agir d'un objet de désir mystique et inaccessible, contenant tout ce qui est saint, l'essence pure de Dieu. Il est difficile de le savoir, notamment parce que les gens qui ont écrit à son sujet, ne donnent pas l'impression d'avoir une idée de ce qu'il est. Dans les différentes histoires dans lesquelles le Graal apparaît, leurs auteurs laissent supposer qu'il s'agit de différentes choses, presque toujours sans expliquer ce qu'est réellement cette chose, nous laissant avec l'impression qu'ils n'en ont pas eux-mêmes la moindre idée. En fait, autant que je puisse en juger, ne pas avoir la moindre idée à ce sujet semble être une condition préalable pour en parler en détail. Mais s'il y a bien une chose qui peut être dite à propos du Graal avec un certain degré de certitude, c'est qu'il n'est pas facile à trouver. Et sa recherche, ou plutôt sa « quête », est sans doute plus facile si vous ne savez pas à quoi ressemble la chose que vous recherchez, peu importe où elle se trouve.

Plus sérieusement, si le Saint-Graal peut être considéré comme un objet physique, comme la coupe ou le plat utilisé par le Christ lors de la Cène, il ressemble beaucoup au Saint Calice, le récipient mentionné dans plusieurs livres du Nouveau Testament comme ayant été utilisé par le Christ pour servir le vin aux Apôtres. Il est décrit dans l'Évangile selon Matthieu :

> Il prit ensuite une coupe ; et, après avoir rendu grâce, il la leur donna, en disant : « Buvez-en tous ; car ceci est mon sang, le sang de l'alliance, qui est répandu pour plusieurs, pour la rémission des péchés. Je vous le dis, je ne boirai plus désormais de ce fruit de la vigne, jusqu'au jour où j'en boirai du nouveau avec vous dans le royaume de mon Père. »

En dehors de la Cène, aucune autre mention n'est faite de ce récipient dans les Évangiles. Des traditions ultérieures l'associent au sang du Christ, disant qu'il a servi à le recueillir après la crucifixion. Dans le culte chrétien, l'Eucharistie, ou la Sainte Communion, rejoue le partage du pain et du vin en les prenant comme symboles du corps et du sang du Christ.

LA CRUCIFIXION
Joseph d'Arimathie recueille le sang du Christ dans le Graal sur cette illustration italienne du XIVe siècle.

© French School | Getty Images

Plusieurs coupes découvertes au fil du temps ont été identifiées comme le calice. L'une des plus célèbres est le calice d'Antioche, découvert près de la ville du même nom au début du XXᵉ siècle. L'objet est désormais au *Metropolitan Museum of Art* de New York où, selon les experts qui l'ont étudié, il est « ambitieux » de le désigner comme étant le calice ou le Graal. Selon eux, cet objet a été confectionné à Antioche au VIᵉ siècle apr. J.-C. et a probablement été conçu pour servir de lampe et non de calice. La cathédrale de Valence, en Espagne, abrite un calice un peu plus convaincant. Il s'agit d'une petite coupe en agate, qui daterait du Iᵉʳ siècle av. J.-C., et qui a été montée, à un moment donné, sur un support raffiné en or. Il aurait été amené à Rome par saint Pierre, où il serait entré en possession du pape et, par une voie un peu détournée, aurait fini par arriver en Espagne.

LA LÉGENDE DU GRAAL

En vérité, comme nous ne savons pas grand-chose de l'objet physique, la littérature sur le sujet se concentre principalement sur la légende du Graal. Elle remonte à l'époque médiévale, à partir de la fin du XIIᵉ siècle avec le poète français Chrétien de Troyes, qui introduit le Graal dans les histoires qu'il raconte sur le roi Arthur et les Chevaliers de la Table Ronde. La source de ces histoires est loin d'être claire, et nous n'avons pratiquement aucun détail biographique sur le poète pour nous aider. On suppose que Chrétien de Troyes s'est inspiré des thèmes chrétiens et des travaux de Geoffroy de Monmouth (v. 1100-1155), qui avait raconté les histoires de la légende arthurienne comme des faits historiques.

LA QUÊTE DU GRAAL
L'Armement et le départ des chevaliers de la Table Ronde dans la quête du Saint-Graal, 1895-1896, tapisserie de William Morris.

Chrétien de Troyes peut aussi avoir emprunté certains de ses thèmes à la mythologie celtique qui s'est popularisée en France après la conquête normande de l'Angleterre. Le peu de chose que nous sachions de cette mythologie, nous le devons presque entièrement aux histoires que racontaient les moines dans les monastères d'Irlande et qui, souvent, semblent avoir remplacé les thèmes païens des histoires par des thèmes chrétiens. Il n'est donc pas impossible que Chrétien de Troyes ait fait la même chose. La mythologie contient un certain nombre d'histoires concernant les exploits de héros qui ne sont pas sans rappeler Arthur, ainsi que d'autres événements communs aux deux sources, comme les épées jetées dans l'eau avant d'être récupérées, l'existence d'un code de l'honneur et de chevalerie entre les guerriers, et l'apparition de figures magiques comme Merlin et la Dame du Lac, qui ont tous des équivalents dans la mythologie sous la forme de dieux et de déesses celtiques.

Les origines des légendes du Graal sont sans doute loin d'être claires, mais s'il y a une chose que nous pouvons dire avec certitude, c'est que la version de Chrétien de Troyes a donné lieu à beaucoup d'autres histoires similaires. De nombreuses caractéristiques de la légende désormais associée au Graal ont été dès lors ajoutées, et la plupart d'entre elles semblent être tout droit sorties de l'imagination des différents auteurs, sans aucun rapport avec une source particulière, chrétienne ou autre. Le Graal a ainsi été associé à Joseph d'Arimathie, l'homme qui a enseveli le Christ dans son propre sépulcre après la crucifixion et qui, selon les récits de Robert de Boron, est devenu le gardien du Graal et l'a emmené en Grande-Bretagne. Telle est l'origine de la légende selon laquelle le Graal est enterré à l'abbaye de Glastonbury, une histoire considérée comme vraie pour certains. Il serait peut-être plus judicieux de le considérer comme un dispositif utilisé par un poète français du XIIIe siècle de localiser le Graal en Grande-Bretagne afin que les Chevaliers de la Table Ronde puissent partir à sa recherche.

Au fil des ans, la légende du Graal a connu de nombreuses autres associations, donnant l'impression que tout ce qui est secret et mystérieux lui est relié. Les Templiers, par exemple, auraient trouvé le Graal sur le Mont du Temple à Jérusalem au cours des Croisades. Ils l'auraient ramené en Europe, où il fut placé dans un endroit secret et connu seulement par les initiés. Comme pour jeter de l'huile sur le feu, l'ordre des Templiers ayant été fondé à Troyes en 1129, il est aisé d'envisager que Chrétien de Troyes ait obtenu de la documentation pour ses romans arthuriens des Templiers eux-mêmes, à leur retour de Terre Sainte, de sorte qu'il devienne difficile de discerner le mythe de la réalité.

Le concept du Graal étant difficile à cerner, les générations d'écrivains qui se sont succédé l'ont adapté aux exigences de l'époque. Ces dernières années, il a ainsi été utilisé dans une multitude de théories du complot concernant différentes cabales secrètes qui auraient réussi à transmettre le Graal à travers les âges à quelques privilégiés, afin de conserver son pouvoir pour eux-mêmes. L'une des plus célèbres est *L'Énigme sacrée*

LE GRAAL DANS LA CULTURE POPULAIRE

de Michael Baigent, Richard Leigh et Henry Lincoln, où le Graal est associé à toutes sortes de théories du complot impliquant les Templiers, les Cathares, les francs-maçons et le Prieuré de Sion.

Le livre conclut que le Graal se réfère en fait à la lignée du Christ et non à une simple coupe. Le Christ ne serait pas mort sur la croix, mais aurait survécu, se serait marié et aurait eu des enfants avec Marie-Madeleine. Après la crucifixion, Marie aurait emmené les enfants en France pour qu'ils échappent à la persécution, et leurs descendants seraient les rois mérovingiens. La thèse de cet ouvrage a été reprise de manière romancée par Dan Brown et son *Da Vinci Code*, qui révèle que le Graal est enterré à Paris sous la pyramide du Louvre.

La culture populaire s'avance en terrain plus sûr puisqu'elle ne cherche pas à présenter la vérité historique. Dans *Indiana Jones et la Dernière Croisade*, notre intrépide archéologue, après avoir écarté les nazis de l'Arche d'alliance, reprend du service pour les empêcher de ravir le Saint Graal. Ici, on ne s'embête pas avec la légende du Graal qui est présenté comme une coupe, même si c'est une coupe qui possède des propriétés magiques. À la fin, après toutes sortes d'aventures, Indi le trouve, mais doit le laisser tomber dans un abîme pour sauver sa vie, et ne le ramène donc pas avec lui. Tout aussi divertissant que la *Dernière croisade*, le meilleur film, ou du moins le plus stupide, sur le Graal, est *Sacré Graal*, des Monty Python, dans lequel nous faisons la connaissance d'un lapin tueur et des Chevaliers qui disent « ni ».

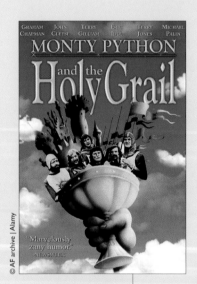

LE GRAAL VU PAR LES MONTY PYTHON
Le film n'est pas la version la plus exacte de la légende du Graal, mais c'est la plus drôle.

Ce serait sans doute accorder à l'équipe des Monty Python beaucoup trop de crédit en suggérant que la fin du film est une métaphore de la nature du Graal en soi, l'essence même de celui-ci résidant dans sa recherche et non sa découverte. Il est plus probable que par manque de temps et d'argent, le film se termine rapidement. Même ainsi, qu'elle soit voulue ou non, la fin du film est aussi près de nous révéler ce qu'est vraiment le Graal que bon nombre de versions beaucoup plus sérieuses, et beaucoup moins drôles. Le Graal n'est-il pas, comme le pense Douglas Adams dans *Le Guide du voyageur galactique*, la grande question de la vie, l'univers, et toutes choses ? Et peu importe ce que l'on fait, il reste toujours hors de portée.

LE SUAIRE DE TURIN

Ier siècle apr. J.-C.?

MYSTÈRE

Événement inexpliqué

Raison inconnue

Réalité ou fiction ?

Vérité ou mensonge ?

Personne disparue

Personne inconnue

Crime non élucidé

Mystère : le suaire de Turin est-il celui qui a enveloppé le Christ ou est-il un faux datant du Moyen Âge ?

Protagonistes : les sindonologistes de tout poil

Dénouement : votre opinion vaut la mienne.

Quant est du suaire auquel le corps fut enveloppé, je leur fais une semblable demande : les évangélistes racontent diligemment les miracles qui furent faits à la mort de Jésus-Christ, et ne laissent rien de ce qui appartient à l'histoire ; comment est-ce que cela leur est échappé, de ne sonner mot d'un miracle tant excellent, c'est que l'effigie du corps de notre Seigneur Jésus était demeurée au linceul auquel il fut enseveli ? Cela valait bien autant d'être dit comme plusieurs autres choses. Même l'évangéliste saint Jean déclare comment saint Pierre étant entré au sépulcre, vit les linges de la sépulture, l'un d'un côté, l'autre d'autre. Qu'il y eût aucune portraiture miraculeuse, il n'en parle point. Et n'est pas à présumer qu'il eût supprimé une telle œuvre de Dieu, s'il en eût été quelque chose.

Jean Calvin, *Le traité des reliques* (1543)

Le terme sindonologie n'est pas courant. Il signifie l'étude du Suaire de Turin. Les sindonologistes sont les personnes qui prennent au sérieux cette étude et ont fait du linceul l'artefact le plus étudié de l'histoire de l'humanité. Pour un bout de toile de lin, d'environ 4,20 m de long sur 1,20 m de large, avoir atteint un tel statut est remarquable. Mais, une fois encore, le suaire de Turin est un objet remarquable. Le tissu porte l'image à peine perceptible de l'avant et de l'arrière d'un homme, qui apparaît beaucoup plus clairement sur un négatif photographique. Le corps représenté porte toutes les marques compatibles avec les souffrances infligées lors de la crucifixion du Christ, telle qu'elle est décrite dans la Bible. Ceux qui le considèrent comme vrai prétendent que c'est le linceul ayant servi à envelopper le corps du Christ il y a 2 000 ans, après avoir été descendu de la Croix et déposé dans sa tombe, l'image de notre Sauveur ayant été miraculeusement produite au moment de la Résurrection. Ce point de vue est contredit par ceux qui pensent qu'il s'agit d'un faux, une contrefaçon médiévale prétendant être quelque chose qui, très manifestement, ne peut pas être.

LE DÉBAT | Le débat semblait avoir été réglé une fois pour toutes en 1988 : un fragment de tissu du coin inférieur du suaire fut enlevé et envoyé dans trois laboratoires distincts pour une datation au carbone 14. Les trois résultats concordent : le linceul a été confectionné entre 1260 et 1390. On aurait pu penser qu'il s'agissait là d'une preuve concluante que le suaire était un faux. Il a probablement été fait à la hâte au milieu du XIVe siècle : un commerce florissant dans les reliques fournissait alors toutes sortes d'objets soi-disant religieux à des villes européennes concurrentes, afin de remplir les reliquaires de leurs cathédrales avec de meilleurs objets que leurs voisines. Tout ce qui était associé à la Bible ou aux saints atteignait des sommes exorbitantes. Si la relique était directement liée à Jésus, comme une écharde de la Sainte Croix ou une épine de la Sainte Couronne, les vendeurs faisaient leurs propres prix. Dans un tel contexte, où l'argent coulait librement et où l'on ne posait pas trop de questions au sujet de l'authenticité des objets en vente, il n'est guère surprenant de trouver des personnages sans scrupule profitant de la crédulité de leurs clients en leur vendant des contrefaçons. On a estimé à 40 le nombre de suaires, tous prétendument authentiques, qui faisaient le tour des cathédrales à l'époque médiévale, tous décrits comme étant le seul et unique Saint Suaire. La plupart d'entre eux étaient des contrefaçons si flagrantes qu'ils n'auraient dupé personne, si on avait pris la peine de les regarder avec un certain degré de scepticisme.

Parmi les nombreux linceuls, un seul a résisté aux contestations au fil des ans, et il se trouve à la cathédrale Saint-Jean-Baptiste de Turin. Même les tests au carbone 14 ont été contestés, au motif que l'échantillon prélevé pour le test a été contaminé ou qu'il appartenait à une partie du linceul qui avait été réparée à l'époque médiévale. La datation n'a pas réglé le débat sur le linceul, mais l'a élargi. Loin d'être désœuvrés, les sindonologistes se sont multipliés, tant dans les milieux universitaires que sur Internet, même si les débats organisés sur les sites web ont rapidement dégénéré en insultes personnelles, aussi habituelles que typiques de ce média. Mais, en dépit de toutes les absurdités opiniâtres, beaucoup de questions entourant le linceul demeurent sans réponse, et non des moindres : si c'est un faux, comment a-t-il été fait ?

© Alberto Tentoni | Dreamstime.com

LA CATHÉDRALE DE TURIN
Le suaire est conservé dans la cathédrale Saint-Jean-Baptiste de Turin depuis 1576.

Les techniques modernes dans des disciplines telles que la médecine légale et la science des matériaux, pourraient bien donner quelques réponses, mais jusqu'à présent, les tests nécessaires n'ont pas été autorisés par le pape, qui possède techniquement le linceul, ou par les personnes qui le conservent à Turin. Entre-temps, la recherche sur l'histoire du linceul se poursuit. Si l'on pouvait démontrer qu'il existait avant la période médiévale, on pourrait au moins prouver qu'il n'a pas été fait pendant la période où la falsification des reliques était monnaie courante, ce qui augmente ses chances d'authenticité.

Pour ceux qui acceptent l'authenticité du suaire, son histoire commence v. 30 apr. J.-C., au moment où, selon la Bible, de la toile de lin est acquise par Joseph d'Arimathie pour couvrir le corps du Christ. Le tissu est tout ce qui reste dans le tombeau après la résurrection. Pourtant, aucun des Évangiles ne fait mention d'une image se trouvant sur le linceul. Ce point est notamment soulevé par le réformateur protestant Jean Calvin, qui était profondément sceptique sur l'authenticité du linceul et de toutes les autres reliques vénérées par l'Église catholique.

Dans un livre récent sur le sujet, l'historien d'art Thomas de Wesselow soutient que l'image du Christ sur le suaire était ce que les Apôtres ont vu dans le tombeau pendant la Résurrection, et non le corps ressuscité. Cette hypothèse entraîne un dilemme pour ceux qui croient que le linceul est authentique. La plupart d'entre eux sont chrétiens or, d'une part, cette hypothèse met le linceul dans le tombeau au moment opportun, alors que, d'autre part, il nie la Résurrection telle qu'elle est décrite dans les Évangiles. De Wesselow présente aussi des preuves obtenues à partir de l'analyse des pollens trouvés dans le linceul, et qui laissent supposer qu'il est antérieur à la période médiévale, tout comme les travaux effectués sur le type de tissu utilisé. Le lin du suaire comporte un motif à chevrons distinctif, un tissage dont on sait qu'il était utilisé au Ier siècle apr. J.-C., grâce à d'autres textiles juifs de l'époque et encore existants. Les deux sources de données ont été contestées, comme presque tout le reste ayant trait au linceul. Et même si ces données s'avéraient correctes, rien ne permet de dire qu'elles se rapportent spécifiquement au tombeau du Christ. Mais, si la preuve peut être apportée, cela prouve que le linceul est plus ancien que les tests au carbone 14 l'ont laissé entendre.

LE LIN DU SUAIRE COMPORTE UN MOTIF À CHEVRONS DISTINCTIF, UN TISSAGE DONT ON SAIT QU'IL ÉTAIT UTILISÉ AU IER SIÈCLE APR. J.-C., GRÂCE À D'AUTRES TEXTILES JUIFS DE L'ÉPOQUE ET ENCORE EXISTANTS.

L'écrivain Ian Wilson a également développé une théorie sur l'origine du linceul, suggérant qu'il est beaucoup plus ancien que l'époque médiévale. Selon lui, le suaire de Turin est aujourd'hui le même artefact que l'image d'Édesse, une relique de l'église orthodoxe orientale qui a été perdue depuis le XIIIe siècle. Les scientifiques sont divisés sur le bien-fondé de cette hypothèse, certains soutenant que la relique a été détruite lorsque la ville chrétienne d'Édesse, aujourd'hui Şanlıurfa dans le sud-est de la Turquie, a été capturée par les Ottomans islamiques en 1144, qui ont détruit toutes les églises, ainsi que l'iconographie chrétienne de la cité. D'autres disent que l'image avait été transférée à Constantinople avant la chute d'Édesse. Elle y serait restée jusqu'en 1204, date à laquelle la cité fut mise à sac par les chevaliers de la quatrième croisade, qui devaient se diriger vers Jérusalem pour reprendre la ville aux Sarrasins, mais qui ont, à la place, attaqué la ville chrétienne de Constantinople. On ne sait rien à propos de la localisation de l'image d'Édesse, ce qui indique que, si elle était à Constantinople, elle a été détruite lorsque la ville fut mise à sac par les chevaliers.

On entend de nouveau parler du linceul en 1355: le chevalier français Geoffroy de Charny l'aurait en sa possession. L'identification de ce linceul comme étant le même que celui présent à Turin, est contestée.

Cette histoire correspond à la théorie selon laquelle le suaire aurait été pillé à Constantinople, de Charny étant le descendant présumé d'un croisé. Elle peut tout aussi bien avoir été inventée pour s'adapter au calendrier proposé par la datation au carbone 14 qu'à la période pendant laquelle il a été contrefait. En tous cas, vers le milieu du XVᵉ siècle, le duc de Savoie en possession du suaire. C'est la première fois que l'on peut dire qu'il s'agit vraiment du même objet que celui qui se trouve actuellement à Turin. Au XVIᵉ siècle, le territoire contrôlé par la Maison de Savoie s'est agrandi pour inclure la région du Piémont en Italie, et en 1578, le linceul est transféré du sud de la France vers la cathédrale de Turin, où il demeure encore à ce jour.

En l'état actuel des connaissances historiques, on peut simplement dire que le linceul se trouvait dans le sud de la France dans les années 1450 ; toute hypothèse antérieure ne peut être que de nature spéculative. L'analyse scientifique s'est également avérée concluante, même s'il lui reste à déterminer son âge exact et trouver la provenance du tissu. Il reste encore beaucoup de place pour de nouvelles recherches, notamment pour découvrir, s'il n'est pas le résultat d'un miracle, comment le suaire a été exactement fabriqué, une question qui a jusqu'ici déconcerté tous ceux qui l'ont étudiée. Donc, pour le moment du moins, il n'y a pas de réponse définitive. Dans un livre intitulé *The Shroud* (Le Saint Suaire), l'écrivain britannique Ian Wilson conclut de manière éminemment logique que la meilleure attitude à avoir, du moins pour toute personne suffisamment intéressée pour le faire, est d'examiner tous les éléments de preuve disponibles avant de se forger ensuite sa propre opinion. Personnellement, je pense que c'est un faux. Mais après tout, que sais-je vraiment ?

**LE NÉGATIF
DU SUAIRE**
Le négatif de la photographie permet de distinguer les détails du linceul.

LES GÉOGLYPHES DE NAZCA
v. 400 - 650 apr. J.-C.

Mystère : qui a fait ces tracés et pourquoi ?

Protagonistes : le peuple Nazca dans l'Antiquité

Dénouement : les tracés n'ont aucun rapport avec les extraterrestres.

Vous rappelez-vous ce qu'on dit ? « Chaque époque a le Stonehenge qu'elle désire ou qu'elle mérite. » La leçon à tirer de Stonehenge, et de l'étude la plus approfondie sur tous les grands exploits de l'ingénierie humaine que nous aimons appeler les merveilles du monde, c'est que pour connaître leur signification, nous devons connaître les individus qui les ont réalisés. Pour savoir ce que Nazca signifie, nous devons nous familiariser avec tous les peuples des Andes, passés et présents. Si nous ne le faisons pas, nous sommes destinés à obtenir les lignes de Nazca que nous méritons.

**Anthony F. Aveni, *Nasca: Eighth Wonder of the World*
(Nazca : la huitième merveille du monde)**

En 1968 paraissent *Les Chariots des dieux* de l'écrivain suisse Erich von Däniken, dans lequel il expose ses théories, pour la plupart empruntées à d'autres, sur les extraterrestres. Il s'en sert pour développer ses idées concernant les tracés de Nazca, d'immenses figures dessinées sur le sol, appelées géoglyphes, et réalisées dans la plaine désertique située entre la Cordillère des Andes et l'océan Pacifique au sud du Pérou. Celles-ci sont de plusieurs formes différentes : on distingue des lignes droites, des spirales et des formes géométriques, en particulier des trapèzes, ainsi que des dessins de personnes, d'animaux et de plantes. Les plus connus sont peut-être les dessins d'animaux, notamment les singes, les colibris et les condors.

En un mot, von Däniken pense que ces géoglyphes ont été faits pour servir de pistes d'atterrissage aux vaisseaux extraterrestres dans les temps anciens. Après avoir atterri, les astronautes extraterrestres auraient été vénérés comme des dieux par les anciens Péruviens. Il est difficile de croire que ces théories folles ont pu être un tant soit peu prises au sérieux. La prolifération de médicaments psychotropes dans les années 1960 a-t-elle quelque chose à voir avec cela ? Les gens étaient-ils si crédules à l'époque pour être prêts à accepter n'importe quelle absurdité et se contenter d'une seule explication, pour étrange qu'elle puisse paraître ? Ou étaient-ils trop polis pour demander à quoi pouvait bien servir un grand dessin de singe à des extraterrestres qui viennent d'atterrir dans leurs soucoupes volantes ? Mais si les lignes de Nazca n'ont rien à voir avec les extraterrestres, qui les a tracées et pourquoi ?

LES NAZCAS

Avant de commencer à enquêter sur ces lignes, il est nécessaire de s'intéresser au peuple qui occupait la région au moment où les dessins ont été faits. Il s'agit des Nazcas (ou Nascas). La civilisation nazca apparaît dans cette plaine vers 400 av. J.-C. et s'étend le long des cours d'eau jusque dans les contreforts de la Cordillère des Andes. Cette civilisation connaît son apogée entre le Ier et le IVe siècle apr. J.-C., puis décline peu à peu avant de disparaître vers 600 apr. J.-C. Les Nazcas étaient des agriculteurs qui cultivaient les bandes de terre situées sur les deux rives des cours d'eau. Ils sont notamment connus pour avoir produit de magnifiques poteries et confectionné de superbes textiles. Les motifs qui décorent certains de ces objets ressemblent de manière frappante à ceux des géoglyphes. Aussi, il n'est pas absurde de penser que ce sont les mêmes personnes qui les ont faits.

La plaine de Nazca est l'une des régions les plus arides au monde, comme en témoigne la culture Nazca. Les habitants avaient en effet mis au point un système complexe d'irrigation et de stockage de l'eau, et semblaient vénérer les montagnes à l'est de la plaine, d'où s'écoulent les rivières, la principale source d'eau. La météo peut être très imprévisible dans cette partie du monde, et en cas de sécheresses prolongées, certains cours d'eau peuvent s'assécher complètement. La zone est également soumise à l'effet El Niño, un changement des conditions météorologiques associé à l'inversion du courant océanique dans le Pacifique, pouvant provoquer des déluges soudains et des pluies intenses après des années de sécheresse, ce qui entraîne des crues soudaines qui balaient la plaine.

La capitale de Nazca, Cahuachi, est aujourd'hui un site archéologique majeur et, jusqu'à présent du moins, aucune maison n'a été mise au jour. Les archéologues pensent qu'il s'agissait seulement d'un site religieux où se déroulaient des cérémonies. Avec le déclin de la civilisation Nazca, la ville fut abandonnée et fut peu à peu recouverte de sable. On n'a pas encore très bien compris les raisons de ce déclin, mais il peut être dû à un changement climatique important, comme une sécheresse plus sévère, qui aurait commencé vers 500 apr. J.-C. Au cours de cette période, tous les arbres qui bordaient les rivages ou qui poussaient dans les petites zones humides, semblent avoir été coupés pour laisser plus de place aux cultures. Les racines des arbres auraient empêché au sol d'être emporté par les crues occasionnelles, si bien qu'en les abattant, les Nazcas auraient exposé leur précieux sol à l'érosion, compromettant ainsi leur capacité à produire suffisamment de nourriture. Vers 600 apr. J.-C., le territoire du peuple Huari, qui était originaire de l'est des hauts plateaux du centre et qui avait une attitude plus militariste que les paisibles Nazca, s'étendit vers l'ouest. On peut donc imaginer une situation dans laquelle la civilisation Nazca, déjà affaiblie par de longues périodes de sécheresse et de mauvaises récoltes, a été submergée par les Huari plus puissants.

LES LIGNES | La plaine de Nazca est constituée d'un désert de pierres. En surface, de petits cailloux, riches en minerai de fer, se sont oxydés, prenant une teinte brun-rouge foncé. Par ailleurs, ils reposent sur un sol sableux beaucoup plus clair. Les individus qui ont tracé les géoglyphes ont simplement déplacé les pierres foncées pour découvrir le sable en dessous, puis ont utilisé les cailloux pour border les lignes. Des études récentes ont montré que la terre présente dans les lignes est plus compacte qu'elle ne l'est dans le reste de la plaine, ce qui signifie que les Nazcas ont préservé ces tracés en marchant régulièrement le long des lignes. Certains chercheurs ont émis l'hypothèse que marcher sur les géoglyphes était une forme de prière rituelle, peut-être un moyen de conjurer les dieux de continuer à leur fournir de l'eau des montagnes. On a également retrouvé des tessons de poterie le long des lignes, qui peuvent avoir été rituellement brisés comme offrandes aux dieux. Pour des personnes vivant dans un endroit aussi précaire, et dont les vies dépendaient d'un approvisionnement incertain en eau, les actes d'apaisement sous forme de prières et d'offrandes étaient peut-être tout ce qu'elles pouvaient faire pour tenter de conjurer la catastrophe qui s'ensuivrait si les cours d'eau s'asséchaient pendant une période prolongée.

Il faut bien avoir en tête que ces géoglyphes ne sont visibles que d'en haut. La plaine de Nazca se trouvant dans un bassin, le terrain est donc relevé sur trois de ses côtés, à partir desquels on peut bien voir les lignes. La plupart des motifs ont été formés à partir d'une seule ligne continue, qui ne se recoupe pas, ce qui permettait aux individus qui marchaient sur les lignes de ne pas être interrompus. Vraisemblablement, les individus se rassemblaient

© Jarnogz | Dreamstime.com

LA PLAINE DE NAZCA
Le plateau aride et rocheux où le peuple Nazca a tracé d'immenses dessins.

sur les positions situées en hauteur afin de regarder les processions le long des lignes. Ces tracés devaient donc avoir non seulement un but sacré, mais les rassemblements devaient également comporter, comme de nombreuses fêtes religieuses à travers le monde, un aspect social. La civilisation Nazca ayant disparu il y a environ 1 400 ans, il demeure cependant impossible de savoir avec certitude s'il s'agissait bien de la façon dont les géoglyphes étaient utilisés. Mais en tout cas, l'hypothèse présentée ci-dessus repose sur des éléments de preuve sur le terrain, et apparaît sans doute plus sensée que de regarder vers le ciel dans l'espoir de voir atterrir des extraterrestres à bord de vaisseaux spatiaux.

MYSTÈRE

Événement inexpliqué

Raison inconnue

Réalité ou fiction?

Vérité ou mensonge ?

Personne disparue

Personne inconnue

Crime non élucidé

LE ROI ARTHUR

v. 500 apr. J.-C.

Mystère : le roi Arthur a-t-il réellement existé ?

Protagonistes : les Britanniques, les Romains et les Anglo-Saxons du Moyen-Âge

Dénouement : probablement, mais on ne sait jamais.

On raconte de nombreux contes, et de nombreuses légendes ont été inventées sur le roi Arthur et sa fin mystérieuse. Dans sa stupidité le peuple britannique soutient qu'il est encore en vie. Maintenant que la vérité est connue, j'ai pris la peine d'ajouter un peu plus de détails au présent chapitre. Les contes de fées ont été étouffés, et des faits réels et indubitables ont été dévoilés, afin que ce qui s'est réellement passé soit clair pour tous et distinct des mythes qui se sont accumulés sur le sujet.

Giraud de Barri,
***Speculum Ecclesiae* (1216)**

Dans un précédent chapitre, nous avons rencontré le roi Arthur et les Chevaliers de la Table Ronde à propos de la quête du Saint-Graal, héros d'un roman de chevalerie écrit par le poète français Chrétien de Troyes à la fin du XIIe siècle. La quête du Graal a été inventée par Chrétien de Troyes lui-même, mais certaines de ses autres histoires sont inspirées de l'œuvre de Geoffrey de Monmouth (v. 1100-1155), qui a fait le récit de la plupart des légendes arthuriennes que nous connaissons aujourd'hui, comme s'il s'était agi de faits historiques. On y découvre l'histoire de l'épée dans la pierre et de la dame du lac, de Camelot, Merlin, ainsi que l'histoire d'amour entre Lancelot et Guenièvre. Ces histoires ont été reprises et embellies maintes fois depuis, notamment par Sir Thomas Malory (v. 1405-1471), dans *Le Morte d'Arthur*, l'un des premiers livres imprimés en Angleterre par William Caxton. Au cours de ces dernières années, le roi Arthur a connu un regain d'intérêt au cinéma, même si certains films ont été meilleurs que d'autres (auriez-vous pensé à Richard Gere pour interpréter Lancelot, je vous le demande ?). Ces légendes se fondent-elles sur une réalité historique ? Geoffrey de Monmouth a-t-il eu raison de traiter le roi Arthur comme un personnage historique réel, ou a-t-il simplement inventé, comme beaucoup d'autres après lui, une version de l'histoire en fonction de ses propres besoins ?

LE ROI ARTHUR
La couverture de *The Boy's King Arthur*, une version condensée de
Le Morte d'Arthur
de Sir Thomas Malory.

LE CONTEXTE

Lorsque les Romains se sont retirés de Grande-Bretagne v. 410 apr. J.-C., le vide de pouvoir créé a été comblé par de nombreux petits seigneurs de guerre. Non contents de se combattre, ces chefs de guerre durent faire face à des menaces venues de l'extérieur, au-delà de leurs frontières, notamment des Pictes, habitants de l'actuelle Écosse, et des Irlandais. Au milieu du VIe siècle, un peu plus de 100 ans après cet événement, l'ecclésiastique et historien breton Gildas le Sage mentionne que Vortigern, apparemment le plus puissant des seigneurs de guerre de l'île britannique, avait invité des mercenaires saxons sur son territoire pour l'aider à combattre les Pictes et les Irlandais, et qu'ils s'étaient installés dans le Kent. D'autres tribus germaniques commencèrent à se joindre à eux et, finalement, se rebellèrent contre les Britanniques. Vers la fin du Ve siècle, la rébellion était devenue une véritable guerre. C'est à ce moment que l'un des seigneurs de guerre aurait réuni les Britanniques pour lutter contre les Saxons, et notamment lors de la bataille du mont

Badon à la fin du Vᵉ siècle ou au début du VIᵉ siècle, une victoire devenue célèbre pour les Britanniques et mettant fin à l'expansion des Saxons pendant de nombreuses années.

LES SOURCES

Le victorieux chef de guerre britannique ne fut identifié comme étant le roi Arthur que plusieurs siècles après la bataille du mont Badon, dont on ignore presque tout, à part son nom et qu'il s'agissait d'une victoire britannique. Gildas ne cite pas le nom d'Arthur, et en vérité, il mentionne à peine les Britanniques par leur nom dans son récit. Les archéologues modernes n'ont pas été en mesure d'établir si une telle bataille s'était déroulée, sans parler de son emplacement et des belligérants. Certains remettent en cause une invasion anglo-saxonne en Grande-Bretagne, et considèrent l'arrivée des tribus germaniques comme le résultat de migrations à une échelle relativement petite, plutôt qu'une guerre de conquête.

Le moine et historien Bède le Vénérable (v. 673-735) ne mentionne aucun roi portant le nom d'Arthur dans son ouvrage majeur *Histoire ecclésiastique du peuple anglais*. Il est vrai cependant que le but principal de son livre est de détailler la conversion des Anglo-Saxons païens en Anglais chrétiens, et non d'explorer le passé des Bretons… Arthur est pourtant mentionné un certain nombre de fois dans la poésie de la tradition bardique galloise, comme dans le recueil *Y Gododdin*, dont certaines parties datent du VIᵉ siècle. Il s'agirait alors de la première référence connue à Arthur dans un texte. Malheureusement, le texte le plus ancien que nous ayons est une copie du XIIIᵉ siècle et on pense que le poème qui mentionne Arthur est un ajout ultérieur. On peut dire la même chose des histoires sur Arthur dans d'autres recueils de mythologie celtique. Il est également impossible de savoir avec certitude s'il existait un roi appelé Arthur dans la tradition celtique car les textes mythologiques dont nous disposons ont été copiés à une date postérieure. Il est fort possible que les moines qui ont effectué ces copies aient connu les œuvres de Geoffroy de Monmouth et de Chrétien de Troyes et qu'ils aient remplacé un dieu païen des Celtes par le personnage bien connu d'Arthur.

La plus ancienne référence connue à Arthur se trouve dans l'*Historia Brittonum* (Histoire des Bretons), qui date du début du IXᵉ siècle, 300 ans après la bataille du mont Badon. Elle est attribuée au moine gallois Nennius. Certains chercheurs rejettent cette attribution, considérant l'*Historia* comme une compilation de textes historiques et mythologiques. On y trouve le détail de 12 batailles auxquelles Arthur aurait pris part, en terminant par la bataille du mont Badon, ainsi que deux histoires concernant le roi: l'une à propos de son chien Cabal, qui aurait laissé une empreinte dans la roche en chassant un sanglier, et l'autre au sujet de son fils Anir — Anir trahit Arthur, qui le tue et l'enterre. Le mélange d'histoire et de mythologie, parfois au sein d'un même récit, rend impossible toute conclusion quant à la réalité du personnage d'Arthur. Tout ce que l'on peut vraiment dire, c'est qu'elle est devenue une source importante pour les auteurs postérieurs et en particulier Geoffrey de Monmouth, ce qui ne fait que mettre encore plus en doute la véracité de ce qu'il a écrit.

© Radomír Režný | Dreamstime.com

GLASTONBURY TOR
Une église en ruine se dresse sur le Tor, considéré par certains comme le site d'Avalon.

Dans l'*Historia Regum Britannia* (Histoire des rois de Bretagne), Geoffrey de Monmouth utilise le peu de faits historiques connus sur les premiers rois de Bretagne et invente tout le reste, prétendant qu'il s'agit de faits historiques afin de présenter un récit continu. Selon une école de pensée, ce qu'il était en train d'essayer de faire, plutôt que d'écrire un document factuel, était de fournir un scénario dans lequel les rois normands de son époque étaient considérés comme les dirigeants légitimes du royaume. Si cela exigeait de corriger les faits, ou de les inventer complètement, il était heureux de rendre service, agissant ainsi à la manière d'un « conseiller en communication » du début du XIIe siècle. Dans de telles circonstances, tenter de démêler ce que l'on peut croire, si toutefois certaines parties sont vraies, est un exercice futile. Il vaut probablement mieux le considérer comme le père du légendaire Arthur, et non comme une source d'information sur un possible personnage historique.

ARCHÉOLOGIE

Au fil des ans, de nombreux endroits ont été désignés comme étant associés au roi Arthur, parfois avec le soutien d'archéologues on ne peut plus sérieux, soit dans une tentative de faire connaître leur travail en l'associant à un personnage dont le grand public avait déjà entendu parler, soit qui s'étaient laissé entraîner par la magie du mysticisme des légendes elles-mêmes. On a cru reconnaître en Glastonbury Tor, dans le Somerset, l'île d'Avalon, lieu où Arthur fut emmené après avoir été mortellement blessé par son traître de neveu Mordred. On raconte que c'est là qu'il attend de retourner en Grande-Bretagne, si l'on devait avoir de nouveau besoin de lui. Camelot fut découvert plusieurs fois, notamment au château de Tintagel en Cornouailles et à South Cadbury dans le Somerset.

Malheureusement pour ceux qui ont l'âme romantique, et pour l'industrie du tourisme de ces régions britanniques, on n'a jamais découvert la moindre once de preuve archéologique concrète, ni à Tintagel, ni à Glastonbury, ni ailleurs, sur un roi d'Angleterre du Ve et du VIe siècle portant le nom d'Arthur. Ajoutez à cela l'absence complète de toute mention à Arthur dans les textes antérieurs au IXe siècle et il ne nous reste à peu près rien. Peut-être devrions-nous nous réjouir de ce que nous avons, plutôt que d'essayer de trouver ce qui, comme le Saint Graal, sera toujours hors de notre portée. Qui sait, un jour Arthur pourrait nous surprendre et revenir d'Avalon au moment où nous aurions le plus besoin de lui. Mais, pour ma part, je ne compte pas trop dessus.

ON N'A JAMAIS DÉCOUVERT LA MOINDRE ONCE DE PREUVE ARCHÉOLOGIQUE CONCRÈTE, NI À TINTAGEL, NI À GLASTONBURY, NI AILLEURS, SUR UN ROI D'ANGLETERRE DU Ve ET DU VIe SIÈCLE PORTANT LE NOM D'ARTHUR.

LA CHUTE DE LA CIVILISATION MAYA

v. le IXᵉ siècle apr. J.-C.

MYSTÈRE

Événement inexpliqué

Raison inconnue

Réalité ou fiction ?

Vérité ou mensonge ?

Personne disparue

Personne inconnue

Crime non élucidé

Mystère : quelle est la cause de la chute de la civilisation maya ?

Protagonistes : les habitants de la péninsule du Yucatán

Dénouement : l'effondrement de la population a pu être provoqué par la sécheresse.

La ville était déserte. Il ne restait rien de cette civilisation dans ces ruines, rien des traditions transmises de père en fils et de génération en génération. Elle se trouvait devant nous comme une écorce brisée au milieu de l'océan… L'architecture, la sculpture et la peinture, tous les arts qui embellissent la vie avaient prospéré dans cette forêt luxuriante ; des orateurs, des guerriers et des hommes d'État, la beauté, l'ambition et la gloire avaient vécu et étaient morts, et personne ne savait que de telles choses avaient été, personne ne pouvait raconter leur existence passée.

John Lloyd Stephens, *Incidents of Travel in Central America, Chiapas and Yucatan* **(1841) (première description des ruines mayas)**

La colonisation européenne des Amériques après leur découverte par Christophe Colomb en 1492 a eu un effet dévastateur sur leurs habitants. En quelques décennies, les *conquistadors* espagnols ont commencé à coloniser l'Amérique centrale et l'Amérique du Sud, tout en anéantissant la civilisation aztèque au Mexique et les Incas du Pérou. Les Espagnols ne peuvent cependant pas être accusés d'être responsables de l'effondrement de la civilisation maya, qui, en son temps, était la plus développée de toutes en Amérique. Au moment de leur arrivée, la culture maya n'était plus à son apogée depuis longtemps déjà. Cela ne veut pas dire qu'elle avait complètement disparu ; les Mayas vivent encore dans la même région aujourd'hui, sur la péninsule du Yucatán, au sud du Mexique et du Belize, qui s'étend vers les hauts plateaux du Guatemala, du Honduras et du Salvador. Toutefois leur nombre n'a jamais retrouvé les niveaux de population atteints à l'époque de la civilisation maya classique, celle des pyramides à degrés et des temples des cités mayas, durant laquelle les arts décoratifs étaient florissants, où l'on écrivait des livres en écriture hiéroglyphique et où les sciences, en particulier les mathématiques et l'astronomie, culminaient comme nulle part ailleurs dans les Amériques. Puis, en un peu plus de 100 ans, à partir du IXᵉ siècle apr. J.-C., tout s'est effondré. Les cités ont été abandonnées et envahies par les forêts tropicales environnantes et la population s'est effondrée, déclinant de plus de 90 % dans certaines régions. Qu'est-il alors arrivé ? Quelles sont les causes d'un effondrement aussi spectaculaire en si peu de temps ?

LES MAYAS | La civilisation maya n'est pas un feu de paille. Avant ce que nous appelons désormais la période classique, les archéologues ont identifié une civilisation maya qui remonte à plus de 2000 ans, même si les cités et les temples ne datent que d'environ 200 av. J.-C. Contrairement aux Aztèques et aux Incas, la civilisation maya n'a jamais formé un empire gouverné par un souverain unique. Elle s'est développée sous forme de nombreuses cités-États, chacune centrée sur son propre chef et avec ses propres sites cérémoniels, dont les plus développés d'entre eux, comme Tikal, Chichen Itza et Copán, sont aujourd'hui de célèbres attractions touristiques. La société dans son ensemble était essentiellement agricole, se nourrissant principalement de maïs et de haricots, la viande provenant uniquement de petits animaux domestiques et de gibier. Il n'y avait pas de gros animaux, que ce soit pour la nourriture, le transport ou le trait, ce qui limitait à la fois la production agricole et les voyages.

On a accordé une grande attention à la violence inhérente à la société maya pour la bonne raison qu'elle était à la fois répandue et brutale. Les guerres entre cités-États voisines étaient un phénomène fréquent et semblent avoir été menées, tant pour le prestige des élites et pour capturer des prisonniers de guerre, que pour étendre leurs territoires. Le sort des prisonniers n'avait rien d'agréable. Ils étaient souvent sacrifiés lors de cérémonies conduites par les chefs des cités, considérés comme des demi-dieux et étroitement associés au maintien de la prospérité et de la bonne fortune de la société dans son ensemble.

VESTIGES MAYAS
Le Temple 1 et la Grande Place de Tikal, la cité maya abandonnée au Xᵉ siècle.

Les progrès agricoles du début de la période classique ont été rapidement suivis par une croissance rapide de la population, ce qui permit aux élites de devenir très puissantes au sein de leur société. Cela a également alimenté la construction des cités et des énormes monuments qui subsistent aujourd'hui. L'ampleur de la croissance de la population est l'objet d'un débat entre les universitaires, mais elle a certainement entraîné des millions de personnes à vivre dans des zones densément peuplées. On estime que la population comptait 11 millions d'habitants au cours de la période classique au VIIIᵉ siècle, juste avant le début de l'effondrement.

Une grande partie du territoire occupé par les Mayas, sur la péninsule du Yucatán et dans les plaines centrales, est décrite par les géologues comme étant un paysage karstique — une formation où le type de roche prédominant, dans ce cas, le calcaire, est poreux. Au lieu de rester en surface, l'eau s'infiltre dans la roche et s'écoule dans le sous-sol, ce qui signifie que les habitants ne disposent que de peu de sources d'eau facilement accessibles. Les Mayas étaient donc très dépendants de la pluie pour avoir de l'eau potable et irriguer leurs cultures. Lorsque la nappe phréatique est près de la surface, généralement près des côtes, il peut se former des puits naturels appelés cénotes, où le calcaire est érodé par l'eau en sous-sol jusqu'à ce qu'il s'effondre. À l'intérieur des terres, les Mayas étaient contraints de prendre des précautions complexes

PAYSAGE ET ENVIRONNEMENT

pour s'assurer un approvisionnement en eau. À Tikal, par exemple, un immense réservoir bordé d'argile a été creusé dans le calcaire afin d'empêcher l'eau de s'écouler.

Le climat dans cette région étant tropical, et non équatorial, il y a des saisons sèches et humides marquées. Pour les Mayas, il était vital de stocker suffisamment d'eau pendant la saison des pluies pour tenir durant la saison sèche, en particulier lorsque la population a commencé à augmenter. Au cours de la période classique, de vastes étendues ont été déforestées afin d'obtenir plus de terres cultivables, ce qui a sans doute accéléré l'érosion des sols tropicaux déjà minces. La déforestation a également réduit la quantité de pluie reçue, car les arbres agissent comme un réservoir et participent au cycle de l'eau à travers les processus naturels d'évaporation. Les Mayas sont donc en partie à l'origine de leurs ennuis. Toutefois, même si la dégradation de l'environnement peut avoir joué un rôle dans leur déclin, il ne s'agit pas de la cause principale.

SÉCHERESSE ET CONFLITS SOCIAUX

Parmi les nombreuses hypothèses, on a évoqué l'apparition d'une sécheresse durable qui, associée à une baisse de la production agricole, aurait entraîné des instabilités sociales. Si l'élite dirigeante n'a cessé de promettre de bonnes récoltes qui ne sont pas arrivées, cela a pu conduire à des révoltes populaires. Car après tout, à quoi sert un dirigeant s'il est incapable d'apporter la prospérité à son peuple ? L'étude des sédiments qui se sont accumulés dans le lit de l'un des rares lacs du Yucatán a permis aux chercheurs de dresser un portrait détaillé du climat sur des milliers d'années en arrière. On observe que le début du déclin coïncide avec le début de la pire sécheresse qui a frappé la région depuis 7 000 ans. Les années de sécheresse se sont enchaînées, si bien que les réservoirs de la cité ne pouvaient être suffisamment remplis et que les cultures ne pouvaient être irriguées correctement.

Cette hypothèse est loin d'être universellement acceptée par les spécialistes de la civilisation maya. Selon certains, on ne peut même pas parler d'effondrement d'une civilisation car les Mayas habitent encore une grande partie du territoire, même si leur nombre a sensiblement diminué. Ces considérations mises à part, une baisse de population aussi spectaculaire devrait nous servir d'avertissement. Des civilisations millénaires peuvent s'effondrer à cause de quelque chose qui peut d'abord passer inaperçu. On pense parfois que rien ne peut jamais nous arriver. Nul doute que les Mayas ont pensé la même chose.

MYSTÈRE

Événement inexpliqué

Raison inconnue

Réalité ou fiction ?

Vérité ou mensonge ?

Personne disparue

Personne inconnue

Crime non élucidé

LES STATUES DE L'ÎLE DE PÂQUES

v. 1100–1600

Mystère : que s'est-il passé sur l'île de Pâques ?

Protagonistes : les Rapanuis

Dénouement : une histoire plus complexe qu'on ne le dit souvent.

Aucune nation ne combattra jamais pour l'honneur d'avoir exploré l'Île de Pâques, [...] il n'y a pas d'autre île dans la mer qui offre moins de rafraîchissements et de commodités pour la navigation que celle-ci ; la nature lui a à peine donné à manger et à boire pour l'homme, et comme les indigènes ne sont que quelques-uns, et ne sont censés planter que ce qu'il leur faut pour s'autosuffire à eux-mêmes, ils ne peuvent pas offrir grand-chose aux nouveaux arrivants.

Capitaine James Cook,
***Journal*, 17 mars 1774**

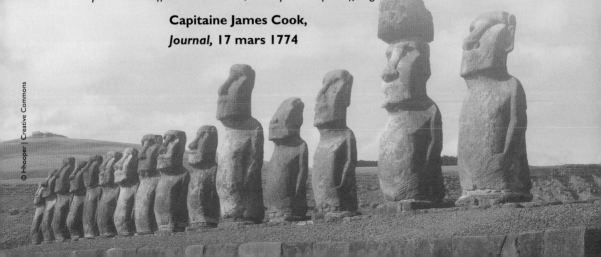

Île de Pâques

UNE ÎLE ISOLÉE
La position éloignée de l'île de Pâques, en fait l'un des lieux habités les plus isolés de la planète.

L'île de Pâques est un endroit reculé. Ses habitants ont coutume de dire qu'elle est l'île habitée la plus isolée au monde. Elle se trouve en effet à plus de 3 200 km au large des côtes du Chili et à plus de 1 600 km de l'île habitée la plus proche dans l'océan Pacifique. Elle est célèbre pour ses statues de pierre, les *moai*, qui se tiennent sur des plates-formes appelées *ahu*, en de nombreux endroits sur les côtes de l'île. Elles sont presque toutes tournées vers l'intérieur de l'île et sont censées représenter les ancêtres des habitants qui veillent sur leurs descendants. Avec leurs têtes allongées à l'expression grave, certains diraient « lugubre », ces statues en plein air sont une présence étrange dans le paysage sans arbres de l'île. Depuis la découverte de l'île par l'explorateur hollandais Jacob Roggeveen le dimanche de Pâques de 1722, les statues ont inspiré une quantité innombrable d'individus pour tenter d'expliquer leur présence dans un endroit où peu de gens ont vécu et où il n'y avait pratiquement pas de ressources naturelles.

Notre vieil ami Erich von Däniken pense qu'elles ont été faites par des extraterrestres, comme d'habitude. En revanche, l'explorateur norvégien Thor Heyerdahl, qui a passé plusieurs mois à étudier les statues dans les années 1950, pense qu'elles constituent la preuve que les îles du Pacifique ont été colonisées par des hommes venus du continent sud-américain. Les insulaires, dont beaucoup sont d'origine polynésienne, disent que ce sont leurs ancêtres qui ont érigé les statues, ce qui, pour être honnête, est loin d'être l'histoire la plus probable. Le mystère n'est donc pas tant de savoir qui a érigé les statues, mais comment, compte tenu du peu de ressources de l'île, des individus ont réussi à le faire.

LES MOAÏ

Près de 900 *moaï* ont été dénombrés sur l'île de Pâques ou Rapa Nui, nom qu'elle porte dans la langue polynésienne de l'île. Elles ont toutes été taillées au même endroit, dans la carrière de Rano Raraku, un cratère de tuf volcanique sur les pentes du Terevaka, le plus grand des trois volcans de l'île. Le tuf est une roche relativement tendre qui se forme lorsque les cendres volcaniques deviennent compactes, ce qui en fait alors un matériau idéal pour y sculpter des statues. Près de 400 *moaï* sont restés dans la carrière, certains inachevés à cause d'un défaut survenu en cours de fabrication, d'autres semblent avoir été abandonnés, et quelques-uns ont été érigés sur les pentes situées autour de la carrière. Ceux-ci ayant été enterrés jusqu'au cou avec des débris provenant de la carrière, seules les têtes sont visibles. Des chemins mènent de la carrière vers différentes parties de l'île où se trouvent 100 autres *moaï* en divers endroits le long de ces routes, comme si les statues avaient été abandonnées avant d'arriver à leur destination finale. Les autres ont été érigées pendant un temps sur le *ahu*, des plates-formes construites en gravats et maintenues en place par des murs en pierre de soutènement. Au XIXᵉ siècle, toutes se sont affaissées, certaines à cause de tremblements de terre, tandis que d'autres semblent avoir été intentionnellement renversées.

TROIS MOAÏ
Les têtes de trois *moaï* plantées dans le sol près de Rano Raraku.

En quelques années, une soixantaine de moaï ont été de nouveau dressés sur les plates-formes pour donner une idée de l'apparence qu'elles pouvaient avoir à l'origine. Seules quelques-unes ont encore ce qui semble être des chapeaux, taillés dans une pierre volcanique rouge qui a éclaté en morceaux quand les *moaï* sont tombés, et plus aucun n'a désormais d'yeux. Les yeux, faits en corail blanc, avec des pupilles en obsidienne, ont été retrouvés écrasés sur le *ahu*. Il n'est pas possible de dater de la pierre au carbone 14, mais le corail a révélé que la plupart des *moaï* ont été mis en place entre le XIIIe et le XIVe siècle, avec une nette progression de taille. Le plus important mesure 9 m de haut et pèse plus de 80 tonnes, la moyenne étant de 3,60 m et 10 tonnes. Un monstre énorme, resté dans la carrière, aurait mesuré 21 m de hauteur pour 270 tonnes. Il est déjà assez difficile d'imaginer comment les statues de taille moyenne ont été déplacées autour de l'île, sans en plus penser que quelqu'un ait vraiment eu l'intention de transporter et ériger cette statue-là, en gardant à l'esprit qu'il n'existait pas d'autre moyen que la force humaine.

RAPA NUI Lorsque les marins européens ont commencé à faire escale sur l'île au XVIIIe siècle, ils l'ont trouvé dans un grand état de dénuement. Il n'y avait aucun arbre, les sols étaient pauvres, et il y avait peu d'animaux sauvages. Les estimations de la population varient, mais l'île comptait probablement entre 200 et 300 habitants. Le débat concernant l'identité de ces insulaires aurait pu être beaucoup plus court si les intervenants avaient écouté le capitaine Cook. Lorsqu'il fit escale sur l'île en 1774, il avait à son bord un homme de Tahiti qui put converser avec les insulaires en parlant dans sa propre langue polynésienne. Ces dernières années, des tests ADN ont confirmé l'origine polynésienne des insulaires, et il est maintenant généralement admis que leur arrivée vers 900 apr. J.-C., est probablement survenue après un très long voyage océanique dans des pirogues à balancier.

L'île telle que l'ont trouvée ces premiers colons polynésiens était très différente de ce qu'elle était au XVIIIe siècle. Les analyses des types de pollen trouvés dans les sédiments lacustres ont montré que des forêts luxuriantes couvraient toute l'île avant l'arrivée des colons. Elle devait également être un refuge pour les oiseaux marins en raison de l'absence de prédateurs mammifères. Une telle abondance a entraîné la croissance rapide de la population, qui a dû atteindre, selon les estimations, environ 15 000 habitants (ce nombre est vigoureusement contesté par certains qui prétendent que la population était beaucoup moins nombreuse), divisés en 12 clans et dispersés à travers l'île. À cette époque, la sculpture de *moaï* était bien établie. Le style artistique des statues ressemble à celui des objets confectionnés sur d'autres îles polynésiennes. En revanche, leur taille imposante n'a pas d'équivalent ailleurs. On ne connaît pas la raison pour laquelle les statues sont progressivement devenues si grandes. Il pourrait s'agir d'une conséquence de la concurrence entre les élites des clans, chacune essayant de surpasser l'autre en érigeant des statues de plus en plus hautes.

Au fur et à mesure de l'augmentation de la population, il a fallu plus de terre pour les cultures, et les forêts ont été progressivement abattues. Il se pourrait bien que ce processus ait été exacerbé par la concurrence sur les *moaï*, nécessitant de grandes quantités de bois pour les déplacer et les ériger, ainsi que des cordes toujours plus longues, faites à partir d'écorce. Vers le XVIe siècle, tous les arbres avaient été coupés, ce qui a exposé les sols à l'érosion éolienne et rendu l'agriculture de plus en plus difficile. Le manque de bois a rendu la construction de canots impossible, limitant gravement les possibilités de pêche pour les habitants de l'île, ce qui les a sans doute amenés, en retour, à surexploiter les colonies d'oiseaux marins pour se nourrir, entraînant le déclin de leur nombre. À cette époque, on assiste à une explosion de construction de poulaillers en pierre, dont il reste plus d'un millier sur l'île. Les poules étaient le seul animal domestique dont les habitants de l'île disposaient. Il semble qu'ils auraient tenté de compenser les rendements réduits obtenus à partir de la culture des champs, ainsi que la faible quantité de poissons et d'oiseaux marins, par l'élevage accru de poules.

Partout où il y a une pénurie de nourriture, il s'ensuit une agitation sociale et il est facile d'envisager que les habitants de l'île de Pâques se soient rebellés contre leurs dirigeants. Mais, sans canots, donc sans aucun moyen de quitter l'île, la population a commencé à diminuer, probablement en raison des luttes entre clans à propos des ressources et, plus que probablement, à cause de la famine. Au moment où les Européens sont arrivés sur l'île, les insulaires semblent avoir rejeté le culte de leurs ancêtres, qui n'avaient pas réussi à les protéger, c'est pourquoi ils auraient renversé et brisé intentionnellement une partie des *moaï*. Un culte étrange s'est alors développé: chaque clan choisit un candidat pour participer à un concours annuel et ramener un œuf de sterne d'une petite île près de la côte. Le gagnant devient « l'homme-oiseau de l'année », un titre qui donne le droit à son détenteur d'allouer les ressources l'année suivante.

Vers le milieu du XIXe siècle, les missionnaires chrétiens mettent un terme à ce rituel qu'ils considèrent comme païen. À peu près au même moment,

CHAQUE CLAN CHOISIT UN CANDIDAT POUR PARTICIPER À UN CONCOURS ANNUEL ET RAMENER UN ŒUF DE STERNE D'UNE PETITE ÎLE PRÈS DE LA CÔTE.

des marchands d'esclaves commencent à enlever des habitants de l'île pour les emmener travailler dans les mines de guano au Pérou, réduisant ainsi considérablement une population déjà ravagée par les maladies exportées sur l'île par les Européens. Au moment où l'île est annexée par le Chili en 1888, il ne reste plus que quelques centaines d'habitants. Pour certains chercheurs, les conséquences catastrophiques des maladies et du commerce d'esclaves ont été au moins aussi importantes dans le déclin de la population insulaire que la diminution des ressources disponibles.

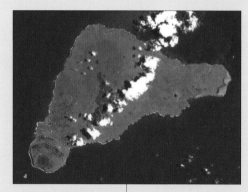

NÉGLIGÉE
L'île de Pâques est un cas d'étude pour ceux qui cherchent à comprendre les dangers de la dégradation de l'environnement.

Compte tenu de leur gestion des ressources de l'île, il est facile d'accuser les insulaires d'avoir été responsables de leur propre déclin, et ce faisant, d'utiliser leur destin comme une allégorie des conséquences de l'environnement sur l'humanité dans son ensemble. Malgré les leçons à tirer sur la fragilité de l'environnement et la gestion rationnelle des ressources, il ne faudrait pourtant pas oublier le désastre provoqué sur les populations autochtones, que ce soit sur l'île de Pâques ou ailleurs dans le monde, par le contact avec le monde occidental. La négligence dont ont fait preuve les élites de l'île mérite aussi réflexion. Elles semblent avoir été plus soucieuses de construire des *moaï* que de s'assurer que leur peuple disposait d'assez de nourriture pour se nourrir. Mis ensemble, ces éléments forment le pilier central de ce qui est en réalité une histoire beaucoup plus complexe et tragique.

LE MANUSCRIT DE VOYNICH

vers le XVe siècle

Mystère : qu'est-ce que ce manuscrit ?

Protagonistes : Roger Bacon, John Dee, des marchands de livres et des bibliothécaires

Dénouement : il demeure encore le manuscrit le plus mystérieux au monde.

MS 408

Europe Centrale (?), v. le XVe ou le XVIe siècle (?)

Manuscrit codé

Texte scientifique ou magique rédigé dans une langue inconnue, en chiffres, apparemment fondés sur de minuscules caractères romains. Certains spécialistes considèrent ce texte comme l'œuvre de Roger Bacon puisque les thèmes des illustrations semblent représenter des sujets connus pour avoir intéressé Bacon.

Entrée du catalogue de la *Beinecke Rare Books and Manuscripts Library* (bibliothèque Beinecke pour les livres et les manuscrits rares), Université de Yale, à propos du manuscrit de Voynich

L'industrie du livre rare a toujours attiré son lot de personnages hauts en couleur et Wilfred Voynich (1865-1930) était certainement l'un d'eux. Avant de faire commerce de livres, d'abord à Londres puis à New York, il faisait partie d'une organisation révolutionnaire en Pologne, alors rattachée à l'Empire russe. Après avoir été fait prisonnier et envoyé en Sibérie, il s'évade et se rend en Grande-Bretagne. Les circonstances exactes de la façon dont il a réussi à quitter la Sibérie ne sont pas faciles à établir, comme beaucoup d'autres détails de sa vie, mais après son arrivée à Londres, il commence à travailler dans le commerce de livres avant d'ouvrir en 1895 sa propre boutique. Il entreprend alors des voyages réguliers en Europe pour acheter des livres, en recherchant plus particulièrement des manuscrits anciens et, lors de l'un de ses voyages en 1912, il tombe sur celui qui porte toujours son nom et que l'on a qualifié de « manuscrit le plus mystérieux du monde ».

En ce qui concerne le manuscrit de Voynich, tout est mystérieux, y compris la façon dont Voynich a acquis cet objet. Tout ce qu'il s'est borné à dire, c'est qu'il l'a acheté dans un château dans le sud de l'Europe. On a commencé à connaître d'autres détails dans les années 1960, plus de 30 ans après sa mort, lorsqu'on apprit qu'il l'avait acquis avec un certain nombre d'autres manuscrits de la Villa Mondragone en Italie, qui était alors un collège jésuite. Les circonstances exactes de l'acquisition restent un peu troubles, car il n'a pas été retiré du catalogue de la bibliothèque. Il peut s'agir d'un véritable oubli, ou cela peut indiquer que Voynich, qui avait une réputation plutôt louche, l'aurait retiré de la bibliothèque du collège à l'insu des bibliothécaires jésuites. Cela éveilla les soupçons sur Voynich parce que le manuscrit était l'un des seuls volumes acquis par Voynich de la villa qui n'avaient pas d'étiquette permettant de l'identifier comme ayant appartenu à Petrus Beckx, le secrétaire général des jésuites dans les années 1870, époque de la première installation de la bibliothèque dans la villa. En ne disant pas exactement où il avait acheté le manuscrit, puis en retirant les étiquettes potentiellement incriminantes, Voynich a certainement agi comme s'il avait quelque chose à cacher.

LE MANUSCRIT

Quiconque verrait le manuscrit pour la première fois pourrait se demander pourquoi tant d'histoires à son propos. Il ressemble à un bouquin poussiéreux et délabré, une sorte de cahier dans lequel quelqu'un semble avoir rassemblé un herbier, avec des illustrations de plantes et des textes se rapportant à leurs usages médicinaux, et, après l'avoir fait, rempli les pages restantes avec une sélection aléatoire d'autres renseignements intéressants à leur sujet. Certains chapitres semblent contenir des cartes astronomiques et astrologiques, tandis que d'autres comportent des diagrammes qui peuvent être de nature biologique, et il semble y avoir quelques recettes vers la fin. Ensuite, il y a de plus longs morceaux de texte accompagnés de petits dessins de personnages, la plupart des femmes nues en train de gambader. Cela donne l'impression que l'auteur en a eu assez de poursuivre un but sérieux et qu'il aurait ajouté quelques esquisses à côté du texte pour se divertir.

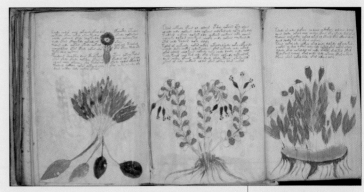

PLANTES INCONNUES
Pages extraites de l'herbier du manuscrit, dans lequel les plantes sont décrites dans une écriture indéchiffrable.

Le caractère étrange du manuscrit apparaît lorsqu'on examine le texte. Il est écrit dans une langue qui a jusqu'ici résisté à toutes les tentatives de traduction ou de déchiffrement, en dépit de toute l'attention de décrypteurs professionnels et, ces dernières années, d'une armée de passionnés d'Internet. Les caractères utilisés par l'auteur pour former ce qui semble être des mots, ne sont pas reconnaissables comme des lettres d'un alphabet connu. Elles sont faites à la plume de barres simples ou doubles et organisées en paragraphes sans ponctuation apparente. L'analyse statistique a montré que les mots sont structurés comme pour constituer une langue, mais on ne sait rien d'autre. Le mystère s'épaissit encore lorsqu'on examine les dessins de plantes. On ne reconnaît que très peu de plantes existantes, de sorte que, si le manuscrit a été vraiment conçu comme un herbier, il aurait été de peu d'utilité.

Voynich a affirmé que le manuscrit était accompagné d'une lettre lorsqu'il l'a acheté. Elle avait été rédigée par un scientifique de Prague du XVIIe siècle et suggère que le manuscrit appartenait au philosophe anglais Roger Bacon (v. 1214-1294), connu pour s'être intéressé aux sujets traités. Si cette attribution avait pu être vérifiée, le manuscrit représenterait un travail perdu par Bacon, augmentant considérablement sa valeur. Cette possibilité n'a pas échappé à Voynich et, comme la plupart des autres marchands de livres, il était souvent à court d'argent, et a donc consacré

beaucoup de temps et d'efforts à essayer d'établir la provenance de cette lettre. Voynich a supposé que le manuscrit a été emmené à Prague par le scientifique et alchimiste élisabéthain John Dee ou son assistant Edward Kelley, dont on sait qu'ils se sont tous les deux rendus dans cette ville et, une fois là-bas, ont rencontré l'empereur Rodolphe II, qui, selon la lettre ci-jointe, l'avait possédé pendant un temps. Inutile de dire qu'associer le manuscrit avec des personnages aussi célèbres que sont Dee et Kelley, ainsi qu'avec Bacon, aurait encore renforcé sa valeur, et il était tout à fait dans l'intérêt de Voynich de le faire.

Malheureusement pour Voynich, il n'a jamais réussi à prouver l'origine du manuscrit car la seule façon de le faire était de déchiffrer le texte. Ces dernières années, la datation au carbone 14 du vélin utilisé dans les pages du manuscrit, suggère qu'elles ont été faites dans la première moitié du XVe siècle. Cette datation est corroborée par le style de l'écriture, qui a été comparé à des styles en usage à peu près à cette époque dans le sud de la France et le nord de l'Italie, ce qui écarte la main de Roger Bacon. Faute de pouvoir indiquer sa provenance, et exigeant un prix ridiculement élevé, Voynich n'a pas réussi à vendre le manuscrit. Dans les années 1960, il est entré en possession d'un autre marchand de livres, qui, après avoir lui aussi échoué à vendre, en fit le don à la bibliothèque Beinecke pour les livres et manuscrits rares de l'université de Yale, où il demeure aujourd'hui.

QUELQUES HYPOTHÈSES

Parmi les nombreuses hypothèses concernant l'origine du manuscrit, on a évoqué une supercherie. Or les résultats de la datation au carbone 14 montrent que des matériaux anciens ont été utilisés. S'il s'agissait d'un canular, on penserait plus probablement à Voynich car il était celui qui avait le plus à y gagner. Toutefois, s'il l'a fabriqué, la qualité de son travail s'est finalement avérée contre-productive. Dans ses efforts pour tromper tout le monde, il a réussi à masquer les origines du manuscrit, si bien que son authenticité ne pouvait être prouvée, l'empêchant ainsi de vendre. Il aurait certainement été plus judicieux de créer un manuscrit qui ressemblait plus à d'autres œuvres de Roger Bacon, plutôt qu'un ouvrage ne pouvant pas être attribué à n'importe qui, et encore moins à Bacon. Donc, soit Voynich a perdu un temps énorme à forger un manuscrit invendable, soit ce n'est pas un canular, ce dernier étant peut-être le scénario le plus probable.

Gerry Kennedy et Rob Churchill avancent une autre hypothèse dans le livre qu'ils ont consacré au manuscrit. Il pourrait s'agir d'un exemple précoce de ce que l'on a appelé plus tard de l'art brut, le travail réalisé par des gens qui ont fait une forme de dépression nerveuse. Un des exemples les plus connus est celui d'Adolf Wölfli (1864-1930), un artiste suisse qui a passé la plupart de sa vie dans une institution psychiatrique car il souffrait de psychose et d'hallucinations graves. Dessiner semblait avoir une influence apaisante sur lui et pendant de nombreuses années, il a produit une œuvre immense, dont une grande partie est complexe et intense, et intègre souvent des notes musicales.

Le manuscrit ne ressemble en rien à l'art de Wölfli, ni à aucun autre exemple connu de l'art brut, mais ce n'est pas vraiment surprenant étant donné la nature très individualiste et personnelle de cette forme d'art. Si le manuscrit s'avère être la création de quelqu'un souffrant de l'un de ces troubles, essayer d'en déterminer la signification peut être vain. Comme pour toutes les autres hypothèses, la compréhension du véritable but du manuscrit dépend du décryptage du texte. Sans cela, la nature mystérieuse du document demeure intacte.

DESSINER SEMBLAIT AVOIR UNE INFLUENCE APAISANTE SUR LUI ET PENDANT DE NOMBREUSES ANNÉES, IL A PRODUIT UNE ŒUVRE IMMENSE.

MYSTÈRE

Événement inexpliqué

Raison inconnue

Réalité ou fiction ?

Vérité ou mensonge ?

Personne disparue

Personne inconnue

Crime non élucidé

LE MODÈLE DE LA JOCONDE
v. 1503

Mystère : qui était cette femme au sourire énigmatique ?

Protagonistes : Léonard de Vinci, Lisa, Isabella, Constanza, sa mère, son amant

Dénouement : probablement Lisa, mais qui peut en être certain ?

Léonard se chargea, pour Francesco del Giocondo, du portrait de Mona Lisa, son épouse ; et ayant peiné dessus pendant quatre ans, le laissa inachevé […] Il utilisa un ingénieux expédient : pendant qu'il peignait Mona Lisa, qui était une très belle femme, il la divertissait constamment par des chanteurs, des musiciens et des jongleurs, si bien qu'elle était joyeuse et ne regardait pas de manière mélancolique comme les portraits le font souvent. Par conséquent, dans cette peinture de Léonard de Vinci, le sourire est si agréable qu'il semble divin plutôt qu'humain ; ceux qui l'ont vu ont été très surpris de constater qu'il semble aussi vivant que l'original.

Giorgio Vasari, *Vies des artistes* (1550)

Léonard de Vinci (1452-1519) n'a pas facilité la vie des historiens de l'art. Non seulement il ne signait pas tous ses tableaux, ce qui rend l'authentification de ses œuvres difficile, mais, dans le cas de *La Joconde*, on ne retrouve aucune référence au tableau, aucune trace de commande ni de paiement. Aucune référence écrite connue à propos du tableau n'indique qu'il a été peint par quelqu'un d'autre que Léonard de Vinci. Il s'agit de l'un des rares tableaux qui soit attribué de façon certaine au grand maître florentin de la Renaissance. Ceci mis à part, il fait l'objet d'un débat d'experts sans fin.

LÉONARD DE VINCI
Portrait du maître florentin par le peintre italien Lattanzio Querena (1768–1863).

La vie et l'œuvre de Léonard de Vinci comportent de nombreuses zones d'ombre et si peu de faits qu'il est difficile d'émettre une bonne hypothèse. *La Joconde*, ou *Portrait de Mona Lisa*, pose de multiples questions : quand le tableau a-il été peint, quelqu'un en a-t-il passé la commande, et pourquoi Léonard de Vinci a-t-il gardé la peinture plutôt que de la remettre à la personne qui l'a commandée ? Reste un dernier mystère, et non des moindres, qui nous intéresse ici plus particulièrement : qui était cette femme au sourire énigmatique ?

LA JOCONDE

La Joconde est exposée au musée du Louvre à Paris, derrière une vitre pare-balles et, selon le service de presse du musée, elle est vue par 6 millions de personnes chaque année. Tout le monde se bouscule devant elle afin d'essayer d'entrevoir son fameux sourire, s'accordant à dire qu'il s'agit de l'une des œuvres d'art les plus connues au monde. Combien cependant s'en détournent en se demandant pourquoi *La Joconde* fait l'objet de toute cette agitation ? Elle est devenue une image si familière, reproduite un si grand nombre de fois, tellement parodiée même, que face à sa vraie représentation, qui est en fait d'assez petites dimensions, les gens éprouvent parfois comme une déception.

La renommée dont le tableau bénéficie aujourd'hui remonte au XIXe siècle. Les écrivains romantiques ont commencé à s'extasier à son sujet, récitant des litanies reprises par tous les esthètes de l'époque. Voici ce qu'écrit le célèbre écrivain et critique d'art anglais Walter Pater à propos du *Portrait de Mona Lisa* : « La présence qui s'éleva ainsi si étrangement au-dessus des eaux exprime ce qu'au cours d'un millénaire, les hommes en sont venus à désirer. […] Sa beauté charnelle est toute façonnée de l'intérieur. [...] Placez-la un instant à côté de ces blanches déesses grecques, de ces belles femmes de l'Antiquité ; imaginez leur déroute devant cette beauté en laquelle a passé l'âme et son cortège de maladies ! Toutes les pensées, toute l'expérience du monde se sont gravées, se sont coulées dans cet habitacle dont elles ont épuré la forme et pétri l'expression : c'est la sensualité naïve de la Grèce, la luxure de Rome, le mysticisme du Moyen Âge avec son ambition spirituelle et ses amours éthérées, le retour du paganisme, les péchés des Borgia. Elle est plus vieille que les rochers parmi lesquels elle est assise ». Au début du XXe siècle, un événement fait les gros titres de la presse du monde entier : le 22 août 1911, on découvre que le tableau, conservé au Louvre, a été volé.

Dans le tumulte qui suit, le poète Guillaume Apollinaire, qui avait un jour crié qu'il fallait « brûler le Louvre », est arrêté et Pablo Picasso, connu pour détester le tableau, est interrogé par la police. Comme il n'y a pas la moindre preuve contre eux, ils sont tous les deux libérés. Plusieurs années plus tard, un ancien employé du Louvre, Vincenzo Peruggia, est arrêté alors qu'il tente de vendre le tableau à la Galerie des Offices à Florence. Il prétend qu'en tant que patriote italien, il essaie seulement de restituer le tableau à sa vraie patrie. Mais cette excuse est discréditée par l'escroquerie dans laquelle il est impliqué : il avait en effet essayé de vendre des copies en prétendant qu'il s'agissait d'originaux. Peruggia écopera finalement de quelques mois de prison, et le tableau est restitué au Louvre et élevé au statut de célébrité mondiale dont il jouit aujourd'hui encore.

LES CANDIDATES Si l'on aimerait tant connaître l'identité de la femme qui prête son sourire énigmatique à *La Joconde*, c'est parce que le tableau est devenu extrêmement célèbre. Tout le monde se moque de savoir qui était le modèle pour *La Naissance de Vénus* de Botticelli, en dehors de quelques historiens de l'art qui n'ont vraiment rien d'autre à faire, et l'on s'intéresse au modèle qu'a choisi Vermeer pour *La jeune fille à la perle* uniquement à cause du livre et du film du même nom (et, non, ce n'était pas Scarlett Johansson). Mais, en dépit de sa notoriété, la quantité d'hypothèses émises à ce sujet est d'autant plus surprenante que Giorgio Vasari nous dit qui elle était dans son livre *Vies des artistes*.

Vasari (1511-1574) est décrit comme le premier historien de l'art et son travail est une source de nombreuses connaissances sur les artistes italiens de la Renaissance. Il n'est pas toujours totalement fiable, mais il est presque contemporain de Léonard de Vinci. Même s'il n'est arrivé à Florence qu'après la mort de l'artiste, on pense qu'il a réellement rencontré la femme qu'il a identifiée comme étant le sujet de *La Joconde*. Selon lui, il s'agissait de la femme du marchand d'étoffes et de soie florentin Francesco del Giocondo qu'il désigne sous le nom de « Mona Lisa », qui signifie « Dame Lisa ». Son père, Antonmaria Gherardini, un homme aisé, sans pour autant être riche, et possédait des terres près de Florence. En Italie, le tableau porte le nom de *La Gioconda*, qui peut se traduire par « la femme heureuse » ou « la femme insouciante ». Le titre est sans doute un jeu de mots sur le nom de Lisa del Giocondo que l'artiste a peinte avec un sourire sur son visage.

LE LOUVRE
La Joconde est exposée au Louvre depuis qu'elle a été saisie à la Révolution française.

On pourrait supposer que cette histoire suffit à régler le problème, mais la vérité est peut-être moins évidente. L'un des arguments les plus fréquemment évoqués contre Lisa del Giocondo en tant que modèle du tableau, c'est que sa famille avait des moyens et un statut social relativement modestes, alors que les portraits étaient presque toujours commandés par des membres de l'aristocratie florentine. Au fil des ans, de nombreuses hypothèses ont été émises, allant du possible à l'improbable, jusqu'à la limite du ridicule. Certains ont supposé avec le plus grand sérieux que le modèle était la mère de Léonard de Vinci, ou l'amant de celui-ci, ou le grand Léonard lui-même qui aurait fait son autoportrait en travesti. On a pu lire des hypothèses plus sérieuses sous la plume d'Antonio de Beatis, qui a rendu visite à Léonard de Vinci en France pendant les dernières années de sa vie, alors qu'il séjournait à Fontainebleau en tant qu'invité du roi François Ier. De Beatis écrit avoir vu un tableau qu'il décrit comme étant le portrait d'une dame florentine, sans donner plus de précisions, si ce n'est que Léonard de Vinci lui aurait dit qu'il avait été commandé par Julien de Médicis (1479-1516). Si tel était le cas, on comprend difficilement pourquoi un membre d'une si noble famille aurait commandé à Léonard de Vinci le portrait de la femme d'un marchand. On a donc pensé à une multitude d'alternatives, la plupart étant des femmes fortunées ou très liées aux Médicis, comme Constanza d'Avalos, qui devint la duchesse de Francavilla, ainsi qu'Isabelle d'Este, la marquise de Manchua. En matière d'aristocratie, ces deux dames correspondent parfaitement au profil, le seul problème étant qu'aucune d'elles n'était de Florence.

Les hypothèses émises pour toutes les autres candidates trouvent des issues similaires : pas impossibles, mais pas très probables non plus. Selon une solution alternative, Léonard de Vinci aurait essayé de peindre le portrait d'une femme idéalisée plutôt qu'un sujet spécifique, même si le tableau a commencé comme une commande qui n'a pas été terminée. Plus récemment, le courant d'opinion a renoué en faveur de Lisa del Giocondo, en particulier après la découverte en 2005 d'une note rédigée au dos d'un livre par Agostino Vespucci, un fonctionnaire florentin contemporain, et la nommant comme le sujet d'un portrait entrepris par Léonard de Vinci. Il donne aussi la date de 1503, ce qui correspond à ce que nous savons sur les mouvements de Léonard de Vinci à l'époque. Il venait de rentrer à Florence après une période à Cesena et on ne dispose d'aucune archive sur ces travaux immédiatement après son retour. On pense qu'Antonmaria Gherardini était un ami du père de Léonard de Vinci, et celui-ci aurait très bien pu peindre le portrait de la fille d'un vieil ami de famille avant que d'autres opportunités ne se présentent. Il n'y a bien sûr aucun moyen de prouver ce scénario, tout comme il n'existe aucun moyen de prouver les suppositions faites sur une autre candidate potentielle. Mais, selon la prépondérance de la preuve, Lisa del Giocondo, la femme du marchand de Florence, l'emporte devant toutes les autres dames, aussi aristocrates qu'elles aient pu être.

LÉONARD DE VINCI AURAIT TRÈS BIEN PU PEINDRE LE PORTRAIT DE LA FILLE D'UN VIEIL AMI DE FAMILLE AVANT QUE D'AUTRES OPPORTUNITÉS NE SE PRÉSENTENT.

LA MORT DE CHRISTOPHER MARLOWE

30 mai 1593

MYSTÈRE

Événement inexpliqué

Raison inconnue

Réalité ou fiction ?

Vérité ou mensonge ?

Personne disparue

Personne inconnue

Crime non élucidé

Mystère : Christopher Marlowe a-t-il été assassiné ?

Protagonistes : Christopher Marlowe et toute une foule d'espions, de comploteurs, d'athées et de catholiques élisabéthains

Dénouement : l'affaire se corse.

Quod me nutrit me destruit.
(Ce qui me nourrit me détruit aussi.)

Devise en latin sur un portrait supposé être
Christopher Marlowe

MARLOWE?
Un portrait supposé
représenter Marlowe et
découvert à Corpus Christi
College, à Cambridge,
en 1952.

Les circonstances de la mort de Christopher Marlowe à l'âge de 29 ans ont été exposées dans le procès-verbal de l'enquête du *coroner* peu de temps après qu'elle est survenue. Dans la soirée du 30 mai 1593, il meurt sur le coup, tué par un unique coup de poignard juste au-dessus de l'œil droit. Il vient de passer la journée avec trois hommes dans la maison de la veuve Eleanor Bull à Deptford, qui est, à l'époque, une petite ville sur la Tamise à quelques kilomètres à l'est de Londres, et à moins d'un kilomètre du palais de la reine Élisabeth à Greenwich. Deux des trois hommes, Robert Poley et Nicholas Skeres, sont témoins, tandis que le troisième, Ingram Frizer, est l'homme qui lui a infligé la blessure mortelle. Selon le récit, corroboré par les trois hommes, une dispute a commencé à propos du paiement des repas et des boissons qu'ils ont consommés ce jour-là. À la fin du calcul, Marlowe aurait saisi le poignard de Frizer, attaquant ce dernier. Dans la lutte qui a suivi, Frizer aurait poignardé Marlowe au-dessus de l'œil avec ce même poignard, dans ce qui est décrit comme un acte de légitime défense.

Cette version des faits, racontée par les trois seules personnes présentes, est acceptée par le jury de la cour du *coroner*. Presque immédiatement après l'enquête, le corps de Marlowe est enterré dans une tombe anonyme à l'église de Deptford. Frizer est placé en détention pour une durée de quatre semaines, puis libéré après avoir obtenu un pardon royal. Tels sont les faits bruts de cette affaire et il faudra attendre le XXe siècle, après la redécouverte du rapport d'enquête dans les années 1920, avant que des questions sérieuses ne soient soulevées à propos de la mort de l'homme qui, à son époque, était considéré comme le plus grand dramaturge de sa génération. Qu'est allé faire Marlowe dans cette maison à Deptford? Qui étaient les trois autres hommes avec lui? Quelle était leur relation avec lui et les uns avec les autres?

Dans son livre intitulé *The Reckoning: The Murder of Christopher Marlowe* (L'addition : le meurtre de Christopher Marlowe), Charles Nicholl a tenté de répondre à ces questions, du moins dans la mesure où il est possible de le faire 400 ans après les faits. Il découvre les liens qui existent entre les quatre hommes présents ce jour-là, des liens avec la pègre élisabéthaine sur fond de gangs criminels et d'espionnage, de complots contre la vie de la reine et les mesures prises par ce qui s'appellera désormais son service secret afin d'empêcher la réussite de ces complots. Nicholl revisite cet événement de 1593 sous un jour tout à fait différent. Il ne s'agit plus de l'histoire classique dans laquelle Marlowe est tué dans une bagarre de taverne. L'image qui apparaît est beaucoup plus trouble.

Christopher Marlowe est aujourd'hui célèbre comme l'auteur de pièces de théâtre telles que *Dr Faust* et *Tamburlaine*. Il a le même âge que Shakespeare et vient d'un milieu semblable. Il naît dans la ville de province de Canterbury, d'un père cordonnier. Après avoir fréquenté la *King's School* de Canterbury, il gagne une bourse pour étudier à l'université de Cambridge, où l'on pense qu'il a commencé à travailler pour le gouvernement, peut-être pour Sir Francis Walsingham (1532-1590), qui dirigeait un vaste réseau de services secrets pour la reine. Après des études à Cambridge, Marlowe commence presque immédiatement à jouer ses pièces sur la scène londonienne et, du peu que nous savons de sa vie en dehors du théâtre, il continue à travailler pour Walsingham, jusqu'à la mort de celui que l'on surnomme le maître-espion d'Élisabeth.

Il n'existe aucune preuve manifeste des liens de Marlowe avec Walsingham. Il est certainement lié à son neveu Thomas de Walsingham, qui devient le patron de Marlowe et dont on sait qu'il a travaillé pour son oncle. Les absences fréquentes de Marlowe de Cambridge, lui auraient coûté son diplôme, si le gouvernement n'avait pas intercédé en sa faveur. De même, s'il a voyagé en France à la fin des années 1580, c'est très probablement parce qu'il avait été engagé comme agent secret ou messager. On retrouve également notre ami Marlowe aux Pays-Bas, impliqué dans un complot de fausse monnaie, et bien qu'il ait été pris, les charges retenues contre lui ont été abandonnées. On en conclut donc qu'il était au service du gouvernement, peut-être dans un effort visant à infiltrer l'un des groupes de conspirateurs catholiques connus pour avoir été aux Pays-Bas à l'époque.

Cette tactique consistant à placer des espions et des agents provocateurs au cœur de complots contre la reine, avait été utilisée par Walsingham à un certain nombre de reprises dans le passé et dans l'un d'entre eux, connu sous le nom de complot Babbington, Robert Poley avait joué un rôle de premier plan en se faisant passer pour un sympathisant catholique afin de pénétrer au cœur du complot et de s'informer sur un projet

LES PRINCIPAUX PROTAGONISTES

d'assassinat visant la reine. On peut également placer les deux autres, Skeres et Ingram, en marge du monde de l'espionnage, mais à un niveau inférieur à Poley. Les deux ont travaillé pour les Walsingham et d'autres responsables gouvernementaux de haut rang. Ils ont également été arrêtés et interrogés dans un certain nombre de pratiques frauduleuses, dans lesquelles des jeunes gens crédules avaient été dépouillés de leur argent. La réunion qui a lieu dans la maison de Mrs. Bull n'est donc pas celle de quatre vieux amis qui se retrouvent pour partager un repas et quelques verres. Il s'agit plutôt d'un nid d'espions et de fraudeurs maffieux qui se réunissent dans un endroit où ils peuvent se parler en privé.

LE CONTEXTE

Dix jours avant sa mort, Marlowe a reçu l'ordre d'assister à une réunion du Conseil privé afin de répondre à des questions soulevées par des informations obtenues par son ami et compatriote dramaturge Thomas Kyd. Sous la torture, Kyd a dit que des documents prônant l'athéisme et découverts en sa possession, ont appartenu à Marlowe, mettant celui-ci potentiellement en grave danger car le délit de blasphème est, à l'époque, passible de la peine de mort. Sans doute le Conseil privé voulait-il aussi lui parler du libelle de l'Église néerlandaise, un incident qui a conduit à l'interrogatoire de Kyd. Afin d'échapper à la persécution catholique, un grand nombre de réfugiés protestants venus de toute l'Europe ont fui vers Londres, et l'arrivée soudaine d'étrangers a provoqué de graves troubles sociaux. Des pamphlets sont affichés autour de Londres, menaçant ces étrangers. L'un d'entre eux est épinglé sur le mur de l'église néerlandaise à Londres. Écrit en vers, il fait clairement allusion à plusieurs pièces de théâtre de Marlowe et est signé « Tumberlaine », toujours en référence à Marlowe.

LE MAÎTRE-ESPION D'ÉLISABETH Iʳᵉ
Sir Francis Walsingham, secrétaire privé d'Élisabeth Iʳᵉ, peut avoir recruté Marlowe comme espion.

Marlowe se présente devant le Conseil privé et réchappe à une nouvelle série de questions. Quelques jours plus tard, une note émanant d'une autre personnalité du milieu de l'espionnage, un certain Richard Baines, est remise au conseil, accusant Marlowe d'être un athée, un blasphémateur et un homosexuel. La note se termine par les mots suivants : « Je crois que tous les hommes chrétiens doivent s'efforcer de fermer la bouche d'un membre si dangereux. » On peut tirer deux conclusions de cette note. La première est que Marlowe est vraiment athée et a l'intention de diffuser des écrits séditieux et blasphématoires ;

la seconde est que des personnages troubles liés au milieu de l'espionnage veulent sa peau.

De retour à la scène du crime, de nombreux aspects de la mort de Marlowe ne sont pas pris en compte par l'enquête du *coroner*. Tous les protagonistes évoluent dans le milieu de l'espionnage. Ils ont des liens entre eux car ils travaillent pour certaines des personnes les plus puissantes en Angleterre à l'époque — en particulier, les Walsingham. Seules les personnes présentes connaissent le sujet de leur discussion lors de cette fameuse journée, et ils se sont bien gardés de le révéler au *coroner*. Ils ont dû parler des difficultés qu'a connues Marlowe devant le Conseil privé, et ils se sont peut-être réunis pour élaborer un plan de ce qu'il fallait dire. Il est également possible que les trois autres soient là pour découvrir ce que Marlowe sait exactement sur eux, et les gens qui les ont payés ne veulent sans doute pas que le Conseil privé soit au courant.

Il semble peu probable que Poley, Skeres et Frizer aient rencontré Marlowe avec l'intention de le tuer. Si cela avait été le cas, il est certain qu'ils l'auraient assassiné de manière plus discrète, qui n'aurait pas donné lieu à une enquête du *coroner*. Selon un scénario plus probable, les trois hommes n'ont pas réussi à obtenir de Marlowe les garanties qu'ils cherchaient et ont décidé de le tuer pour le faire taire une fois pour toutes. Poley devient alors un personnage crucial: étant l'espion le plus expérimenté, la décision finale de tuer Marlowe lui serait probablement échue.

Bien sûr, une autre lecture des événements reste possible, dans laquelle Poley, Skeres et Frizer n'ont pas menti au *coroner*, Frizer tuant Marlowe en légitime défense. Marlowe donne en effet l'impression d'avoir eu un tempérament violent. Il a été impliqué dans un certain nombre de bagarres dans le passé, dont l'une où un homme a été tué, et il n'est pas du tout impossible qu'il ait vraiment attaqué Frizer après une dispute à propos de l'addition. Pour reprendre les mots de Shakespeare, Marlowe a souffert « d'un petit écot dans un petit cabaret borgne » (*Comme il vous plaira*, acte III, scène IX). Il nous a laissé une œuvre considérée comme l'une des plus belles de la langue anglaise, qu'il aurait pu poursuivre s'il n'était pas mort à l'âge de 29 ans.

L'ADDITION

QUI A ÉCRIT LES PIÈCES DE SHAKESPEARE ?

vers la fin du XVIe siècle - début du XVIIe siècle

Mystère : Shakespeare a-t-il vraiment écrit des pièces de théâtre ou était-il simplement l'homme de paille de quelqu'un d'autre ?

Protagonistes : Shakespeare, Sir Francis Bacon, Christopher Marlowe, le comte d'Oxford

Dénouement : il semble que le « barde d'Avon » était bien l'auteur de ses pièces.

« *Mon bon ami, pour s'abstenir de réglementer l'amour de Jésus,*

Pour creuser la poussière enfermée ici :

Béni soit l'homme qui épargne ces pierres,

Et maudit soit celui qui déplace mes os. »

Épitaphe de Shakespeare à l'église de la Sainte-Trinité, à Stratford-upon-Avon

Il y a une réponse évidente à la question posée dans le titre de ce chapitre : Shakespeare a écrit les pièces de Shakespeare. Aucun doute, aucun mystère, et rien qui n'indique qu'il devrait faire partie d'un livre comme celui-ci. C'est l'homme, William Shakespeare, né à Stratford-upon-Avon en 1564, mort dans cette même ville en 1616, à l'âge de 53 ans, à qui l'on doit parmi les plus grandes œuvres du canon de la littérature anglaise et dont les pièces continuent à être jouées dans le monde 400 ans après sa mort.

On peut alors se demander à juste titre où est le problème. Jusqu'à 200 ans après sa première pièce de théâtre, il n'y avait pas de problème. Il a fallu attendre la fin du XVIIIe siècle pour que des doutes sur Shakespeare surgissent, et 50 années de plus avant que ces doutes soient exprimés dans des publications. La question centrale est de savoir comment un homme issu d'un milieu modeste dans une ville de province, a pu devenir le génie des arts dramatiques que nous admirons aujourd'hui. En plus d'être magnifiquement écrites, les pièces montrent une grande érudition et une familiarité avec le fonctionnement des cours royales de l'Angleterre élisabéthaine et jacobine, ainsi que la connaissance de nombreux pays étrangers. Shakespeare a-t-il écrit les pièces de théâtre qui lui sont attribuées, ou était-il juste l'homme de paille de quelqu'un d'autre qui souhaitait rester anonyme ? Un homme très instruit et ayant beaucoup voyagé, a-t-il pu préférer ne pas voir son nom souillé par son association avec le théâtre et sa réputation de gagne misère, et être le véritable auteur et génie de la littérature ?

PREMIER FOLIO
Page de titre de la première édition des pièces de Shakespeare, publiée 7 ans après sa mort.

En substance, ceux qui pensent que l'œuvre de Shakespeare n'est pas de lui, prétendent qu'il n'aurait pas pu écrire les pièces de théâtre et les poèmes qui lui sont attribués parce qu'il n'était pas issu d'une famille riche et qu'il n'a pas étudié à l'université de Cambridge. Aujourd'hui, aucun spécialiste sérieux de Shakespeare, et ils sont nombreux, n'accepte cet argument et la plupart préfèrent ne pas s'engager sur le sujet, pensant y décerner une distraction et une perte de temps. Alors, est-ce simplement une affaire de snobisme social et intellectuel ou ces allégations sont-elles fondées ?

La méconnaissance que nous avons de l'homme en lui-même est une première chose frappante. Au-delà des œuvres elles-mêmes, ce que nous savons avec certitude provient de sources officielles et légales — naissances, mariages et décès dans la famille, actes commerciaux et titres de propriété, ainsi qu'une poignée de documents juridiques, comme son testament, dans lequel il n'a laissé que son « second meilleur lit » à sa femme de plus de 30 ans. Aucun manuscrit, aucun travail en cours, aucune lettre, aucun cahier. En fait, rien qui puisse ne l'associer à une vie d'écrivain. Les seuls exemples certains de son écriture sont six signatures sur divers documents et il n'existe aucune trace prouvant qu'il était lui-même réellement propriétaire des livres. Et il semble avoir eu peu d'intérêt à voir ses propres pièces de théâtre publiées ; ses pièces complètes, connues sous le nom de *Premier Folio*, ne sont parues que sept ans après sa mort.

LYCÉE
La salle de classe où Shakespeare a peut-être étudié.

L'anniversaire de Shakespeare est célébré le 23 avril, mais on ne sait pas avec certitude si c'est le bon jour. Il est baptisé le 26 avril 1564 et il est raisonnable de supposer qu'il est né quelques jours avant cette date. Son père, John Shakespeare, est un gantier devenu échevin ou conseiller municipal, à Stratford. Sa mère, dont le nom de jeune fille était Mary Arden, vient d'une famille de propriétaires terriens dans la forêt d'Arden, à quelques kilomètres au nord de Stratford. On ne sait rien avec certitude sur son éducation. Les registres de présence au lycée de Stratford, la *King's New School*, ont été perdus, mais comme il se trouvait proche de l'endroit où il a grandi et que ce lycée aurait été le genre d'école fréquentée par un garçon de son milieu, il est, encore une fois, raisonnable de supposer qu'il y est allé.

En 1582, à l'âge de 18 ans, Shakespeare épouse Anne Hathaway, une femme de 8 ans son aîné. Six mois plus tard naît leur première fille, Suzanne, ce qui permet de déduire la raison pour laquelle ils se sont mariés. Deux ans plus tard, ils ont des jumeaux, Hamnet et Judith, puis c'est le silence. Lorsque l'on apprend de nouveau quelque chose sur Shakespeare, 7 ans plus tard, il est acteur dans une compagnie de théâtre, les « Lord Chamberlain's Men », à Londres, et il a déjà joué dans plusieurs de ses propres pièces. On ne sait rien du tout sur cette transformation ni comment elle a eu lieu, ni même où il était pendant cette période critique de sa vie. De nombreuses rumeurs ont circulé : on a par exemple prétendu que Shakespeare avait dû quitter Stratford upon-

Avon pour éviter d'être poursuivi pour le braconnage d'un cerf. Tout ceci n'est que pure invention.

À moins d'un miracle, il est peu probable que nous ne découvrions comment Shakespeare a commencé sa carrière au théâtre. Ses « années perdues », celles durant lesquelles on n'a aucune trace de l'écrivain, ont alimenté toutes les hypothèses. Selon des suppositions plus ou moins fantaisistes, il ne serait pas l'auteur de son œuvre. Au milieu du XIXe siècle, on avance le nom de l'éminent philosophe et homme d'État Sir Francis Bacon. Cette théorie semble cependant peu crédible, car il semble n'avoir jamais manifesté le moindre intérêt pour le théâtre. Par ailleurs, au cours d'une carrière longue et distinguée en tant qu'auteur, il s'est essayé à l'écriture de poèmes avec des résultats mitigés. Même ses amis les plus proches auraient eu du mal à décrire sa poésie comme étant shakespearienne. Bacon lui-même ne se prétendait pas poète.

Christopher Marlowe est un candidat plus probable. Ce dramaturge de grand talent, contemporain de Shakespeare, est au bon endroit au bon moment. Mais, comme nous l'avons appris au chapitre précédent, il meurt dans des circonstances suspectes en 1593, alors que Shakespeare a continué à publier des pièces pendant encore 20 ans. Les « Marloviens », défenseurs de Marlowe-Shakespeare, affirment que le meurtre a été mis en scène pour lui permettre d'échapper à une accusation grave, potentiellement la peine capitale pour blasphème, mais qu'en réalité, il s'est enfui sur le continent et a continué à écrire sous le nom de Shakespeare. Même si cette théorie n'est pas totalement impossible, il aurait alors fallu un complot extraordinairement complexe pour susciter et maintenir la tromperie. En outre, comme les acteurs qui ont joué dans les pièces des deux auteurs peuvent le confirmer, les pièces de Marlowe et de Shakespeare sont aussi différentes que le jour et la nuit.

L'actuel favori est Édouard de Vere, 17e comte d'Oxford. Voici un candidat qui tient vraiment la route. Il est aristocrate, éduqué comme un gentleman de l'époque peut l'être, tout en étant intimement lié à la cour élisabéthaine, et il a beaucoup voyagé en Europe, notamment en Italie, où il a visité presque tous les lieux italiens cités dans les pièces de Shakespeare. Il a été longtemps lié au milieu du théâtre car il a dirigé

LES AUTRES

© English School | Getty Images

LE BARDE
On considère que ce portrait est celui de Shakespeare, mais sa provenance est inconnue.

LE COMTE D'OXFORD
A ÉTÉ LONGTEMPS LIÉ
AU MILIEU DU THÉÂTRE
CAR IL A DIRIGÉ PLUSIEURS
COMPAGNIES, A ÉCRIT
DE LA POÉSIE
ET A JOUÉ LUI-MÊME.

plusieurs compagnies, a écrit de la poésie et a joué lui-même. Il possède en outre une propriété près de la forêt d'Arden, ce qui expliquerait une connaissance intime de la région que l'on retrouve dans quelques-unes des pièces de théâtre de Shakespeare. Il serait le candidat parfait, à un petit détail près: il meurt en 1604, avant que ne soient écrits *Le roi Lear*, *Othello*, *Macbeth*, *La Tempête* et une foule d'autres pièces. Quoi qu'essaient de trouver les « Oxfordiens » pour justifier la thèse selon laquelle le comte est Shakespeare, rien n'y fait: la mort, comme nous le dit Shakespeare dans *Hamlet*, est « ce pays inconnu d'où nul voyageur ne revient » — et certainement pas pour écrire des pièces.

Les trois candidats les plus sérieux à « être » potentiellement Shakespeare ont ainsi été assez facilement écartés. La tactique des « anti-Stratfordiens » consiste à sélectionner un candidat possible, c'est-à-dire qui s'inscrit dans leur conception de ce que devrait être un génie littéraire. Si les faits ne correspondent pas exactement, ils bricolent alors des excuses et des explications, peut importe si elles sont artificielles et compliquées. Dans le même temps, les lacunes de l'histoire sont comblées par des hypothèses sans fondement et des théories de complot. Enfin, on tente d'entacher la réputation de Shakespeare en insistant sur le fait qu'il n'était rien de plus qu'un marchand de grains analphabète et qu'un prêteur de deniers.

Il n'existe aucune preuve matérielle directe attestant que Shakespeare a écrit ses pièces de théâtre, mais cela ne prouve pas pour autant que quelqu'un d'autre les ait écrites à sa place. La preuve circonstancielle milite fortement en faveur de Shakespeare et il faudrait découvrir quelque chose d'irréfutable pour attribuer son œuvre à quelqu'un d'autre. L'opinion selon laquelle le fils d'un gantier de Stratford n'aurait pas pu être assez intelligent pour être le véritable auteur, n'est manifestement pas suffisante. Shakespeare est également mis en doute parce que certaines personnes sont incapables d'accepter qu'un homme de talent ait pu si peu se préoccuper de sa réputation future. Certains ont ainsi du mal à accepter le choix apparent de l'un des plus grands écrivains, d'avoir laissé les pièces parler pour elles-mêmes.

KASPAR HAUSER

1812–1833

MYSTÈRE

Événement inexpliqué

Raison inconnue

Réalité ou fiction ?

Vérité ou mensonge ?

Personne disparue

Personne inconnue

Crime non élucidé

Mystère : Kaspar Hauser était-il « l'orphelin de l'Europe » ou un imposteur ?

Protagonistes : Hauser, ceux qui l'ont cru, et ceux qui ne l'ont pas cru, la maison de Bade.

Dénouement : l'énigme est restée irrésolue.

À remettre.

Hauser vous dira exactement à quoi je ressemble et d'où je viens. Pour épargner cette peine à Hauser, je vais vous dire moi-même d'où je viens.

Je viens de ___ sur la frontière bavaroise ___ sur la rivière ___

Je vais même vous dire le nom M.L.O.

**Traduction de la lettre trouvée dans un sac sur les lieux
où Hauser a reçu des coups de couteau mortels**

KASPAR HAUSER
Portrait de Hauser, peint
par Johann Friedrich Carl
Kreul vers 1830.

UNE
COURTE VIE

L'histoire de Kaspar Hauser est très célèbre en Allemagne, même si c'est moins le cas ailleurs. Elle a suscité au fil des ans de nombreux mystères et ambiguïtés. Pour certains, Hauser est une âme innocente qui a été manipulée par son entourage, tandis que pour d'autres, c'est un fraudeur astucieux qui a exploité sa situation pour tout ce qu'elle valait. L'histoire a des airs de conte quasi mythologique, avec un enfant sauvage (ce qu'il n'a jamais prétendu être), une conspiration royale impliquant des bébés échangés à la naissance, et des usurpateurs à la Maison de Bade. Si tout cela semble tout droit sorti d'un conte de fées, cela explique peut-être l'attrait durable de l'histoire de la vie étrange et tragique de Hauser. Plus de 3 000 livres ont été écrits sur lui depuis le 26 mars 1826, jour de son apparition dans la ville bavaroise de Nuremberg. Depuis, le mystère, malgré une enquête approfondie et, ces dernières années, plusieurs tests ADN, reste entier.

À son arrivée à Nuremberg, Hauser, qui doit avoir 16 ans, demande à être conduit à la maison du capitaine d'un régiment de cavalerie stationné dans la ville. Il n'a presque rien sur lui, à l'exception des lettres d'un homme qui prétend avoir obtenu la garde de Hauser en 1812, quand il était enfant, et de sa mère, disant que son père était un cavalier, qu'il est mort et qu'elle veut que Hauser intègre le même régiment que son père. Après avoir été pris en charge par le conseil municipal, il raconte avoir été confiné dans une petite pièce sans fenêtre et nourri uniquement au pain et à l'eau. À cette époque, on raconte déjà qu'il a grandi comme un enfant sauvage dans les bois et les gens se posent des questions sur sa véritable identité. Selon différentes versions de ces rumeurs, il s'agit soit d'un imposteur, soit d'un fils de la noblesse, peut-être même d'un membre de la Maison de Bade. Quelle que soit l'histoire que les gens ont choisi de croire, l'apparition soudaine de ce mystérieux garçon devient un phénomène médiatique en Allemagne et dans toute l'Europe.

Dans un premier temps, Kaspar Hauser est pris en charge par un professeur qui lui apprend à lire et écrire, et lui administre des remèdes homéopathiques. Hélas ces traitements ne s'avèrent pas très concluants. Alors qu'il se trouve dans la maison du professeur, le jeune homme est victime d'une attaque qui le blesse au front. Selon Kaspar Hauser, son agresseur est l'homme qui l'a amené à Nuremberg. Il est alors adopté par l'aristocrate anglais Lord Stanthorpe qui, dès le départ, suit l'affaire Hauser de près. Dans un premier temps, Stanthorpe est particulièrement préoccupé par le lien supposé de Hauser à la noblesse. Ce lien ne pouvant être prouvé, il déclarera plus tard que Hauser est un imposteur qui cherche à attirer l'attention.

Kaspar Hauser est ensuite placé sous la protection d'un autre professeur, qui se forge rapidement la même opinion que Lord Stanthorpe. Néanmoins, ayant fait de réels progrès, et alors qu'il a été pris au début pour un imbécile, il trouve un emploi de clerc. On commence à l'oublier, lorsqu'en décembre 1833, il rentre chez lui blessé d'un coup de couteau dans la poitrine, en disant qu'il a été attaqué par le même homme, son ancien tuteur et geôlier. Au début, on ne le croit pas, le professeur pense qu'il cherche une nouvelle fois à attirer l'attention sur lui, mais au vu de la gravité de la blessure, un médecin est finalement appelé. Hauser dit qu'il a laissé tomber un sac contenant une lettre sur les lieux de son agression dans un parc. On finit par retrouver ce document qui semble être l'aveu de l'agresseur de Hauser. Les détails sur l'identité de cette personne sont cependant remplacés par de grands espaces vierges.

LA LETTRE
Un fac-similé de la mystérieuse lettre trouvée sur les lieux où fut poignardé Hauser.

On soupçonne alors immédiatement Kaspar Hauser d'avoir écrit la lettre et de s'être lui-même blessé volontairement pour tenter de regagner la même attention qu'autrefois. Mais quelques jours plus tard, il meurt et, au cours de l'enquête qui suit, on retrouve des témoins qui l'ont vu dans le parc en compagnie d'un autre homme, ce qui semble confirmer qu'il n'était pas seul au moment de l'agression. Comme beaucoup d'autres choses dans la courte vie de Hauser, on n'a jamais pu déterminer les circonstances exactes de sa mort, ce qui ajoute un peu plus de mystère à cette histoire énigmatique.

Dès l'arrivée de Hauser à Nuremberg, des rumeurs selon lesquelles il serait un prince de la Maison de Bade commencent à circuler. Sa mort mystérieuse ne fait que les renforcer : il aurait été assassiné pour ne pas pouvoir revendiquer les droits de sa naissance. Charles, le grand-duc de Bade, a eu deux fils avec son épouse, Stéphanie de Beauharnais, fille adoptive de Napoléon, morts tous deux en bas âge. L'un de ces garçons, né en septembre 1812, est mort quelques semaines plus tard. Il aurait donc eu presque le même âge que Hauser. En l'absence d'héritier mâle à la mort de Charles en 1818, c'est son oncle Louis qui lui succède, qui sera à son tour remplacé par son demi-frère Léopold. Kaspar Hauser serait le véritable fils du grand-duc et aurait été échangé par la mère de Léopold, la comtesse de Hochberg. La mort d'un petit garçon peu de temps après sa naissance aurait permis à Léopold, en temps voulu, de devenir grand-duc. La comtesse aurait alors donné le bébé à l'homme qui emmènerait plus tard Hauser à Nuremberg. Il l'aurait enfermé au secret jusqu'à son seizième anniversaire, avant de le libérer, sans doute parce que le jeune homme ne savait pas qui il était.

Dans l'impossibilité de la corroborer ou de la réfuter complètement, cette version de l'histoire est demeurée inchangée jusque dans les années 1990, date à laquelle sont mis au point les tests ADN. On effectue alors des prélèvements sur des taches de sang recueillies sur la chemise qui aurait appartenu à Hauser. Une comparaison avec l'ADN d'un descendant de Stéphanie de Beauharnais semble montrer qu'elle n'était pas la mère de Hauser. Mais des doutes quant à l'authenticité du vêtement surgissent rapidement. Un second test est pratiqué sur une mèche de cheveux de Kaspar Hauser. Cette fois-ci, les résultats s'avèrent positifs. Ils demeurent cependant contestés, compte tenu du risque de contamination des cheveux en question, à un siècle d'écart. Ainsi, malgré l'intervention de la police scientifique moderne, le mystère demeure. L'histoire se résume dans l'inscription que porte la pierre tombale de Hauser : « Ci-gît Kaspar Hauser, une énigme en son temps, un inconnu tué par un inconnu. »

KASPAR HAUSER SERAIT LE VÉRITABLE FILS DU GRAND-DUC ET AURAIT ÉTÉ ÉCHANGÉ PAR LA MÈRE DE LÉOPOLD, LA COMTESSE DE HOCHBERG. LA MORT D'UN PETIT GARÇON PEU DE TEMPS APRÈS SA NAISSANCE AURAIT PERMIS À LÉOPOLD, EN TEMPS VOULU, DE DEVENIR GRAND-DUC.

LE YÉTI

Années 1840

Mystère : le yeti existe-t-il vraiment ou est-ce juste une histoire à dormir debout ?

Protagonistes : les montagnards, les sherpas, et bien sûr, les yétis

Dénouement : le yéti court toujours…

Du coin de l'œil, j'ai vu la silhouette d'une forme se tenant debout entre les arbres à la lisière de la clairière, à l'endroit où des fourrés bas couvrent la pente raide. La silhouette se hâta, silencieuse et penchée en avant, et disparut derrière un arbre pour réapparaître de nouveau dans le clair de lune. Elle s'arrêta un instant et se retourna pour me regarder… Je devinais qu'elle devait mesurer plus de deux mètres de haut. Son corps avait l'air beaucoup plus lourd que celui d'un homme de cette taille, mais elle se déplaçait avec une agilité et une puissance telles vers le bord de l'escarpement que j'ai été à la fois surpris et soulagé… Aucun être humain n'aurait pu courir comme ça en plein milieu de la nuit. Elle s'arrêta de nouveau au-delà des arbres… et se tint immobile dans cette nuit de pleine lune sans regarder en arrière.

Reinhold Messner, *Ma quête du yéti*

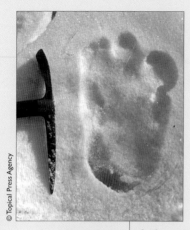

EMPREINTE DANS LA NEIGE
Les photographies d'empreintes de yéti d'Eric Shipton ont trompé beaucoup de gens à l'époque.

Les célèbres photographies d'empreintes de yéti prises par Eric Shipton (*voir ci-contre*) lors de son expédition dans l'Himalaya en 1951, déclenchent une tempête médiatique mondiale. Personne ne semble remarquer à l'époque que les empreintes sont manifestement fausses et, étant donné le tapage qu'elles provoquent, Shipton, qui est réputé pour son sens aigu de l'humour, n'est pas près d'avouer. La plaisanterie a dû vraiment beaucoup l'amuser, et il s'est peut-être dit qu'après toute l'attention que les photos ont suscitée, il ferait mieux de se taire jusqu'à ce que tout se soit calmé. Shipton n'a jamais avoué et les photos ressortent toujours chaque fois que l'on parle du yéti. Et plutôt que de les balayer d'un revers de la main, peut-être devrait-on les considérer avec le même esprit dans lequel elles ont été réalisées, à savoir comme une bonne blague à ne pas prendre au sérieux. Mais quand un alpiniste de la stature de Reinhold Messner, considéré comme le meilleur alpiniste au monde, parle de sa propre rencontre avec un yéti, et prend ce qu'il a vu au sérieux, sans doute est-il temps de faire la même chose. Son récit, cité au début de ce chapitre, est à la fois détaillé et convaincant. Il ne ressemble en rien à la plupart des observations de yétis, qui donnent généralement l'impression que l'auteur a bu un peu trop de cognac autour du feu après une dure journée d'escalade.

À PRENDRE AU SÉRIEUX

Dans son merveilleux livre *Le léopard des neiges*, Peter Matthiessen fait le récit de son voyage, à la fois physique et spirituel, au Népal dans l'Himalaya, en compagnie de l'éminent biologiste George Schaller. Matthiessen, naturaliste accompli lui-même, n'est pas hostile à l'idée qu'il existe une espèce de primate non découvert vivant dans les régions reculées de l'Himalaya. Il est surpris de constater que Schaller, un homme qui n'est pas connu pour échafauder des hypothèses à la légère, ne rejette pas cette idée non plus. Il examine les représentations de yétis dans les monastères bouddhistes au Népal et au Tibet. Elles sont rares, mais elles ont été trouvées aux côtés de peintures d'animaux existants, ce qui suggère que, même si le yéti peut avoir une signification mythologique dans les histoires que racontent les différents peuples de l'Himalaya, il est également considéré, du moins par certains, comme un véritable animal.

Dans une conversation avec Tukten, un sherpa que Matthiessen tient en très haute estime, il constate que celui-ci n'a aucun doute sur l'existence de yétis. Il dit aussi que, n'en ayant jamais vu lui-même, si cela lui arrivait, il s'en détournerait et prétendrait qu'il ne l'a pas vu, car on dit que les yétis portent malheur. Cela pourrait expliquer pourquoi, dans presque toutes les histoires que les sherpas racontent sur les yétis, ils disent que d'autres personnes ont vu les créatures, et non eux-mêmes. Cela pourrait également signifier, bien sûr, que personne n'a vu un yéti soi-même parce qu'il n'en existe pas, et ces histoires ne sont que des histoires à dormir debout inventées pour se moquer d'étrangers trop crédules. Tukten poursuit en disant à Matthiessen que les yétis étaient beaucoup plus fréquents à l'époque de son grand-père, mais il est réticent à en parler davantage et plus en détail, même si, comme le suspecte Matthiessen, il en sait beaucoup plus que ce qu'il est prêt à révéler.

Matthiessen émet l'hypothèse selon laquelle les yétis seraient une population relique d'une espèce d'hominidés primitifs. Au moment où il écrit, dans les années 1970, cette hypothèse est très incertaine, mais, comme nous l'avons déjà vu dans le chapitre sur le hobbit de Florès, on a prouvé qu'une telle idée était possible. Tout comme les Néandertaliens en Europe et en Asie centrale, on a trouvé des indices sur un certain nombre d'autres hominidés dans des endroits inattendus, notamment les Denisoviens en Sibérie et le peuple de la grotte de Maludong en Chine (ou « grotte du Cerf rouge », en chinois). Il se pourrait qu'ils appartiennent à une espèce différente de l'homme moderne, mais cela n'a pas encore été prouvé. Ces indices localisent différentes espèces d'hominidés, dont on pense que certaines ont existé il y a 10 000 ans, dans plusieurs endroits de l'Himalaya. On peut ainsi supposer que l'une ou l'autre de ces espèces encore inconnues ait habité cette région. Il est même possible d'imaginer tout à fait sérieusement, qu'une telle espèce pourrait avoir existé à une époque beaucoup plus récente dans les montagnes et vallées reculées et inaccessibles de l'Himalaya, et soit évoquée dans les histoires de sherpas et d'autres tribus de la région comme étant le yéti, un peu comme les hobbits qui font partie des histoires des habitants de Florès.

Après avoir presque réussi à me convaincre moi-même de l'existence des yétis, je tiens à souligner que l'on n'a jamais trouvé la moindre preuve crédible allant dans le sens de l'argument que je viens de développer.

Reinhold Messner finit par conclure qu'il a probablement vu un ours brun de l'Himalaya, un animal tout à fait capable de marcher sur ses

pattes de derrière et qui correspond à la plupart des descriptions moins fantaisistes de yétis donnés par les alpinistes et les voyageurs. Pour être honnête, les chances pour qu'il existe un homme des neiges, abominable ou pas, errant dans les montagnes de l'Himalaya, sont minces, même si c'est une belle histoire. En attendant, on continue d'entendre des idioties. Lors d'une conférence qui se tient en 2011 sur le yéti dans la province russe de Kemorevo, des individus se décrivant eux-mêmes comme des scientifiques ont annoncé qu'ils étaient certains à 95 % qu'ils avaient trouvé des preuves du yéti. Le boxeur russe géant, Nikolai Valuev, surnommé la Bête de l'Est, a déclaré se joindre à la chasse de l'insaisissable créature et, comme il fait plus de 2 m et pèse plus de 125 kg, il n'est guère surprenant que les yétis soient si difficiles à trouver. Si Valuev me cherchait, je me cacherais aussi.

REINHOLD MESSNER
Le grand grimpeur et adepte du yéti, à droite, avec le marin italien Giovanni Soldini.

© Franco Origlia | Sygma | Corbis

L'EXPÉDITION FRANKLIN

Mai 1845 – juin 1847

MYSTÈRE

Événement inexpliqué

Raison inconnue

Réalité ou fiction ?

Vérité ou mensonge ?

Personne disparue

Personne inconnue

Crime non élucidé

Mystère : qu'est-il arrivé aux navires et aux hommes de l'expédition Franklin ?

Protagonistes : Sir John Franklin, la Royal Navy et le pôle Nord

Dénouement : une erreur de navigation a conduit à la catastrophe.

With a hundred seaman he sailed away
To the frozen ocean in the month of May
To seek a passage round the pole
Where we poor sailors do sometimes go

In Baffin Bay where the whale fish blow
The fate of Franklin no man may know
The fate of Franklin no tongue can tell
Lord Franklin with his sailors do dwell

**Lady Franklin's Lament, v. 1855
Ballade traditionnelle anglaise
commémorant la disparition
de l'expédition Franklin**

© Pete Ryan

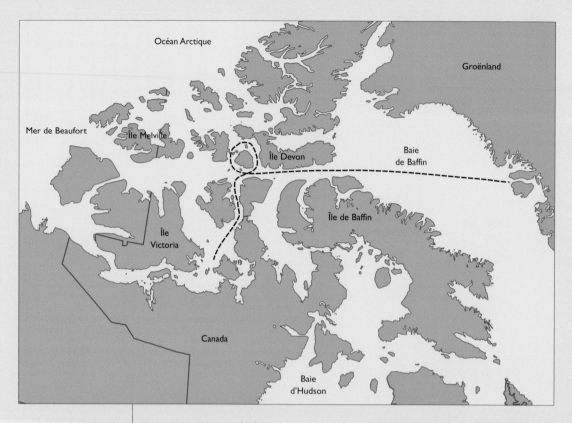

Océan Arctique

Groënland

Mer de Beaufort

Île Melville

Île Devon

Baie
de Baffin

Île de Baffin

Île
Victoria

Canada

Baie
d'Hudson

ROUTE DE FRANKLIN
Une reconstitution
de l'itinéraire emprunté
par l'expédition Franklin lors
de sa recherche du passage
du Nord-Ouest.

En août 1845, un baleinier aperçoit le HSM *Terror* et le HSM *Erebus* dans la baie de Baffin, une extension de l'océan Atlantique, entre l'île de Baffin et le Groënland. Les deux navires de la *Royal Navy* de l'expédition Franklin ont été vus se dirigeant à l'ouest vers l'entrée du détroit de Lancaster, d'où ils tenteraient ce que l'Amirauté britannique décrit comme le « dernier effort » pour prouver l'existence du passage du Nord-Ouest, une route maritime reliant l'Atlantique à l'océan Pacifique à travers la glace et les îles au nord de la partie continentale du Canada. Le rapport du baleinier se révélera être la dernière trace de l'expédition. Aucun des 129 officiers et hommes à bord des deux navires n'a jamais été revu vivant.

LE PASSAGE DU NORD-OUEST

Avant l'ouverture du canal de Panama en 1914, la seule façon de naviguer entre les océans Atlantique et Pacifique consiste à effectuer un long voyage autour de la pointe de l'Amérique du Sud et à traverser les eaux dangereuses du Cap Horn. L'intérêt de trouver une route au nord était évident pour tous et de nombreuses tentatives ont été faites pour découvrir le passage du Nord-Ouest au cours des trois siècles précédents. Le labyrinthe d'îles et de bras de mer dans les eaux inexplorées, la banquise en mouvement et la durée très courte de l'été arctique, lorsque la mer n'est pas prise par les glaces, ont eu raison de toutes les expéditions précédentes. À l'époque victorienne, marquée par l'expansion de l'empire, la *Royal Navy* ouvre la voie pour cartographier des eaux inconnues, et c'est avec une confiance caractéristique, à la limite de l'arrogance, qu'elle est déterminée à découvrir la première une route viable. L'objectif déclaré est d'ouvrir une route commerciale, mais, à l'heure où l'empire se développe, cela ne fait peu de doutes que les Britanniques ont des préoccupations plus larges.

Après avoir remporté la bataille de Trafalgar en 1805, la *Royal Navy* règne vraiment sur les ondes. La défaite finale de Napoléon à Waterloo dix ans plus tard est le prélude à une longue période de prospérité et de paix en Europe, durant laquelle la Grande-Bretagne commence à chercher plus loin les possibilités d'étendre son empire et d'établir des liens commerciaux. Le rôle de la *Royal Navy*, qui n'a plus à combattre, est de protéger les intérêts britanniques dans le monde et, dans le cadre de la présente et afin de faire usage de sa main-d'œuvre et de ses ressources, l'Amirauté lance un vaste programme de reconnaissance et de cartographie. En cas de litige sur des revendications territoriales, ceux qui détiennent les meilleures cartes possèdent un avantage significatif d'un point de vue militaire tout en ayant la possibilité de valider leurs revendications. Dans les années 1840, la Grande-Bretagne est confrontée à la concurrence de l'Amérique et la Russie sur l'étendue du territoire qui allait former le pays du Canada. En cartographiant les eaux au large des côtes septentrionales du continent américain, les Britanniques consolident leurs revendications dans la région et empêchent l'empire russe de s'étendre plus à l'est du territoire qu'il détient déjà en Alaska.

Sir John Franklin est un homme de la *Navy* pur jus. Il la rejoint à l'âge de 14 ans, participe aux batailles de Copenhague et de Trafalgar, part à trois reprises dans l'Arctique canadien, dont une fois par voie terrestre. Au cours de ce voyage, 11 personnes décèdent parmi un effectif total de 20, les survivants ayant dû manger le cuir de leurs bottes, ce qui vaut à Franklin d'être surnommé « l'homme qui mangea ses bottes ». La publication du récit de ces expéditions le rend célèbre. S'il n'avait pas eu 59 ans en

L'EXPÉDITION FRANKLIN

FRANKLIN
Portrait de Sir John Franklin
pendant la période
de son mandat
de gouverneur
de Tasmanie.

1845, il aurait pu être l'homme idéal pour diriger l'expédition proposée par l'Amirauté de cartographier les 500 kilomètres de côtes restants et qui demeurent encore inexplorés après les expéditions précédentes dans la région. Au départ, on lui préfère le capitaine James Clark Ross, qui vient de rentrer de l'Antarctique avec le *Terror* et l'*Erebus*, mais celui-ci décline l'offre de commander l'expédition dans l'Arctique après avoir promis à sa femme de rester désormais chez lui.

Franklin vient d'être récemment rappelé de son poste de gouverneur de Tasmanie, après s'être brouillé avec la population locale. Ayant besoin d'une occasion de se refaire une réputation, il saute sur l'occasion que lui offre l'Amirauté. L'expédition doit être la plus grande et la mieux préparée qui n'ait jamais été envoyée dans la région et, si elle réussit à trouver le passage du Nord-Ouest, elle fera de son commandant un héros national. Les deux navires ont été conçus comme des bombardes utilisées par la *Navy* pour transporter d'énormes mortiers et lancer des bombes sur la terre ferme. Pour résister au recul des mortiers, toutes deux sont de construction solide, ce qui les rend idéales pour l'exploration de l'Arctique. Elles sont renforcées et équipées de moteurs à vapeur à hélices électriques afin de pouvoir progresser quelles que soient les conditions météorologiques. Les navires sont provisionnés pour trois ans, avec d'énormes réserves de conserves de viande. Un système de chauffage à vapeur est installé pour le confort des officiers et de l'équipage. Les navires quittent Londres en fanfare le 19 mai 1845, mettant d'abord le cap sur le Groënland, puis la baie de Baffin et le détroit de Lancaster.

PERDUS

On sait que Franklin ne peut pas communiquer tant qu'il se trouve en territoire inconnu, et même si certains optimistes pensent qu'il peut atteindre les objectifs de l'expédition en une seule saison, la plupart table sur au moins deux ans. Après une deuxième année passée sans recevoir un mot, l'inquiétude commence à monter et à l'été 1848, un groupe de recherche est envoyé. On ne trouve aucune trace. Après de nouvelles recherches approfondies et l'annonce d'une énorme récompense pour toute information concernant l'expédition, la situation reste inchangée jusqu'à ce que finalement, en 1851, on découvre les restes du premier camp d'hiver de Franklin sur l'île Beechey, au nord du détroit de Lancaster, ainsi que les tombes de trois marins et des détritus alimentaires. On ne retrouve aucun message sur les intentions futures de Franklin et on ne découvre rien d'autre au cours des quatre années suivantes. C'est alors qu'une équipe en reconnaissance sur la péninsule Boothia récupère des restes ayant appartenu à l'expédition auprès d'un groupe d'Inuits. Ces derniers parlent aux enquêteurs de corps de 40 marins qu'ils ont découverts sur l'île du Roi-Guillaume à l'ouest. Tous sont apparemment morts de faim.

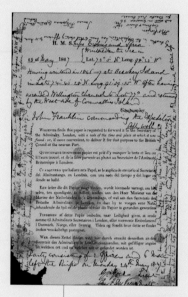

Au cours des années suivantes, on parvient à recueillir plusieurs récits de la part du peuple inuit et l'on retrouve des vestiges, certains montrant que les derniers survivants ont fait preuve de cannibalisme. En 1859, on découvre un document sous un cairn (un monticule de pierres), sur l'île du Roi-Guillaume. Il contient des messages de James Fitz-James et Francis Crozier, les commandants du *Terror* et de l'*Erebus*. Selon le dernier de ces messages, daté du 25 avril 1848, « les navires *Terror* et *Erebus* ont été abandonnés le 22 avril après avoir été pris au piège dans la glace depuis le 12 septembre 1846… Sir John Franklin est mort le 11 juin 1847. » Pendant quelques années, des rumeurs persistantes font état de survivants parmi les Inuits, mais celles-ci se fondent sur l'espoir d'en retrouver et ne mènent à rien au final.

DERNIERS MOTS
Le document trouvé sur l'île du Roi-Guillaume, en 1859, quatorze ans après la disparition de Franklin.

On n'a jamais retrouvé Franklin. En revanche, le nombre de navires impliqués dans sa recherche a permis de terminer de cartographier les côtes du nord du Canada et de ses îles. En 1850, le capitaine Robert McClure dirige l'un des efforts de recherche pour entrer dans la région à partir de l'ouest, en passant par l'océan Pacifique et à travers le détroit de Béring. Il navigue suffisamment loin pour observer un point à partir duquel une route vers l'Atlantique est déjà connue, et il découvre en effet le passage du Nord-Ouest. Mais il est pris par les glaces de la banquise pendant trois hivers près de l'île Banks. Finalement McClure et son équipage, mourant de faim, sont retrouvés par des hommes partis en traîneau d'un des bateaux de l'expédition de Sir Edward Belcher, et sont sauvés. Il faudra attendre plus de 50 ans, c'est-à-dire 1906, avant que l'explorateur norvégien Roald Amundsen ne franchisse finalement le passage. Il était parti en 1903 sur un navire beaucoup plus petit, avec un équipage de sept personnes et en restant aussi près que possible de la partie continentale du Canada. Il lui aura fallu trois ans et un voyage à travers des eaux trop peu profondes pour permettre le passage de la navigation commerciale. En 1969, un brise-glace russe traverse le passage, permettant la navigation d'un pétrolier américain. Ces dernières années, le changement climatique a libéré le passage des glaces durant les mois d'été. Depuis l'ouverture du canal de Panama, un couloir maritime commercial par cette route du nord n'est cependant plus nécessaire.

Dans les années 1980, des tests médico-légaux ont été effectués sur les vestiges retrouvés, en particulier sur les corps des trois marins retrouvés sur l'île Beechey. Les résultats ont révélé un empoisonnement par le plomb de la soudure utilisée pour sceller les conserves de viande, ou par le système de dessalinisation de l'eau des navires, ce qui pourrait bien avoir contribué à la mort de tant d'hommes. Le navire ayant été pris par les glaces durant la deuxième année de l'expédition et étant resté coincé tout au long de l'hiver et toute l'année suivante, les provisions ont commencé à diminuer. Certains hommes sont morts de faim et des effets du froid extrême, d'autres de pneumonie, de tuberculose et de scorbut. L'intoxication par le plomb, l'épuisement, la dépression et les divers troubles du système nerveux central ont aggravé leurs problèmes. Après 18 mois, les survivants sont partis à pied dans un dernier effort désespéré d'être sauvés, mais sont morts au cours de cette tentative.

Depuis la disparition de l'expédition Franklin, nos connaissances sur les circonstances de cet événement ont progressé, et nous savons désormais ce qui est arrivé. La science moderne a contribué à faire la lumière sur l'un des grands mystères de l'époque victorienne, qui a été en partie provoqué par un excès de confiance et un manque d'expérience dans les voyages polaires parmi l'équipage. Franklin lui-même, qui avait été dans l'Arctique, aurait dû peut-être le savoir, mais la malchance a également joué un rôle. Il ne pouvait pas savoir que l'île du Roi-Guillaume était une île, et non une partie de la péninsule Boothia, comme on le pensait à l'époque. S'il avait continué à naviguer vers le sud dans le détroit de James Ross, plutôt que de tourner à l'ouest, dans la deuxième année de l'expédition, il ne se serait probablement pas retrouvé piégé dans la banquise. Sa décision a scellé son sort et celui de son équipage.

NOTRE-DAME DE LOURDES

1858

MYSTÈRE

Événement inexpliqué

Raison inconnue

Réalité ou fiction ?

Vérité ou mensonge ?

Personne disparue

Personne inconnue

Crime non élucidé

Mystère : l'apparition miraculeuse de la Vierge Marie à Lourdes

Protagonistes : sainte Bernadette, les habitants de Lourdes, et les pèlerins catholiques du monde entier

Dénouement : tout est une question de croyance.

« Ce n'est pas un sacrifice de quitter une pauvre vie dans laquelle on éprouve tant de difficultés pour appartenir à Dieu ! »

Bernadette Soubirous

BERNADETTE SOUBIROUS
Portrait de Bernadette pris en 1863, cinq ans après avoir vu les apparitions de la Vierge Marie.

La petite ville de Lourdes, nichée sur les contreforts des Pyrénées dans le sud-ouest de la France, est aujourd'hui la destination de pèlerins catholiques venus des quatre coins du monde. Ils viennent y visiter le sanctuaire de Notre-Dame de Lourdes et puiser de l'eau à la source de la grotte de Massabielle. Depuis que la Vierge est apparue à Bernadette Soubirous en 1848, et après lui avoir indiqué où trouver la source, Lourdes est devenue le sanctuaire marial le plus célèbre au monde, à tel point qu'on peut le considérer comme un phénomène social presque autant que religieux. Pour les fidèles, l'apparition de la Vierge et les pouvoirs de guérison de l'eau relèvent davantage du miracle que du mystère. L'Église catholique a reconnu 67 miracles liés au sanctuaire. Cependant, quelle que soit la manière dont on le perçoit, certains événements étranges et inexplicables se sont produits à la grotte, touchant la vie de millions de personnes.

La première de ces apparitions s'est produite le 11 février 1848 : Bernadette, âgée de 14 ans, ramasse du bois sur la rive gauche du gave de Pau avec sa sœur et une autre jeune fille. À la grotte de Massabielle, Bernadette s'arrête pour retirer ses bas afin de pouvoir traverser le ruisseau sans les mouiller, tandis que les deux autres partent devant. Elle est alors éblouie par une lumière sortant de la grotte et une vision lui apparaît. Elle décrira plus tard avoir vu une petite demoiselle vêtue d'une robe blanche. Elle utilise le mot occitan « aquero », « cela », pour désigner ce qu'elle voit. Malgré la désapprobation initiale de sa famille et de l'Église, Bernadette retourne à la grotte de nombreuses fois, accompagnée d'un nombre croissant de personnes car le mot d'apparitions commence à se répandre. Chaque fois qu'elle a une vision, elle tombe en extase. En plusieurs occasions, la petite dame lui parle. Elle lui indique en particulier comment trouver la source et lui demande de bâtir une chapelle sur ce terrain afin que des processions puissent s'y tenir.

Bernadette aura 18 visions au total, dont la plupart sont de simples appels à la prière et à la pénitence. Au cours de la seizième et plus longue apparition, qui durera plus d'une heure, Bernadette demande à l'apparition qui elle est. Elle obtient comme réponse : « Je suis l'Immaculée Conception ». Cette réponse offre un lien direct avec la Vierge Marie qui, selon le dogme catholique, n'est pas entachée du péché originel. Bien que Bernadette n'ait jamais dit expressément que l'apparition était celle de la Vierge Marie, l'association est faite presque aussitôt que le phénomène est connu, et les mots d'« Immaculée Conception » apportent une confirmation à de nombreuses personnes.

Marie est vénérée depuis longtemps dans la région. Des pèlerinages ont traditionnellement lieu dans les sanctuaires qui lui sont associés. L'histoire de Bernadette conduit désormais de nombreux pèlerins à Lourdes. La jeune fille est issue d'un milieu très humble. Au moment des apparitions, sa grande famille vit dans une seule pièce, et dispose à peine de quoi nourrir tout le monde. Enfant, elle est de très petite taille et souffre de maladies graves, ce qui l'empêche d'aller correctement à l'école, et certains la considèrent comme simple d'esprit. Avant de revenir dans sa famille à Lourdes, elle travaille comme bergère, un détail qui ajoute encore à ce qui est déjà devenu une version mythifiée de sa vie. L'histoire de Bernadette offre un contraste saisissant avec les institutions officielles de l'Église, qui pourraient apparaître éloignées de l'expérience quotidienne. Elle touche les gens ordinaires, parce qu'elle est l'une d'eux, une simple bergère qui a vécu un miracle et qui a été bénie par la mère du Christ.

LA VIERGE MARIE
Une statue de la Vierge a été placée dans la grotte de Massabielle en 1864.

Bernadette ne semble pas avoir été à l'aise avec l'attention qu'elle a reçue lorsque ses apparitions sont devenues célèbres. À l'âge de 22 ans, elle quitte Lourdes pour vivre avec les Sœurs de la Charité de Nevers, un établissement religieux à des centaines de kilomètres de Lourdes. Elle y passera le reste de sa courte vie, mourant à l'âge de 35 ans de la tuberculose. Plus de 50 ans après sa mort, en 1933, elle est canonisée par le pape Pie XI, et devient célèbre sous le nom de sainte Bernadette de Lourdes.

Au fil des ans, on a tenté d'expliquer ses visions en termes rationnels et scientifiques, y compris par ceux qui considèrent les apparitions comme des hallucinations provoquées par l'hystérie. Des individus de nature plus sceptiques n'acceptent aucune explication, et pensent qu'il s'agit d'un canular. Selon eux, Bernadette aurait entendu parler d'apparitions mariales, qui étaient assez courantes à l'époque en France et en Espagne, et aurait tout simplement inventé toute l'histoire. Après avoir commencé, elle aurait continué son simulacre, afin de ne pas devoir avouer la vérité ou tout simplement parce qu'elle appréciait l'attention qu'elle recevait. Des tests effectués sur des échantillons de l'eau de Lourdes dans le but de déterminer si elle possède vraiment des propriétés curatives se sont révélés négatifs, accentuant l'impression que les prétendus miracles sont, au mieux, des événements qui ont été un peu exagérés. Mais là encore, même si les gens guérissent de leurs maux grâce à ce que les médecins appellent l'effet placebo, seul compte le résultat final : celui d'être guéri, et que cette guérison soit la conséquence ou non de la science médicale.

Les sanctuaires Notre-Dame de Lourdes accueillent un nombre toujours croissant de pèlerins depuis la construction de la première chapelle en réponse à la vision de Bernadette. Selon le site officiel, le site comprend aujourd'hui 22 lieux de culte, dont le plus important est capable de contenir 25 000 personnes, et s'étend sur plus de 52 hectares de terrain. Certains trouvent la commercialisation de la ville déplaisante, y voyant davantage un piège à touristes qu'un lieu de pèlerinage. Cela n'est pourtant guère surprenant, et les habitants de Lourdes doivent gagner leur vie d'une façon ou d'une autre, exactement comme tout le monde. Si les pèlerins veulent acheter leur propre statue de Notre-Dame et la ramener chez eux comme un souvenir de leur visite, il est difficile de critiquer la personne qui la leur vend. Après tout, le pèlerinage à Lourdes s'est en premier lieu développé comme la réaction de gens ordinaires aux miracles vécus par Bernadette. Si vous n'y croyez pas, il y a une chose très facile à faire : ne pas y aller.

LA *MARY CELESTE*

4 décembre 1872

MYSTÈRE

Événement inexpliqué

Raison inconnue

Réalité ou fiction ?

Vérité ou mensonge ?

Personne disparue

Personne inconnue

Crime non élucidé

Mystère : qu'est-il arrivé aux passagers de la *Mary Celeste* ?

Protagonistes : les dix voyageurs et membres d'équipage à bord du navire

Dénouement : ils sont toujours perdus en mer.

Nom	État	Nationalité	Âge
Benj. S. Brigg	Capitaine	Américaine	37
Albert G. Richardson	1er matelot	Américaine	28
Andrew Gilling	2e matelot	Danoise	25
Edward Wm. Head	Steward et cuisinier	Américaine	23
Volkert Lorenson	Marin	Allemande	29
Arian Martens	Marin	Allemande	35
Boy Lorenson	Marin	Allemande	23
Gottlieb Gondeschell	Marin	Allemande	23
Sarah Elizabeth Briggs	Femme du capitaine	Américaine	30
Sophia Matilda Briggs	Fille du capitaine	Américaine	2

Liste des membres d'équipage et des passagers de la *Mary Celeste*

Le 4 décembre 1872, la *Mary Celeste* est trouvée dans l'océan Atlantique, à environ 650 km à l'est des Açores, avec certaines de ses voiles encore hissées, mais sans aucun signe de vie à bord. Le navire, un brick-goélette américain de 30 mètres de long, avait quitté New York trois semaines plus tôt, à destination de Gênes, en Italie, avec une cargaison de 1 700 barils d'alcool brut, qui devaient être utilisés pour fortifier le vin. Il était commandé par le capitaine Benjamin Briggs, un marin expérimenté, qui était accompagné lors de ce voyage par son épouse et leur fille de deux ans, ainsi que par un équipage de sept personnes, tous de vieux briscards de mer. On n'a jamais retrouvé aucune trace d'eux et l'histoire, décrite comme le plus grand mystère maritime de tous les temps, a été racontée de nombreuses fois, mêlant le plus souvent réalité et fiction.

LIBERTÉ ARTISTIQUE   Dans la *Déposition de J. Habakuk Jephson* que publie Sir Arthur Conan Doyle en 1884, le jeune écrivain rebaptise la *Mary Celeste* et embellit l'histoire en inventant des détails, dont beaucoup continueront à être considérés comme des faits établis. Conan Doyle écrit que les canots de sauvetage sont restés sur le navire et que l'on a trouvé des repas à moitié mangés dans les cabines, où du café chaud est resté sur le feu et que de la fumée de cigare flotte dans l'air, comme si les gens qui se trouvaient à bord avaient tout simplement disparu de la surface de la terre. Cette fiction frappe l'imagination des lecteurs, suscitant un certain nombre d'hypothèses sur ce qui s'est passé, de l'événement le plus probable au plus impossible.

Les thèses les plus extrêmes sont en droite ligne de l'école de pensée d'Erich von Däniken — pour rappel, tout ce qu'on ne peut expliquer est l'œuvre des extraterrestres. D'autres individus plus mesurés ont tenté de reconstituer ce qui serait arrivé d'après l'interprétation des indices disponibles, tels que le témoignage des personnes qui ont trouvé le navire, lors de l'enquête officielle qui s'est déroulée à Gibraltar. Entre les deux, on trouve des monstres marins, des pirates, des mutineries, des tremblements de terre sous-marins, et même le triangle des Bermudes qui, si tant est qu'il existe, se trouve de l'autre côté de l'Atlantique, par rapport à l'endroit où la *Mary Celeste* a été retrouvée. Étant donné que la vie est courte et qu'aucun de nous ne va rajeunir, ce qui suit se concentre sur quelques-unes des hypothèses les moins fantaisistes, même s'il n'existe aucun moyen de savoir avec certitude ce qui s'est réellement passé.

Le navire est construit en 1860 en Nouvelle-Écosse, au Canada, et est d'abord baptisé l'*Amazon*. Après une série d'incidents malheureux, dont le décès à bord de l'un de ses capitaines à la suite d'une pneumonie, et d'un certain nombre d'accidents, il est rebaptisé la *Mary Celeste*, peut-être dans une tentative de faire tourner la chance. Il est vendu à New York à un syndicat d'hommes d'affaires, parmi lesquels le capitaine Briggs. Avant de quitter New York en novembre 1888, le navire est réaménagé

L'AMAZON
Tableau de l'*Amazon* datant de 1861, rebaptisé plus tard la *Mary Celeste*.

avec un pont supplémentaire pour accueillir des barils d'alcool, une modification qui, bien que pouvant affecter l'état de navigabilité du navire, ne semble pas avoir joué un rôle dans les événements ultérieurs. L'alcool est, bien sûr, hautement inflammable, et bien que Briggs semble s'être préoccupé de son transport, cela ne l'a pas empêché d'emmener sa famille en voyage.

Les années 1880 sont une période difficile pour la marine marchande : les navires à coque en bois comme la *Mary Celeste* sont devenus rapidement obsolètes et sont remplacés par des bateaux munis d'une coque en acier. Cela peut expliquer les mesures prises par les propriétaires du navire pour économiser de l'argent : sur le bateau, une seule petite embarcation peut faire office de canot de sauvetage, et le capitaine ne semble avoir pris qu'un seul chronomètre avec lui. Avoir toujours l'heure exacte est un élément important en navigation, indispensable pour établir la position en latitude du navire. La pratique normale est donc de transporter plusieurs chronomètres quel que soit le voyage, au cas où l'un des appareils ne fonctionnerait pas correctement, qu'il avancerait ou retarderait.

Au mois de novembre, la météo est rude dans l'Atlantique, ce qui entraîne la perte de plusieurs navires. Le journal de bord de la *Mary Celeste* montre que le capitaine a choisi un cap pour éviter le pire des intempéries. On a pensé qu'il pouvait ne pas avoir été sûr de sa position, peut-être en raison d'un chronomètre défectueux. Quelle qu'ait été la raison, il a changé de cap le 24 novembre pour passer au nord de Santa Maria, l'île la plus au sud des Açores. La dernière note du journal de bord a été écrite le lendemain matin, ce qui indique que le capitaine a ordonné que le navire soit abandonné à ce moment-là. La raison n'en est pas claire. Lorsque le navire est retrouvé dix jours plus tard, le canot n'y est pas et le garde-fou est enlevé d'un côté du pont, comme si on avait mis à l'eau une chaloupe de sauvetage. Certaines voiles sont descendues, d'autres sont déchirées, ou montées dans le sens contraire au vent. Le gréement est dans un état de délabrement avancé, avec une longue corde traînant derrière le bateau.

Les premiers marins à monter à bord du navire abandonné constatent que l'une des deux pompes d'assèchement a été démantelée. Les pompes de cale sont des pièces essentielles de l'équipement d'un navire à coque en bois, car l'eau s'infiltre continuellement à l'intérieur et s'accumule dans les cales au fond du navire. L'eau doit être pompée de manière régulière afin de maintenir la navigabilité. Un problème avec les pompes peut donc avoir des conséquences graves s'il n'est pas corrigé immédiatement. La sonde de prélèvement mesure trois pieds et demi d'eau dans la cale, une quantité importante, mais nullement dangereuse. Le chronomètre, le sextant et les instruments de navigation ont disparu, mais sinon, tout le reste, y compris les biens des personnes qui se trouvaient à bord, a été abandonné. L'apparence générale est celle d'un abandon discipliné, mais rapide, un événement inexplicable du fait que le navire a été trouvé en parfait état de navigabilité. Les marins qui l'ont trouvé n'ont eu aucun mal à le ramener à Gibraltar afin de réclamer des droits de sauvetage.

DEUX HYPOTHÈSES L'enquête à Gibraltar s'oriente d'abord vers un crime. Le capitaine du *Dei Gratia*, le navire qui a trouvé la *Mary Celeste*, était un ami intime du capitaine Briggs. On les soupçonne d'avoir comploté ensemble pour fraude à l'assurance, un événement commun avec les vieux navires à coque en bois à l'époque. D'ailleurs en 1885, la *Mary Celeste* sera volontairement échouée sur un récif au large d'Haïti, précisément pour cette raison. On ne peut toutefois établir aucune preuve. D'autre part, les capitaines et les équipages des deux navires ayant une réputation irréprochable, cette thèse ne peut pas être poursuivie. Il semble également peu probable que le capitaine Briggs ait emmené sa famille à bord s'il se préparait à mettre en scène une quelconque fraude, *a fortiori* si celle-ci impliquait l'abandon du navire au milieu de l'océan.

On ne découvre aucun signe de violence à bord de la *Mary Celeste*, ce qui exclut la possibilité d'une mutinerie de l'équipage ou d'un acte de piraterie. Les accusations portées contre l'équipage du *Dei Gratia*, soupçonné d'avoir tué tout le monde à bord de la *Mary Celeste* et d'avoir

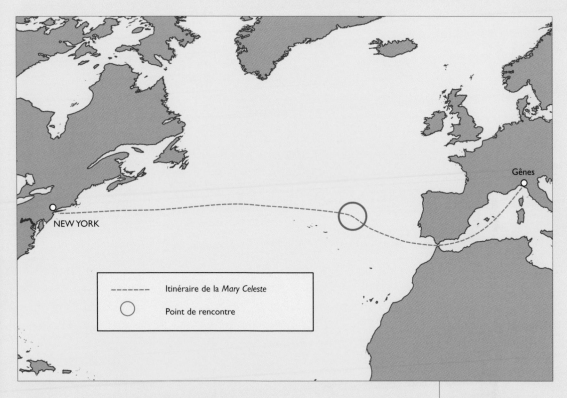

Itinéraire de la *Mary Celeste*

Point de rencontre

passé les corps par-dessus bord afin de réclamer des droits de sauvetage, apparaissent simplement comme une tentative des assureurs de trouver une raison de ne pas payer, plutôt que de trouver une explication crédible à ce qui s'est passé. On a parlé d'une épée se trouvant dans la cabine du capitaine avec des taches de sang sur la lame, mais il s'est avéré que tout ceci était faux. Une vieille épée a été trouvée, mais après vérification, les taches étaient de la rouille. Finalement, l'enquête a attribué les droits de sauvetage à l'équipage du *Dei Gratia*, pour seulement un sixième de leur valeur, indiquant que des doutes demeuraient quant à l'innocence de ses membres dans cette affaire.

Le bateau fait route pour Gênes et, lorsqu'on décharge les fûts d'alcool on s'aperçoit que neuf d'entre eux sont vides. Ils étaient fabriqués en chêne rouge d'Amérique, alors que les autres étaient en chêne blanc, un bois habituellement utilisé pour la fabrication de fûts destinés à stocker des liquides. Le chêne rouge étant plus poreux, il est donc probable que l'alcool se soit vidé au cours du voyage. Cela pourrait expliquer pourquoi

DÉCOUVERTE ABANDONNÉE

La *Mary Celeste* dérivait dans l'Atlantique à l'est des Açores lorsqu'elle a été repérée par le *Dei Gratia*.

le capitaine a abandonné la *Mary Celeste* : les écoutilles de la cale ayant été ouvertes, des vapeurs d'alcool se sont dégagées. Avec tant d'alcool à bord, il existe le danger d'une énorme explosion si les vapeurs prennent feu. Si l'on suit cette hypothèse, le capitaine a ordonné à tout le monde de monter dans le canot, qui a été ensuite attaché au navire afin qu'ils puissent y revenir une fois l'alcool totalement évaporé. Si le vent s'est levé au moment où ils étaient tous dans le canot, une accélération soudaine du navire aurait pu briser la corde, jetant tout le monde à la dérive. Cependant, lorsque le navire a été trouvé, deux petites écoutilles étaient ouvertes, aucune ne menant directement à la cale, tandis que l'écoutille principale au-dessus de la cale était toujours en place. Si l'intention était de libérer les vapeurs d'alcool puis de revenir au navire une fois la situation plus sûre, la cale principale aurait été forcément ouverte.

SELON UNE AUTRE HYPOTHÈSE, LE CAPITAINE AURAIT ABANDONNÉ LE NAVIRE PENSANT QU'IL AVAIT PRIS BEAUCOUP PLUS D'EAU QU'IL N'Y EN AVAIT EN RÉALITÉ.

Selon une autre hypothèse, le capitaine aurait abandonné le navire pensant qu'il avait pris beaucoup plus d'eau qu'il n'y en avait en réalité. Avec une pompe hors service, il aurait cru qu'il était sur le point de couler. Juste avant de s'apprêter à traverser l'Atlantique, le navire transportait un chargement de charbon, il est donc possible que les débris et la poussière du charbon se soient accumulés dans la cale et aient bouché au moins une, sinon les deux, pompes. Si, pour une raison inconnue, les sondes ont révélé des niveaux dangereux, le capitaine a peut-être décidé, sans aucun moyen de pomper, et étant donné que sa femme et sa fille se trouvaient à bord, de se diriger à bord du canot vers Santa Maria qui, selon la position du navire notée dans le journal, n'aurait pas été si lointaine. Mais si la mer se lève, un canot surchargé de dix personnes peut être facilement submergé ou renversé.

Difficile toutefois de vérifier ces deux hypothèses, puisque l'une comme l'autre s'appuie fortement sur des tentatives d'interpréter des faits incomplets. Ce que l'on peut dire, c'est que le navire a été abandonné, mais qu'il est difficile, voire impossible, de comprendre les raisons pour lesquelles un marin aussi expérimenté que le capitaine Briggs aurait pris des mesures aussi radicales, qui allaient s'avérer inutiles, au péril de sa famille et de son équipage en embarquant dans un canot au milieu de l'océan Atlantique. La véritable histoire de la *Mary Celeste*, comme celle de ceux qui étaient à bord, semble à jamais perdue en mer.

JACK L'ÉVENTREUR

1888

Mystère : qui a commis les meurtres de Whitechapel ?

Protagonistes : un tueur en série inconnu et les milliers de personnes qui ont tenté de l'identifier.

Dénouement : l'un des meurtres non résolus les plus célèbres de tous les temps.

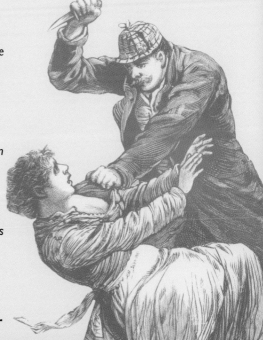

Cher Patron,

J'ai entendu dire que la police cherchait à m'attraper mais ils ne l'ont pas encore fait. […] Je suis sur le dos de ces putains et je n'arrêterai pas de les éventrer tant qu'on ne m'aura pas bouclé. Le dernier boulot était du grand art. Je n'ai pas laissé le temps à la dame de couiner. Comment pourraient-ils m'attraper maintenant ? J'adore mon travail et je veux recommencer. Vous entendrez bientôt de nouveau parler de moi et de mes amusants petits jeux. Mon couteau est si beau et si bien affûté que je veux me mettre au boulot dès que possible. Bonne chance. Sincèrement vôtre.

Jack l'Éventreur

**Extrait de la 1re lettre
attribuée à Jack l'Éventreur**

À l'époque victorienne, l'East End de Londres a une réputation tristement célèbre liée à la criminalité, la violence, l'alcoolisme et la prostitution. Le quartier est désespérément dépravé, d'effroyables bidonvilles alternent avec les « gin palaces », les bordels et les fumeries d'opium. Les tensions sont extrêmes, renforcées par l'arrivée d'un très grand nombre de personnes démunies venues de l'extérieur de la ville, des zones rurales de Grande-Bretagne et d'Irlande, ainsi que par l'immigration massive de réfugiés juifs fuyant les persécutions en Europe. On craint de graves troubles sociaux, et plus particulièrement en raison du risque qu'ils se répandent dans d'autres parties de la ville. Tout cela sera néanmoins éclipsé par une série de meurtres commis entre août et novembre 1888 à Whitechapel, qui est alors un dédale de rues et de ruelles étroites, même selon les critères des autres parties de l'East End.

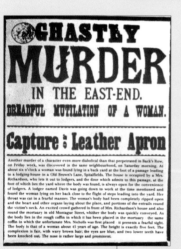

On comprend vite qu'un fou est en liberté, un fou qui assassine des femmes, toutes des prostituées, d'une manière de plus en plus violente et perverse. Le motif semble être sexuel, et lorsqu'on identifie un mode opératoire pour ces crimes horribles, il est évident que le responsable de ces meurtres est ce qu'on appellera plus tard un tueur en série. De sinistres rapports de presse attisent l'hystérie qui entoure déjà l'affaire, et indiquent le nom du meurtrier inconnu, Jack l'Éventreur. Cette manière de procéder créera un précédent dans la façon dont les journalistes traiteront ces terribles crimes, et qui persiste à ce jour. De nombreuses lettres prétendant être de la main de l'assassin lui-même sont envoyées aux journaux et aux policiers qui enquêtent sur les meurtres. La plupart d'entre elles sont des canulars évidents, certaines étant probablement écrites par des journalistes afin de dramatiser un peu plus l'affaire. On accordera toutefois crédit à trois d'entre elles, notamment à celle qui est citée au début de ce chapitre.

Les meurtres s'arrêtent aussi soudainement qu'ils ont commencé, et malgré les interrogatoires de nombreux suspects, la police n'a jamais réussi à découvrir l'identité du tueur. Depuis lors, un nombre sans cesse croissant de candidats sera proposé comme étant Jack l'Éventreur. Tout comme pour d'autres mystères ouverts à toutes sortes d'interprétation, on passera au crible des personnalités célèbres et l'on imaginera des thèses de complot afin d'expliquer comment ces personnes influentes auraient été protégées. Les spéculations se poursuivent plus de 120 ans après les meurtres de Whitehall, élevant ces assassinats au rang des crimes non résolus parmi les plus célèbres et les plus controversés de l'histoire. Ceux que le sujet passionne peuvent parcourir des centaines de livres et de sites Web, effectuer des visites guidées des lieux des crimes de Whitechapel, et, comme les lois sur la diffamation ne s'appliquent pas aux morts, sont libres de pointer du doigt la personne de leur choix, même si sa culpabilité est peu probable. Pourtant, en dépit d'une attention sans précédent, ce qui a été décrit comme le plus grand mystère victorien demeure irrésolu.

LES MEURTRES DE WHITEHALL

Le meurtre des prostituées est un événement trop courant en 1888 dans l'East End de Londres. La police enquête sur la mort de onze femmes potentiellement assassinées par le même homme, dont six ne cadrent pas avec le *modus operandi* de Jack l'Éventreur. Les autres, surnommées les « cinq victimes canoniques » de l'Éventreur, ont toutes les caractéristiques de l'œuvre d'un seul et unique tueur en série. La première victime est Mary Ann Nichols, découverte dans les premières heures du vendredi 31 août, gisant sous un porche d'entrée à Bucks Row. Sa gorge a été tranchée et son corps mutilé. Une semaine plus tard, le samedi 8 septembre, le corps d'Annie Chapman est abandonné dans l'arrière-cour d'une boutique de barbier à Hanbury Street, non loin de l'endroit où Mary Ann Nichols a été trouvée. Elle a été tuée de la même manière et son corps est encore plus sévèrement mutilé que le premier. Un médecin qui examine le corps pense que le tueur doit avoir une certaine connaissance de l'anatomie et sait manier un couteau, ce qui conduit certains à conclure qu'il est soit médecin, soit boucher, soit employé dans un abattoir.

La police reçoit la lettre qui commence par « Cher patron » vers la fin septembre, dans laquelle l'Éventreur, si c'est bien lui, dit avoir coupé l'oreille de la prochaine victime et qu'il va bientôt de nouveau frapper. À environ 1 h dans la nuit du dimanche 30 septembre, Elizabeth Stride est assassinée dans une cour de Berner Street. Le tueur semble avoir été perturbé par un cheval tirant une charrette dans la cour. Il n'a eu que partiellement le temps de couper l'oreille de la victime après lui avoir taillé la gorge. Apparemment insatisfait de son travail au cours de cette nuit-là, il frappe de nouveau une demi-heure plus tard, assassinant Catherine Eddowes entre 1 h 30 et 1 h 45 à Mitre Square. Quelques minutes avant la découverte du corps, un policier a vu un homme sortir d'une allée menant à cette place, mais ne l'a pas arrêté. Le tueur a utilisé un morceau du tablier de la victime pour s'essuyer les mains, et au-dessus de l'endroit où il a jeté le bout de tissu, il a gribouillé le message suivant sur le mur : « Les juifs ne seront pas accusés pour rien ». La police supprime le message, espérant éviter une escalade dans la vague d'antisémitisme qui balaie déjà la région.

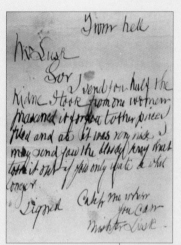

DE L'ENFER
Lettre envoyée
le 15 octobre 1888
par quelqu'un qui prétend
être Jack l'Éventreur.

Quelques jours plus tard, une carte postale « Jack le sanglant » arrive, écrite de la même main que la lettre précédente et décrivant les derniers meurtres comme le « double événement ». L'homme qui a organisé un groupe d'autodéfense à Whitehall reçoit une autre lettre. Il s'agit de la lettre « De l'enfer » qui contient la moitié d'un rein humain. L'auteur de la lettre précise qu'il s'agit de celui de Catherine Eddowes et qu'il a mangé l'autre moitié. Il ne se produit rien d'autre jusqu'à la nuit du vendredi 9 novembre, lorsque le corps mutilé de Mary Jane Kelly est découvert dans sa chambre par son propriétaire. Elle sera la dernière victime connue de l'Éventreur. Un homme a été vu plus tôt dans la soirée, accompagnant Mary Jane Kelly vers la maison où elle vit, et dans un endroit où il est persuadé de ne pas être dérangé, le tueur a apparemment pris son temps. Après ce meurtre, il y a un silence assourdissant — plus de meurtres, plus de lettres, et pour la police et les générations successives de détectives amateurs, aucune preuve concluante n'indiquant l'identité du tueur. C'est comme s'il avait disparu de la surface de la terre.

DES SUSPECTS Au fil des ans, plus de 100 personnes ont été identifiées comme étant Jack l'Éventreur, la plus célèbre d'entre elles étant le prince Albert Victor, duc de Clarence. Il est le petit-fils de la reine Victoria et second dans la ligne de succession à la couronne après son père, le futur roi Édouard VII. Il meurt en 1892 de l'épidémie de grippe qui balaie alors la Grande-Bretagne. Des rumeurs sur le prince circulent de son vivant, concernant sa possible implication dans un scandale de mœurs lié à un bordel homosexuel, et ne le reliant pas à Jack l'Éventreur. Cette accusation n'a été émise que dans les années 1960 et a été employée dans des livres et des films à de nombreuses reprises depuis, et bien que le prince ait un alibi en béton armé. Fin septembre 1888, lorsque le double assassinat a lieu, il participe à une chasse royale à Balmoral, en Écosse, à plus de 650 km de la scène du crime. Les tentatives visant à impliquer le médecin royal Sir William Gull et l'artiste Walter Sickert, les désignant chacun comme étant le tueur ou comme étant impliqué dans un complot visant à dissimuler l'identité du véritable assassin, ont rencontré peu de succès, même si Sickert semble avoir eu un intérêt malsain dans cette affaire.

L'enquête de police sur les meurtres s'est concentrée à l'époque sur les suspects qui avaient une bonne connaissance de Whitechapel, ce qui semblait être le cas de l'Éventreur pour qu'il ait pu échapper à la police. Les documents établis en 1894 par Sir Melville Macnaghten, le chef de la police métropolitaine, seront mis au jour en 1959. Ils désignent trois hommes que la police a considérés comme les principaux suspects. Le premier sur la liste, selon Macnaghten, est Montague Druitt, un avocat et professeur dont le corps est retrouvé dans la Tamise en décembre 1888 après s'être apparemment suicidé. Aucune preuve directe ne permet de relier Druitt aux crimes, à l'exception du fait qu'il est mort à peu près en même temps que les meurtres ont cessé et qu'il vivait à Blackheath, pas très loin de l'East End. Le deuxième suspect est Aaron Kosminski, un Juif polonais vivant à Whitechapel à l'époque des meurtres. Il sera interné dans un asile d'aliénés en 1891, où il semble avoir été considéré comme n'étant pas dangereux. Il existe encore moins d'indices reliant le troisième suspect, Michael Ostrog, aux crimes, et les recherches ultérieures l'ont de toute façon localisé en France à l'époque des crimes. Si, après six années d'enquête, ces trois hommes sont considérés comme les principaux suspects, c'est la preuve que la police n'a vraiment pas de meilleure idée sur l'identité du coupable. Comme l'homme l'a fait lui-même à l'époque, la véritable identité de l'Éventreur continue de se tapir dans l'ombre.

LE MYSTÈRE RESTE ENTIER

LE PRIEURÉ DE SION

Années 1890

Mystère : le Prieuré de Sion a-t-il vraiment existé ?

Protagonistes : François Bérenger Saunière, Pierre Plantard, les auteurs de *L'énigme sacrée*, et Dan Brown

Dénouement : aussi vrai qu'une fausse Rolex

On ne peut qu'être stupéfait par les propres souvenirs de Lincoln [l'un des auteurs de « L'énigme sacrée »]… sur la façon dont lui et ses collègues ont pensé à l'histoire de la lignée mérovingienne sacrée. Lors d'une discussion, l'un d'eux a fait remarquer qu'ils tenaient du « gros poisson » avec les Mérovingiens. […] Mérovingiens, poisson. Poisson, premier symbole chrétien. Premier symbole chrétien, Jésus. Jésus, les enfants de Jésus. Par conséquent Mérovingiens, enfants de Jésus.

David Aaronovitch, *Voodoo Histories (Histoires vaudou : le rôle des théories du complot dans l'histoire moderne)*

Le minuscule village perché de Rennes-le-Château, dans le Languedoc, est le lieu improbable pour de nombreux mystères et thèses de complot. Sans la foule de touristes attirés par l'endroit par le récit de ces mystères, et de récentes élaborations à leur sujet, le village serait sans aucun doute resté dans l'obscurité rurale dont il a joui une grande partie de son histoire. La source originelle de tout ce remue-ménage remonte à la fin du XIXᵉ siècle. Les gens commencent à se poser des questions sur le prêtre catholique du village, Bérenger Saunière, et en particulier, sur la manière dont il a pu payer les travaux de rénovation de son église, ainsi que d'autres travaux de construction qu'il a entrepris dans le village, compte tenu du modeste salaire commandé par sa position.

Mis à part quelques potins locaux, beaucoup pensent qu'il ne s'agit pas là d'un fait bien important. En réalité, c'est dans les années 1950 et 1960 que tout commence vraiment. Pierre Plantard, un dessinateur parisien, tombe sur cette vieille histoire de la prétendue richesse de Bérenger Saunière, comme le lui raconte Noël Corbu, un hôtelier de Rennes-le-Château qui a hérité de la succession du prêtre. Apparemment insatisfait par l'histoire telle qu'elle est, il décide de la rendre plus intéressante. Selon sa nouvelle version des événements, Saunière aurait trouvé d'anciens parchemins dans un pilier creux de son église, qui l'auraient mené à un trésor secret, à l'origine de sa supposée grande richesse, lançant ainsi une histoire qui est toujours d'actualité.

Les parchemins, selon Plantard, font aussi référence à une société secrète, le Prieuré de Sion, qui était consacrée au maintien de la lignée des rois francs mérovingiens du Vᵉ au VIIᵉ siècle. Les trois auteurs de *L'énigme sacrée*, Michael Baigent, Richard Leigh et Henry Lincoln, reprennent le fil de cette histoire et la tricotent avec d'autres mystères afin de parvenir à une thèse toute-puissante qui, au moins selon les auteurs, ébranlerait les fondements de la foi chrétienne. Il me faudrait une journée complète si je devais passer en revue les méandres de cette thèse dans son intégralité, mais en un mot, il explique que les membres du Prieuré de Sion sont les gardiens du secret de la lignée ancestrale de Jésus-Christ et que, contrairement à ce qui est écrit dans la Bible, il a épousé Marie-Madeleine avec qui il a eu des enfants. Après la crucifixion, Marie-Madeleine aurait emmené sa famille en France, où environ 400 ans plus tard, leurs descendants allaient engendrer la dynastie mérovingienne.

LE PRIEURÉ

GRAND MAÎTRE?
On a prétendu que Sir Isaac Newton aurait été l'un des grands maîtres du Prieuré de Sion.

Après l'assassinat du roi mérovingien Dagobert II en 679, son fils (du moins selon cette thèse) est conduit en secret à Rennes-le-Château, perpétuant ainsi la descendance de Jésus en donnant naissance à la dynastie de la Maison de Lorraine. Au cours de la première croisade (1096-1099), Godefroy de Bouillon, de la Maison de Lorraine, devient roi de Jérusalem et fonde un prieuré sur le mont Sion. Le secret de la lignée est transmis de génération en génération par les membres du prieuré, sous la direction d'un grand maître, jusqu'à ce qu'elle atteigne Pierre Plantard. Les documents originaux trouvés par Saunière, maintenant appelés *Les dossiers Secrets*, réapparaissent à la Bibliothèque nationale à Paris et comprennent une liste des anciens grands maîtres, une sorte de *Who's who?* des puissants à travers les âges, y compris des génies tels que Léonard de Vinci, Isaac Newton et Victor Hugo. Pour finir, le faux document révèle que Plantard est le descendant direct de Dagobert II, ce qui fait de lui l'héritier de la lignée de Jésus.

Le fait que Plantard, la première personne à avoir diffusé cette histoire, est celui qui a tout à gagner en la racontant, aurait dû rendre les gens assez sceptiques sur l'épisode complet, et ce dès le début. En France du moins, c'est exactement ce qui s'est passé. Plusieurs écrivains et journalistes français ont effectué quelques recherches et ont rapidement montré qu'il s'agissait d'un canular énorme, concocté par Plantard et deux de ses compagnons. Le pilier creux de l'église de Saunière s'est avéré être solide, les documents étaient des faux récents, et le prêtre accusé d'avoir fait fortune, faisait du trafic de messes — une pratique qui aurait causé le déplaisir de l'Église qui l'aurait privé en 1910 de ses fonctions sacerdotales à Rennes-le-Château. Le Prieuré de Sion, le principe central de toute la thèse, voit le jour en 1956, fondé par Pierre Plantard lui-même. Tout ce qui émane de lui, de la lignée du Christ à l'implication de Léonard de Vinci, est de la poudre aux yeux. Pour être juste envers Plantard, il n'a jamais réellement affirmé être apparenté à Jésus, et l'a nié lors de la publication de *L'énigme sacrée*, mais il a truffé son canular de nombreux indices — afin qu'ils pointent vers la conclusion. On ne peut pas non plus le décharger de toutes fautes.

Au moment où *L'énigme sacrée* est publiée en 1982, tous les détails de la supercherie sont révélés en France. Néanmoins, les auteurs restent sur leurs conclusions et le livre devient un best-seller. Cet épisode aurait pu tomber aux oubliettes, si le roman de Dan Brown en 2003, *Da Vinci Code*, dans lequel un universitaire américain découvre le secret du Prieuré de Sion, ne s'était pas vendu à plus de 40 millions d'exemplaires à travers le monde et n'avait pas donné naissance à un film avec Tom Hanks.

Quelques mois avant la sortie du film, Michael Baigent et Richard Leigh portent plainte contre Dan Brown, l'accusant de plagiat. Henry Lincoln, qui a depuis longtemps reconnu avoir été dupé par le canular de Plantard, ne participe pas au procès. Désireux de soutenir la validité de leur thèse, Baigent et Leigh causeront leur propre chute. Si les informations présentées dans *L'énigme sacrée* sont vraies, s'il s'agit de faits historiques, rien ne peut alors empêcher qui que ce soit d'écrire un roman basé sur la même matière dans la mesure où l'auteur ne cite pas directement de grandes parties de l'ouvrage original. Il n'est pas surprenant que Dan Brown ait remporté le procès. Dans toute l'histoire, le livre et le film *Da Vinci Code* ont tous les deux bénéficié d'une énorme publicité grâce au procès dont on a parlé dans le monde entier. Les images télévisées ont montré Dan Brown et sa femme — qui a fait la plupart des recherches pour le roman —tout sourire à la sortie du tribunal, le juge ayant tranché en leur faveur. Non seulement ils ont obtenu gain de cause, mais les ventes de *Da Vinci Code* ont explosé. Qui pourrait les blâmer de rire sur le chemin de la banque ?

RENDEZ-VOUS AU TRIBUNAL

MYSTÈRE

Événement inexpliqué

Raison inconnue

Réalité ou fiction ?

Vérité ou mensonge ?

Personne disparue

Personne inconnue

Crime non élucidé

LES PROTOCOLES DES SAGES DE SION
1903

Mystère : pourquoi a-t-on cru que *Les protocoles des sages de Sion* étaient vrais ?

Protagonistes : les antisémites du monde entier

Dénouement : une contrefaçon évidente, concoctée à des fins malveillantes.

Dans les articles suivants, notre correspondant à Constantinople présente pour la première fois une preuve concluante que le document est pour l'essentiel un plagiat maladroit. Il nous a fait parvenir une copie du livre français à partir duquel a été fait le plagiat. Le British Museum possède une copie complète de l'ouvrage, qui est intitulé « Dialogue aux Enfers entre Machiavel et Montesquieu, ou la politique de Machiavel au XIXe siècle. Par un contemporain », et qui a été publié à Bruxelles en 1865. Peu de temps après sa publication, l'auteur, Maurice Joly, un avocat et journaliste parisien, a été arrêté par la police de Napoléon III et condamné à 18 mois d'emprisonnement.

**Extrait d'un éditorial du *Times* du 16 août 1921,
revenant sur l'erreur qu'il avait commise un an plus tôt,
et intitulé *La fin des Protocoles***

Certains canulars, comme le Prieuré de Sion au chapitre précédent, sont un peu plus qu'une bonne blague. Certaines personnes peuvent être trompées, mais au final, il n'y a pas de dommages durables, en dehors de la réputation de certains qui ont pris les choses trop au sérieux et ont été ridiculisées. Il existe un autre type de canular perpétré pour des raisons bien plus sinistres et dangereuses. *Les protocoles des sages de Sion* se situent très nettement dans la seconde de ces catégories : ils ont été inventés dans le but exprès d'attiser les feux de l'antisémitisme, d'abord en Russie vers la fin du XIXᵉ siècle, puis, *Les Protocoles* ayant été traduits dans de nombreuses langues au XXᵉ siècle, à travers l'Europe et l'Amérique.

L'influence pernicieuse des protocoles, en particulier au lendemain de la Première Guerre mondiale, est difficile à estimer. Pour l'historien britannique Norman Cohn, ils sont un « chèque en blanc pour le génocide », reliant les protocoles en particulier à l'antisémitisme dans l'Allemagne nazie et les horreurs ultérieures de l'Holocauste. Il est difficile d'évaluer dans quelle mesure les protocoles, utilisés par les antisémites comme une justification, ont entraîné l'antisémitisme, mais, quel que soit le rôle qu'ils ont joué dans l'inspiration du pire cas de génocide dans l'histoire de l'humanité, il demeure important de les reconnaître pour ce qu'ils sont vraiment.

LES PROTOCOLES

Les protocoles sont censés avoir été écrits après une réunion de notables juifs, les sages de Sion, organisée en Suisse vers la fin du XIXᵉ siècle. En 24 chapitres, ou protocoles, le document énonce un plan machiavélique mis au point par les Juifs pour dominer le monde par des mesures telles que la prise de contrôle du système financier mondial et de la presse et en dénigrant la morale de la civilisation occidentale. Ces accusations n'avaient rien de nouveau en soi, sauf qu'ici, le document est censé apporter la preuve d'une conspiration juive généralisée et organisée qui avait apparemment imprégné toute la société européenne et était responsable d'à peu près tous les maux de la Terre. Le document est publié en Russie en 1903 ; au cours des 15 années suivantes, il est traduit dans de nombreuses langues, diffusant son message empoisonné en Europe et en Amérique.

En Russie, les protocoles sont utilisés par les antisémites pour expliquer l'échec de la guerre désastreuse avec le Japon (1904-1905) ainsi que la révolution de 1905 qui en résulte, et durant laquelle l'agitation sociale est telle qu'elle dégénère en manifestations et grèves massives. Il se produit à peu près la même chose en Allemagne au lendemain de la défaite de la Première Guerre mondiale. Son déclenchement avait été attribué par certains à une conspiration de banquiers juifs. L'un de ces antisémites est un ancien caporal ayant servi l'armée allemande pendant la Première Guerre mondiale. Son nom : Adolf Hitler. En prison après l'échec du putsch de Munich en 1923, Hitler rédige un manifeste de la haine, *Mein Kampf*, dont certains passages affirment que *Les protocoles* disent la vérité au sujet de la menace que représentent les Juifs pour le monde. Le livre dévoile l'ensemble son projet, alimenté par la haine des Juifs. Il se sert des protocoles pour confirmer la validité de son point de vue.

LE MENSONGE DÉVOILÉ

Des éditions de langue anglaise des *Protocoles* commencent également à être publiées après la Première Guerre mondiale et sont largement diffusées et lues. En Amérique, l'industriel et constructeur automobile Henry Ford parraine la publication d'une édition de 500 000 exemplaires, ce qui, en plus des nombreux articles antisémites publiés dans son journal, *The Dearborn Independent*, fait beaucoup pour attiser l'hystérie antisémite dans le pays. En Grande-Bretagne, la réaction de la presse est d'abord positive, voyant dans les protocoles une sorte d'explication de la catastrophe de la guerre. Pourtant, à partir de 1921, le *Times* commence à publier une série d'articles qui dévoilent que *Les Protocoles* sont des faux, qui plus est assez grossiers. Le ton de la couverture médiatique se transforme rapidement et la presse exprime son indignation d'avoir été si facilement dupée.

Philip Graves, journaliste au *Times*, affirme que les auteurs des *Protocoles* ont largement plagié un obscur roman français écrit par Maurice Joly et publié en 1865, *Dialogue aux enfers entre Machiavel et Montesquieu*. Philip Graves démontre qu'il est absurde d'affirmer que les protocoles sont le compte-rendu d'une réunion qui se serait déroulée plus de trente ans après la rédaction de ce roman, qui est un pamphlet satirique décrivant un plan fictif de conquête du monde par Napoléon III, et n'a rien à voir avec les Juifs. Une comparaison entre le roman de Maurice Joly et les protocoles montre que de longs passages ont été recopiés quasiment mot à mot, ce qui, selon Norman

Cohn, représente environ les 2/5ᵉ du document final.

Des enquêtes distinctes ont permis de découvrir d'autres exemples de plagiat, dont un roman antisémite allemand intitulé *Biarritz* et publié en 1868 par Hermann Goedsche, sous le pseudonyme de Sir John Retcliffe. On retrouve une trace écrite qui, à partir de l'éditeur russe qui a publié les protocoles, mène à l'*Okhrana*, la police secrète de la Russie tsariste, et plus particulièrement à Piotr Rachkovski, qui dirigeait à l'époque le bureau parisien. Rachkovski n'a probablement pas écrit les protocoles lui-même, mais a vraisemblablement confié la tâche à l'un de ses agents, Matveï Golovinski, dont on sait qu'il a écrit d'autres documents pour Rachkosvki et qu'il a été membre d'une organisation antisémite.

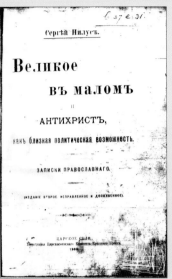

TRACT ANTISÉMITE
Page de titre des *Protocoles des Sages de Sion*, publié pour la première fois en Russie en 1903.

La démolition de tous les arguments des *Protocoles* a forcé de nombreux défenseurs du document à réévaluer leurs points de vue. En 1927, Henry Ford a même dû s'excuser pour son rôle dans la diffusion du texte, même s'il a continué à tenir par la suite des propos antisémites et deviendra un admirateur d'Adolf Hitler jusqu'à ce que l'on découvre l'horreur de l'Holocauste. Malgré les preuves accablantes démontrant que les *Protocoles* sont des faux, les antisémites ont continué de les citer comme la preuve que les Juifs tentent de conquérir le monde. Certains théoriciens du complot le font encore aujourd'hui, affirmant que les tentatives pour discréditer le document ne sont qu'un autre volet de la stratégie. Comment peut-on encore tenir de tels propos, à la lumière des terribles événements du XXᵉ siècle ? Il s'agit d'un mystère en soi. Il semble que la bêtise n'a toujours pas de limites.

MYSTÈRE

Événement inexpliqué

Raison inconnue

Réalité ou fiction ?

Vérité ou mensonge ?

Personne disparue

Personne inconnue

Crime non élucidé

BUTCH CASSIDY ET SUNDANCE KID

vers 1908

Mystère : Butch Cassidy et Sundance Kid sont-ils vraiment morts dans une fusillade en Bolivie ?

Protagonistes : Butch, Sundance et la mythologie du Far West

Dénouement : ils sont morts tous les deux en Bolivie, ou pas.

Butch

[en train de préparer ses pistolets]

Kid, la prochaine fois que je dis, allons dans un endroit comme la Bolivie, allons dans un endroit comme la Bolivie.

William Goldman, *Butch Cassidy et le Kid*

Dans les scènes finales du film *Butch Cassidy et le Kid*, les deux héros blessés sont retranchés dans un bâtiment d'une petite ville de Bolivie. Ils décident de faire courir leurs chevaux, ne sachant pas qu'un détachement de l'armée bolivienne est arrivé en ville et que leur planque est complètement encerclée. Les deux hommes sortent de leur cachette, six revolvers en main, et l'image se fige au moment précis où l'armée lance une salve de feu. L'image change alors peu à peu, passant de la couleur à une teinte sépia en noir et blanc, comme si elle consignait ces deux hors-la-loi dans l'histoire, faisant d'eux des personnages mythologiques du Far West, une période qui, si elle a réellement existé, avait depuis longtemps disparu lorsqu'ils ont livré leur dernière bataille.

Le film est une version hollywoodienne des événements et son succès doit beaucoup à l'esprit et au charme du film de William Goldman, récompensé par l'oscar du meilleur scénario, et à la performance de Paul Newman et Robert Redford, qui incarnent Butch Cassidy et Sundance Kid en sympathiques fripouilles, et non en proscrits désespérés. Les scènes finales sont inspirées d'un incident qui s'est produit dans la ville bolivienne de San Vicente, le 6 novembre 1908. Deux Américains que l'on a identifiés en ville comme étant les bandits qui ont dérobé la paie des ouvriers d'une mine d'argent, sont encerclés par une poignée de soldats et d'habitants de la ville. Dans la fusillade qui suit, un des soldats est tué et, après un affrontement qui dure jusqu'au lendemain matin, le siège prend fin lorsque l'un des bandits abat l'autre avant de retourner son arme contre lui. Les deux hommes ne peuvent pas être identifiés et sont enterrés dans des tombes anonymes au cimetière de San Vicente.

On a supposé à l'époque que les deux bandits étaient Butch Cassidy et Sundance Kid, alias Robert Leroy Parker et Harry Longabaugh, mais les corps n'ont pas été identifiés avant d'être enterrés et, comme ils n'étaient pas les seuls hors-la-loi américains en Bolivie à l'époque, il est impossible d'être certain s'il s'agit vraiment d'eux. Plusieurs tentatives ont été effectuées pour localiser les tombes dans le cimetière, au début des années 1990, afin de pouvoir faire des tests ADN et les comparer à leurs descendants vivants. Pour l'instant, les restes n'ayant pas été retrouvés, on ne peut pas clore le mystère de manière définitive et l'on ignore si

© Getty Images

L'HISTOIRE VUE PAR HOLLYWOOD
Paul Newman et Robert Redford sont les héros du film *Butch Cassidy et le Kid*.

Butch Cassidy et Sundance Kid sont vraiment les deux Américains qui ont été tués ce jour-là. Certains récits voudraient nous faire croire que ce n'était pas eux et, loin d'être morts en Bolivie, ils seraient retournés aux États-Unis vivre dans l'anonymat.

LES PREMIÈRES ANNÉES

Butch Cassidy et Sundance Kid tombent dans la délinquance au début des années 1880, alors qu'ils sont encore adolescents. Ils travaillent principalement dans des ranchs au Wyoming et au Montana, sans enfreindre la loi. Cassidy a grandi dans la ferme familiale près de Circleville, dans l'Utah. Il choisit d'être surnommé Mike Cassidy, du nom de l'homme qui l'a initié au vol de bétail, avant d'acquérir le surnom de Butch durant une courte expérience en tant que boucher. Longabaugh, originaire de Pennsylvanie, est d'abord surnommé le Kid en raison de sa jeunesse. Sundance sera ajouté plus tard, après un séjour en prison dans la ville du Wyoming du même nom.

Ils se rencontrent au milieu des années 1890 et deviennent membres d'un gang de hors-la-loi connu sous le nom de « Wild Bunch », basé à Hole-in-the-Wall. Butch Cassidy et Sundance Kid se vantent tous les deux de ne pas recourir à la violence lors de leurs attaques, et il n'existe aucune preuve attestant qu'ils n'ont jamais tué personne, mais on ne peut pas en dire autant des autres membres du gang. Kid Curry, connu comme le plus sauvage de la bande, a tué au moins 11 personnes, dont 9 représentants de la loi. Butch est la tête pensante du gang parce que, comme le remarque Sundance à plusieurs reprises dans le film, c'est dans ce domaine qu'il est bon. Il planifie méticuleusement les attaques de banques et de train, part très longuement en reconnaissance des lieux et accorde une attention particulière aux possibilités de s'enfuir. Des chevaux rapides sont laissés à des endroits spécifiques le long du parcours de leur fuite, permettant à la bande de distancer ses poursuivants.

LE « WILD BUNCH »
Au fond, de gauche à droite :
Will Carver et Kid Curry.
Devant : Sundance, Ben
Kilpatrick, Butch.

© Bettmann | Corbis

Dans les mois d'hiver, la morte-saison pour le vol, les membres du gang reviennent à Hole-in-the-Wall, souvent accompagnés d'amies. Ethel Place, le plus souvent appelée Etta, vit plusieurs années avec Sundance et avec Butch, ils forment tous les trois un petit groupe soudé au sein du gang. À la fin du XIXe siècle, le nombre de vols effectués par le gang les rend célèbres, notamment avec l'attaque de l'Union Pacific Railroad. Ils sont poursuivis par les autorités ainsi que par l'agence de détectives Pinkerton, et plusieurs membres du gang sont soit arrêtés et envoyés en prison, soit tués. Butch veut négocier une amnistie pour lui et Sundance, en échange de leur promesse à tous les deux de ne plus commettre de vols si leurs précédents crimes sont oubliés.

En 1901, et après l'échec de leurs tentatives d'obtenir une amnistie, Butch Cassidy et Sundance Kid semblent s'être lassés de leur vie en cavale. Ils quittent l'Ouest avec Etta, se rendant d'abord à New York, où ils passent apparemment quelques semaines à faire un peu de tourisme, puis gagnent l'Argentine par bateau, voyageant sous le nom de M. et Mrs. Harry Place et James Ryan. Pendant les quatre années qui suivent, ils font un effort déterminé pour rester dans le droit chemin. Ils achètent un ranch près de la ville de Cholila dans les Andes de Patagonie et élèvent des bovins, des moutons et des chevaux. En 1905, les agents de Pinkerton les retrouvent et ils sont forcés de quitter leur ranch en toute hâte. Pour autant que nous le sachions, Etta retourne en Amérique, tandis que Butch Cassidy et Sundance Kid reprennent leurs activités criminelles en Argentine et en Bolivie.

Malgré de longues recherches par les agents de Pinkerton à l'époque et par de nombreuses autres personnes depuis, nous ne savons presque rien sur Etta. Personne n'a pu établir son identité, nous ne savons même pas son vrai nom, ni où elle est née, et en vérité, on ne sait rien d'elle si ce n'est qu'elle fréquentait Butch Cassidy et Sundance Kid. Dans le film, William Goldman reprend l'une des histoires les plus courantes sur elle, la décrivant comme une institutrice qui a quitté son mari pour Sundance. D'autres pensent qu'elle était une prostituée de San Antonio, au Texas, tandis que d'autres la présentent comme une institutrice qui a également travaillé dans un bordel. Le seul récit crédible que nous ayons d'elle après son retour d'Amérique du Sud aux États-Unis, date de 1909. Une femme répondant au signalement vient se renseigner sur la possibilité d'obtenir un certificat de décès de Sundance afin qu'elle puisse régler sa succession. Après cela, on n'entend plus jamais parler d'elle et aucune des innombrables histoires à son sujet (elle aurait tenu un bordel au Texas, ou aurait épousé un homme riche au Paraguay), ne constitue une preuve solide.

AMÉRIQUE DU SUD

On peut dire à peu près la même chose pour Butch Cassidy et Sundance Kid après leur mort supposée à San Vicente, qui, selon certains, leur aurait servi de couverture pour leur permettre de retourner aux États-Unis. L'un comme l'autre ont été signalés à de nombreuses reprises en Amérique après 1908, sans jamais en avoir la preuve absolue. On prétend que Sundance a vécu jusqu'en 1936 sous le nom de William Henry Long, un propriétaire d'un ranch de l'Utah qui racontait à ses petits-enfants des histoires sur ses aventures avec Butch Cassidy. Long n'a jamais prétendu être Sundance, mais, là encore, s'il vivait sous un faux nom, il n'aurait guère eu envie de le révéler. Il existe cependant des similitudes indéniables entre les photographies des deux personnages. Malheureusement pour ceux qui ont soutenu les dires de Long, les analyses de l'ADN réalisées en 2008 sur son corps exhumé ne correspondent pas avec l'ADN des descendants connus de Sundance.

Les récits sur Butch sont beaucoup plus nombreux qu'ils ne le sont pour Sundance, même si la plupart d'entre eux ont plus à voir avec l'imagination de leurs auteurs qu'avec une précision objective. L'histoire la plus crédible est celle que raconte Lula Parker Betenson, la sœur cadette de Butch, qui a continué à vivre à Circleville, dans l'Utah, jusqu'en 1980, où elle est morte à l'âge de 96 ans. À la fin de sa vie, elle a raconté que Butch est venu rendre visite à sa famille à Circleville en 1925, et alors qu'il est possible de douter de la mémoire d'une vieille dame, en vérité, il n'y a que peu de raisons de douter de sa parole. L'une des personnes avec qui elle a parlé de son frère est Bruce Chatwin, qui recueillait des histoires sur Butch Cassidy et Sundance Kid pour son livre *En Patagonie*, où il raconte ses voyages dans la région, et qui comprend un certain nombre de références aux deux hors-la-loi. Chatwin n'est pas toujours le témoin le plus fiable, mais il croit clairement ce que lui dit Lula Parker Betenson. Elle raconte avoir mangé de la tarte aux myrtilles avec Butch lors de sa visite en 1925 et a dit qu'elle pensait qu'il était mort d'une pneumonie à la fin des années 1930, époque à laquelle il vivait dans l'État de Washington. Des documents de la ville de Spokane, dans l'État de Washington, viennent corroborer cette thèse. On prétend que Butch a adopté le nom de William Philips et qu'il vivait en ville avec sa femme et leurs deux filles, où il dirigeait une entreprise de confection et où il est devenu membre de la loge maçonnique locale. Mais, comme c'est souvent le cas avec l'histoire de Butch Cassidy et Sundance Kid, il n'existe aucune

À LA FIN DE SA VIE, ELLE A RACONTÉ QUE BUTCH EST VENU RENDRE VISITE À SA FAMILLE À CIRCLEVILLE EN 1925.

preuve réelle pour étayer ces allégations. Elles ne sont peut-être que des vœux pieux ou tout simplement des mensonges.

Il existe cependant des indices circonstanciels à la thèse selon laquelle Butch Cassidy et Sundance Kid ne sont pas rentrés aux États-Unis et ont vraiment été tués lors d'une fusillade en Bolivie. Tous deux entretenaient des contacts réguliers, même s'ils n'étaient pas particulièrement fréquents, avec leurs familles respectives par courrier lorsqu'ils étaient en Amérique du Sud. Après la date de la mort de deux hors-la-loi américains à San Vicente, les familles n'ont plus jamais reçu aucune lettre d'eux. Bien sûr, si Butch Cassidy et Sundance Kid ont tenté de se servir de cet incident comme couverture pour rentrer aux États-Unis, et qu'ils soupçonnaient les agents Pinkerton d'enquêter sur le courrier que recevaient leurs familles, ils ont dû arrêter d'écrire des lettres, sinon les jeux étaient faits. Si tel était le cas, et qu'ils ont continué à mener une vie calme afin de ne pas attirer l'attention sur eux, alors ils l'ont fait avec beaucoup de succès. À ce jour et malgré toutes les recherches, nous ne savons toujours pas avec certitude ce qui s'est passé pour eux. Si leurs corps se trouvent vraiment dans des tombes anonymes en Bolivie, il est peut-être préférable de les laisser reposer en paix et de laisser les versions mythologiques de leur vie au Far West, comme celle que raconte le film, honorer leur mémoire.

L'ÉVÉNEMENT DE LA TOUNGOUSKA

30 juin 1908

Mystère : qu'est-ce qui a causé l'une des plus grandes explosions des temps modernes ?

Protagonistes : vaisseau spatial extraterrestre, astéroïdes et comètes

Dénouement : la réponse est toujours là, quelque part.

Nous étions trois dans la tente ; mon mari Ivan, moi, et le vieux Vassili, le fils d'Okhchen. Soudain, quelqu'un a donné un puissant coup d'épaule dans notre tente. J'ai eu peur, j'ai crié, j'ai réveillé Ivan, et nous avons commencé à ramper pour sortir du sac de couchage. Nous avons vu Vassili ramper aussi. Ivan et moi n'avions pas encore réussi à faire tout le chemin et à nous mettre debout, lorsque quelqu'un a de nouveau pousser notre tente très fort et nous sommes tombés par terre. Le vieux Vassili est tombé sur nous, comme si quelqu'un l'avait poussé. Tout autour, nous avons entendu un bruit, comme si quelqu'un frappait sur le toit de la tente. Soudain, tout est devenu très clair, comme si le soleil brillait sur nous, et un vent fort se mit à souffler. Puis quelqu'un a décoché un tir puissant, comme si la glace était en train de craquer sur la rivière en hiver, et un tourbillon surgit, s'empara du toit, le souleva et l'entraîna dieu sait où.

Témoignage d'Akulina Lyuchetkana, une femme Evenki interviewée en 1926.

Les faits bruts qui se sont déroulés juste après sept heures du matin le 30 juin 1908 dans la région reculée et peu peuplée de la Toungouska, dans le kraï de Krasnoïarsk en Sibérie centrale, sont assez simples. Une énorme explosion s'est produite, que l'on estime des centaines de fois plus puissante que l'explosion de la bombe atomique larguée sur Hiroshima à la fin de la Seconde Guerre mondiale. Les ondes de choc de l'explosion, rayonnant à partir du centre, ont couché 80 millions d'arbres sur une superficie d'environ 1 300 km² dans la taïga, constituée de forêts de conifères qui s'étendent sur des milliers de kilomètres à travers la Russie. L'explosion a projeté les gens au sol et a cassé les fenêtres à des centaines de kilomètres à la ronde. Les séquelles, des perturbations atmosphériques, ne sont pas sans rappeler les aurores boréales enregistrées ce jour-là à Londres.

ONDE DE CHOC
Le souffle de l'événement de la Toungouska aplatit les arbres sur une vaste zone de Sibérie.

En raison de l'histoire mouvementée de la Russie où les guerres et les révolutions se sont succédé au début du XXᵉ siècle, aucun scientifique n'a étudié l'explosion avant la fin des années 1920. À l'époque, une expédition de l'académie soviétique des sciences est envoyée dans la région. Même 20 ans après l'événement, les scientifiques découvrent des scènes de dévastation. Près de l'endroit où l'explosion a dû avoir lieu, ils trouvent des souches d'arbres calcinés encore debout, tandis que plus loin, des arbres ont été renversés sur une vaste zone qui s'étend à partir d'un point central. Ils n'ont rien trouvé qui pourrait expliquer ce qui a causé l'explosion. Il n'existe aucun signe d'un cratère provoqué par un impact, ni aucun débris auquel on aurait pu s'attendre si quelque chose s'était écrasé sur Terre. En fait, il n'y a rien du tout dans le voisinage de l'explosion qui pourrait expliquer ce qui s'était passé. Aujourd'hui, plus de 100 ans plus tard, nous n'en savons pas beaucoup plus sur l'événement qu'à l'époque. Il y a eu beaucoup de thèses, allant du bizarre au ridicule, mais pour l'instant, aucune preuve solide n'a été trouvée pour confirmer l'une d'elles.

Il existe des individus, comme c'est toujours le cas lors d'événements inexpliqués, qui non seulement ont une théorie pour expliquer ce qui est arrivé dans la Toungouska, mais qui connaissent aussi la réponse au mystère avec une certitude inébranlable à la limite du fanatisme religieux. Et si vous pensez qu'Erich von Däniken pourrait être l'un d'entre eux, vous avez raison. Apparemment, un vaisseau spatial extraterrestre a connu quelques difficultés au cours d'un vol au-dessus de la Sibérie, et a explosé. Afin de garder secrètes les visites extraterrestres de cette nature, le gouvernement russe a recueilli l'épave et l'a remisée dans un entrepôt de lieu inconnu, sans doute rangée à côté de toutes les autres soucoupes volantes qui ont heurté la planète au fil des années.

Selon une autre version, leur vaisseau n'a pas explosé et ne s'est pas s'écrasé, et les extraterrestres nous ont fait l'immense faveur de détruire un météore qui allait percuter la Terre, empêchant la destruction de l'humanité. Ainsi, plutôt que d'avoir peur que les extraterrestres envahissent notre planète ou la détruisent pour faire place à une voie de contournement de l'hyperespace, nous devrions les remercier de nous avoir sauvés, même si nous n'étions pas au courant à l'époque. Selon une hypothèse un peu moins fantastique, notre planète est entrée en collision avec un trou noir microscopique et, si l'auteur de ce livre avait été Stephen Hawking, il aurait très probablement été en mesure d'expliquer ce que cela est censé signifier. Malheureusement, il était occupé ailleurs et votre serviteur n'en a pas la moindre idée.

UN AUTRE TYPE D'EXPLICATION

Des témoignages recueillis dans les années 1920 parmi le peuple evenki, des éleveurs de rennes nomades de la région, racontent que les tentes, leurs animaux et eux-mêmes ont été projetés en l'air par l'onde de choc de l'explosion. Des récits de l'explosion elle-même ne sont nullement cohérents, mais la plupart évoquent une colonne de feu s'étirant vers le haut dans le ciel, suivie d'une explosion de chaleur intense et d'une onde de choc qui a renversé les observateurs. Certains ont raconté avoir vu une boule de feu dans le ciel juste avant l'explosion, ce qui laisse penser qu'elle a pu être causée par un corps céleste — un astéroïde ou une comète — qui a dû exploser dans l'atmosphère au lieu de frapper le sol, étant donné qu'aucun cratère d'impact n'a été trouvé. Le principal problème de cette thèse est que, même si un astéroïde ou une comète avait été vaporisé(e) dans l'atmosphère, les scientifiques auraient retrouvé des débris ou de la poussière au sol. Or jusqu'à présent, rien n'a été détecté. Durant les mois d'été, le sol de la taïga devient très humide dans la région de la Toungouska, formant des tourbières et des marécages lorsque les sols gelés fondent en surface. Il est donc possible que tous les débris aient simplement coulé. Néanmoins, l'incapacité des chercheurs à détecter quoi que ce soit reste un mystère.

Au cours de ces dernières années, des scientifiques italiens de l'université de Bologne ont émis l'hypothèse que le lac Cheko, situé à environ 8 km de l'épicentre de l'explosion, aurait été formé par l'impact d'un gros morceau de débris. Contrairement à d'autres lacs de la région, le lac Cheko est relativement profond et des études sismiques ont montré qu'il est de forme conique, conformément à ce que l'on attendrait d'un grand impact. D'autres scientifiques ont fait part de leurs doutes sur cette thèse, citant des anecdotes des Evenki, selon qui le lac existait avant l'événement de 1908, et soulignant aussi l'absence d'anneaux de déplacement du sol autour du lac, alors que l'on en trouve généralement après un gros impact. Les Italiens n'ont pas été dissuadés par ces critiques et sont actuellement engagés dans des recherches plus poussées dans le lac pour tenter de récupérer des preuves de matière du corps céleste.

Selon une théorie tout à fait différente, étant donné qu'aucun matériau extraterrestre n'a jamais été trouvé sur le site, l'explosion n'a alors peut-être pas été causée en premier lieu par un impact. L'hypothèse d'un « jaillissement de matière » a été développée à l'université de Bonn en Allemagne, suggérant que l'explosion a été causée par la libération soudaine de gaz naturel à haute pression à travers des points faibles dans la croûte terrestre. Si tel a été le cas, alors ces orifices par lesquels le gaz s'est échappé, devraient être détectables en raison de la présence caractéristique de quartz choqué, qui se forme par la pression extrême créée par des ondes de choc. Jusqu'à présent, on n'a découvert ni orifices, ni quartz choqué, ce qui place cette hypothèse au même niveau que la thèse de l'impact. La course est lancée entre les Italiens et les Allemands : lesquels découvriront la preuve de leurs théories respectives ? À moins, bien sûr, que quelqu'un retrouve un morceau de soucoupe volante en premier.

MYSTÈRE

Événement inexpliqué

Raison inconnue

Réalité ou fiction ?

Vérité ou mensonge ?

Personne disparue

Personne inconnue

Crime non élucidé

LE MONSTRE DU LOCH NESS

après 1934

Mystère : y a-t-il vraiment un monstre dans le loch Ness ?

Protagonistes : les monstres de toutes formes et de toutes tailles

Dénouement : oh, pour l'amour de Dieu !

La description la plus courante est celle d'une bosse, qui ressemblerait souvent à un bateau retourné à l'envers. On signale parfois de nombreuses éclaboussures ou des remous dans l'eau, parfois pas. Une longue protubérance, généralement décrite comme un cou, parfois comme une queue, est vue moins souvent que des bosses ou des sillages. Même lorsqu'on signale un cou, il est rare qu'une tête soit bien définie (bien que certains aient décrit des protubérances qui pourraient être des cornes ou des antennes ou des oreilles). La couleur est presque toujours appelée gris foncé ou brun ou noir. La texture de la surface n'est jamais décrite comme celle d'un poisson – c'est-à-dire avec des écailles – mais plutôt comme rugueuse ou bosselée ou verruqueuse, rappelant la peau d'un éléphant. Très souvent, les créatures sont décrites comme s'enfonçant dans l'eau en coulant à la verticale.

Henry H. Bauer, « L'affaire du monstre du loch Ness : les preuves scientifiques » dans le *Journal of Scientific Exploration* (*Journal de l'exploration scientifique*), vol. 16, n° 2 (2002)

La légende du monstre du loch Ness, qui remonte au VIe siècle, connaît un regain d'intérêt en 1933. Cette année-là, une route est construite en bordure du loch. La vue sur le loch n'était pas très bonne avant que cette route ne permette un accès facile. Dès son ouverture, on entend une incroyable quantité de récits relatant des événements étranges survenus dans l'eau. Cela ne veut pas dire qu'on ne voyait rien auparavant, la présence d'un monstre dans le loch Ness ayant été pour la première fois observée en 565. Selon une hagiographie de la vie de saint Columba, le moine irlandais qui a christianisé les tribus pictes de l'Écosse, le religieux aurait assisté à l'enterrement d'un homme qui aurait été tué par le monstre. Ce récit est non seulement le plus ancien, mais il est aussi le seul à évoquer un tel comportement du monstre. Les récits contemporains évoquent presque toujours de brèves apparitions dans la pénombre, et sont parfois accompagnés de photos granuleuses laissant entrevoir une forme étrange qui sort de l'eau. Le monstre moderne n'est plus la bête redoutable de saint Columba, mais au contraire une créature farouche et réservée, qui préfère apparemment se tenir à l'écart des médias.

Le loch Ness est le plus grand d'une série de lacs situés dans le Great Glen, une faille géologique s'étendant sur une centaine de kilomètres à travers les Highlands écossais, à partir d'Inverness sur la mer du Nord, jusqu'à Fort William à la pointe du Loch Linnhe, un loch marin qui se jette dans l'océan Atlantique. Le loch Ness est le deuxième plus grand lac d'eau douce de Grande-Bretagne, après le loch Lomond, et le plus profond, sa profondeur maximale atteignant 258 m. L'eau de pluie s'écoule vers le lac à partir des Highlands en traversant les tourbières environnantes, ce qui colore l'eau d'une teinte brun foncé, comme si l'on y avait plongé un sachet de thé géant. La visibilité dans l'eau est donc très faible, et la vie aquatique est assez pauvre car la lumière du soleil n'y pénètre pas très profondément.

L'opacité de l'eau explique pourquoi les observations évoquent presque toutes un monstre à la surface du lac. Certaines de ces observations suscitent un vif intérêt médiatique, à commencer par l'une des premières photographies, qui est encore la plus célèbre, prise en 1934

© Jakich | Dreamstime.com

LE LOCH NESS
Une vue du loch sans un seul monstre en vue, les bosses au premier plan n'étant que des pierres.

© Getty Images

LE CANULAR
Soit les ondulations
à la surface de l'eau
sont très grandes, soit
le monstre est tout petit.

par le Dr Robert Wilson. Surnommée la photo du chirurgien — son auteur a refusé d'être associé publiquement à elle — elle montre ce qui semble être la tête et le cou d'une sorte d'animal qui jaillit hors de l'eau (*ci-contre à gauche*). Bien que diverses thèses aient été avancées pour expliquer ce que cela pourrait être, on a finalement révélé qu'il s'agissait d'un canular. Quarante ans après sa publication, Christian Spurling avoue avoir monté un canular, expliquant qu'il avait fabriqué la tête et le cou lui-même et les avait collés sur un sous-marin jouet. Un examen des ondulations de l'eau formées autour de l'objet tend à étayer cette description. Elles indiquent en effet que l'objet ne mesure que quelques centimètres de long et qu'il est probablement remorqué au bout d'une ligne.

L'affaire connaît un intérêt renouvelé dans les années 1970 après la diffusion de photographies prises à partir d'un véhicule submersible et montrant les ailettes d'un grand animal aquatique. On a prétendu qu'il s'agissait d'un plésiosaure, un dinosaure que l'on pensait éteint depuis 65 millions d'années, au moment de l'extinction Crétacé-Tertiaire. Les tentatives pour expliquer comment un dinosaure aurait survécu à travers les âges glaciaires n'ont pas été très convaincantes. Le loch Ness, dans sa forme actuelle, n'est apparu qu'après le retrait des glaciers à la fin de la dernière ère glaciaire, il y a environ 10 000 ans. Auparavant, il était gelé et recouvert d'une épaisse couche de glace. Il ne constituait donc pas un habitat idéal pour un animal à sang froid comme le plésiosaure. En général, l'idée que le loch Ness puisse abriter des monstres n'est pas vraiment recevable d'un point de vue écologique. La vie aquatique étant relativement faible dans le loch, celui-ci ne pourrait donc pas accueillir un nombre suffisant de grands prédateurs pour former une population reproductrice viable. Donc, si un monstre avait vraiment existé, ses chances de survie auraient été quasiment nulles.

Une multitude d'autres possibilités ont été avancées pour expliquer les observations relatées au fil des ans et, en vérité, la plupart d'entre elles n'ont pas été plus convaincantes que celle sur le plésiosaure. Parmi elles, la quille renversée d'un drakkar viking immergé, une baleine primitive, et une espèce inconnue de phoque à long cou. Le fait que la plupart des observations aient été faites au crépuscule pourrait signifier que « Nessie » est une créature nocturne. Ou que ceux qui ont vu un monstre dans le loch en rentrant chez eux, ont bu quelques pintes de trop au *pub*.

Au cours de ces dernières années, les observations sont devenues moins fréquentes, ce qui reflète peut-être le fait que les lois sur l'alcool au volant sont désormais plus strictement appliquées dans les Highlands qu'auparavant. Ou peut-être parce que les gens ne se rendent plus vraiment au loch pour voir « Nessie » (c'est ainsi que l'on surnomme le monstre du loch Ness). Nessie possède désormais son propre site, où vous pouvez prendre de ses nouvelles en lisant son blog. Si vous en éprouvez le besoin, vous pouvez même lui envoyer un e-mail.

UN CONTE FOLKLORIQUE MODERNE

Le naturaliste suédois Bengt Sjögren a développé une argumentation pleine d'érudition sur le sujet. Il met à jour un lien entre les histoires modernes sur le monstre du loch Ness et les légendes anciennes de la mythologie celtique évoquant le kelpie. Selon les contes folkloriques, les kelpies étaient des créatures surnaturelles qui possédaient des caractéristiques chevalines, aquatiques et humanoïdes à la fois. Ils attiraient des promeneurs peu méfiants, les invitant à une chevauchée aquatique, puis plongeaient dans les lochs profonds, disparaissant complètement sous l'eau. On ne revoyait jamais leurs cavaliers imprudents. Selon Sjögren, ces vieilles histoires se sont transformées, et adaptées à un public moderne. Les kelpies ont ainsi été remplacés par des créatures telles que les dinosaures, dont nous sommes désormais familiers grâce aux nombreux documentaires télévisés sur le sujet. Cette théorie est intéressante, mais on peut aussi émettre une hypothèse plus cynique : on aurait inventé des histoires sur le monstre du loch Ness afin de promouvoir l'industrie du tourisme. Pourtant, ceux qui ont déjà visité la région n'ont guère besoin d'être encouragés pour y revenir car il s'agit de l'une des plus belles régions des îles britanniques.

MYSTÈRE

Événement inexpliqué

Raison inconnue

Réalité ou fiction ?

Vérité ou mensonge ?

Personne disparue

Personne inconnue

Crime non élucidé

AMELIA EARHART

2 juillet 1937

Mystère : qu'est-il arrivé à Amelia Earhart ?

Protagonistes : Amelia Earhart et Fred Noonan

Dénouement : elle est toujours perdue quelque part dans le Pacifique.

7 h 42 : KHAQQ à Itasca. Nous devrions être au-dessus de vous, mais nous ne vous voyons pas… Le carburant commence à baisser. Impossible de vous joindre par radio. Nous volons à une altitude de 1 000 pieds.

7 h 58 : Nous faisons des tours mais on ne vous entend pas. Allez à 75 000, soit maintenant, soit sur l'heure prévue sur une demi-heure.

8 h 00 : KHAQQ à Itasca. Nous avons reçu vos signaux, mais incapable de comprendre un minimum. S'il vous plaît continuez à vous occuper de nous et répondez 3 105 avec la voix.

8 h 44 : Nous sommes sur la ligne 157-337. Répéterons ce message sur 6 210 kilohertz. Attendez, écoutez sur 6 210 kilohertz. Nous allons au nord et au sud.

Les 4 derniers messages radio d'Amelia Earhart reçus par la garde-côtière américaine de Cutter *Itasca*

L'île Howland est un minuscule bout de terre près de l'équateur, dans la région centrale de l'océan Pacifique, qui fait un peu plus de 1,5 km de long et moins de 800 m de large. L'île de corail a été inhabitée pendant une grande partie de son histoire, à l'exception de quelques années dans les années 1930 : le gouvernement américain y envoya des étudiants afin de maintenir ses revendications de souveraineté et pour y construire une piste d'atterrissage. L'île est ressortie de l'obscurité complète le 2 juillet 1937. Lors de sa tentative de faire un tour du monde en avion, Amelia Earhart choisit en effet cette destination pour faire escale dans le Pacifique. Avant leur arrêt prévu sur l'île, Amelia Earhart et Fred Noonan, son navigateur, ont déjà volé 32 000 km : ils ont traversé les États-Unis, ont mis le cap sur l'Amérique du Sud, puis ont traversé l'océan Atlantique vers l'Afrique puis vers l'Asie. Ils décollent de Lae sur la côte est de la Papouasie-Nouvelle-Guinée pour entamer la dernière partie de leur voyage en traversant le Pacifique.

© Underwood & Underwood | Corbis

AMELIA EARHART
La photo d'Amelia qui figure sur sa licence de pilote. Elle est la 16e femme à obtenir la licence.

Pour atteindre l'île Howland, ils doivent voler 4 000 km au-dessus de l'eau et, après avoir établi le contact radio avec la garde-côtière Cutter Itasca, stationnée sur l'île, il est prévu qu'ils utilisent la direction donnée par la radio pour naviguer vers la piste d'atterrissage. Pour des raisons qui demeurent obscures, seuls des contacts intermittents ont pu être établis, ce qui est insuffisant pour permettre à Amelia Earhart et Fred Noonan de se diriger vers la piste d'atterrissage. Ils ne sont jamais arrivés sur l'île. En dépit d'un effort de recherche massif, aucune trace de l'aéronef, ni de son pilote et de son navigateur, n'a jamais été retrouvée.

AMELIA

Au cours des dix années précédant sa disparition, Amelia devient une célébrité internationale. Ses exploits aériens font la une des journaux du monde entier depuis 1928, tandis qu'elle devient la première femme à traverser l'Atlantique en avion. Même si elle n'est pas elle-même aux commandes, qualifiant elle-même son rôle dans ce vol de « sac de pommes de terre », elle reçoit un accueil triomphal à son retour aux États-Unis. Elle se lance ensuite dans une série de défis aéronautiques où elle pilote elle-même. C'est ainsi qu'elle devient en 1932 la première femme à traverser l'Atlantique en solitaire. À l'époque, elle épouse

George P. Putnam, l'homme qui a financé son premier record. C'est un publicitaire très compétent qui, lorsqu'Amelia n'est pas en train d'essayer d'établir de nouveaux records, organise des séries de conférences et publie des livres sur elle. Son charme enfantin et son air sympathique lui valent toutes les attentions de la presse. Même si les femmes aviatrices sont nombreuses à l'époque, certaines étant même sans doute meilleures qu'elle, la presse surnomme Amelia Earhart « la reine des airs ».

La famille d'Amelia, modérément riche, peut, dans un premier temps, financer ses ambitions aériennes. Comme beaucoup d'autres personnes à l'époque, elle perd une grande partie de son argent lors du krach boursier de 1929 et durant la Grande Dépression qui suit au début des années 1930. Dès lors, elle doit trouver elle-même de l'argent pour

L'ELECTRA
Amelia en 1937, devant le Lockheed Electra à bord duquel elle volait quand elle a disparu.

financer ses exploits, ce qu'elle fait avec l'aide de Putnam. En plus de l'écriture de livres et des conférences, elle crée sa propre école de pilotage et lance plusieurs produits commerciaux, notamment sa propre ligne de vêtements et bagages. En parallèle, elle continue de battre des records d'aviation. En 1935, elle est la première personne à voler en solitaire de Honolulu, à Hawaï, jusqu'à Oakland, en Californie. Ce vol pionnier est suivi de deux autres la même année — sans escale entre Los Angeles et Mexico, puis de Mexico à New York.

D'autres records aériens étant régulièrement établis par d'autres pilotes, Amelia cherche perpétuellement à rester en lice en enchaînant les exploits. Après ses vols en solitaire en 1935, elle est chargée de cours au département d'aéronautique à l'université de Purdue dans l'Indiana. La faculté accepte de financer sa prochaine expédition, de lui acheter un nouvel avion, un bimoteur Lockheed Electra. Il coûte 50 000 dollars et il faut 30 000 dollars de plus afin de le configurer comme le souhaite Amelia, qui projette de faire le tour du monde par une route équatoriale qui n'a jamais été tentée auparavant.

Le 17 mars 1937, Amelia décolle d'Oakland, en Californie, pour tenter d'effectuer un tour du monde par l'ouest. Si elle y parvient, cela ne serait pas le premier tour du monde, mais le plus long — 29 000 milles, en suivant une route équatoriale. À bord de son Lockheed se trouvent Frederick Noonan, son navigateur et ancien pilote de la *Pan American*, le copilote Harry Manning et Paul Mantz, qui intervient en tant que conseiller technique. Ce dernier a décidé de ne les accompagner que jusqu'à Honolulu, à Hawaï. La première étape vers Honolulu est fatigante, mais se déroule sans incident majeur. Après s'être reposé et ravitaillés à Honolulu, le trio s'apprête à redécoller de Pearl Harbor, en face d'Honolulu, où l'avion a dû subir un entretien. Cependant, au moment du décollage, l'Electra fait un tête à queue, provoquant la destruction du train d'atterrissage. Le carburant se répand partout, mais par miracle, ne prend pas feu et, à l'exception de quelques bosses et contusions, personne n'est blessé. Une tragédie vient d'être évitée. La cause exacte de l'accident ne peut être établie. On pense à un pneu éclaté, et Mantz, qui a souvent critiqué les compétences d'Amelia, cite une erreur de pilotage. Quelle que soit la cause, l'avion a subi d'importants dommages et Amelia doit renoncer à son tour du monde.

Après avoir fait réparer l'avion, et après avoir levé des fonds supplémentaires, Amelia se lance dans une seconde tentative le 1er juin, cette fois avec l'intention de voler dans l'autre sens, d'ouest en est, avec Noonan pour seul accompagnateur. Au bout d'un mois, ils ont quasiment bouclé leur tour du monde. Le voyage a été difficile, avec peu d'occasions de se reposer, mais ils arrivent en Nouvelle-Guinée le 29 juin sans avoir rencontré de problèmes majeurs, à l'exception de difficultés à utiliser l'équipement de radionavigation. Compte tenu de la distance qu'ils ont parcourue, ils doivent être impatients de s'attaquer à la dernière étape de leur traversée du Pacifique, même si elle s'avère la partie la plus difficile et la plus dangereuse du voyage. Ils décollent trois jours plus tard, l'Electra s'envole pesamment dans le ciel à cause de sa lourde charge de carburant, et se dirige vers l'île Howland.

On ne connaît toujours pas la raison pour laquelle ils se perdront. La réponse la plus évidente est qu'ils n'ont tout simplement pas réussi à trouver l'île et qu'ils ont manqué de carburant, ce qui a dû obliger Amelia à un amerrissage forcé sur l'océan. Or une telle manœuvre est très difficile, même dans des conditions parfaites, et après 20 heures de vol, Amelia devait être extrêmement fatiguée. Dans de telles circonstances, il n'est pas difficile d'imaginer l'avion s'écraser sur l'eau. Même si elle a réussi à se poser en toute sécurité, la probabilité de rester à flot pendant longtemps n'aurait pas été très élevée. Dans la vaste étendue de l'océan Pacifique, les chances d'être secouru sont faibles, d'autant plus lorsque les sauveteurs ne savent pas exactement où chercher.

L'ÎLE HOWLAND
Le minuscule point dans l'océan Pacifique qu'Amelia et Fred Noonan n'ont pas réussi à trouver.

On ne connaît pas la raison exacte pour laquelle ils se sont perdus. Le fait de n'avoir pas pu établir de contact radio suffisamment bon a probablement joué un rôle. Peut-être y a-t-il eu un problème avec l'émetteur de l'avion, ou bien le pilote et le navigateur n'étaient pas habitués à utiliser ce matériel. Certains ont émis l'hypothèse que l'antenne radio avait été endommagée lors du décollage, mais il n'est pas possible de le savoir avec certitude tant que l'avion n'a pas été retrouvé. Les chances de le faire sont minces étant donné la profondeur de l'eau dans cette partie du Pacifique.

Les messages radio reçus de l'avion par l'Itasca étaient suffisamment forts pour indiquer qu'il n'était pas loin. D'après le dernier message, Noonan avait établi une position, ce qui indique qu'il pensait qu'ils avaient volé assez loin à l'est pour avoir atteint Howland et qu'ils volaient maintenant du nord au sud, pour tenter de trouver l'île. Il s'est avéré par la suite que la position de Howland n'avait pas été correctement indiquée sur les cartes navales américaines en usage à l'époque — il y avait un écart de 5 miles nautiques (soit 9 km). L'Electra n'ayant pas réussi à se présenter à l'heure prévue, l'*Itasca* commence à émettre de la fumée noire, visible à des kilomètres alentour, donc, si l'avion avait été quelque part dans les environs de l'île, Amelia et Noonan auraient dû le voir.

Inutile de dire qu'en l'absence d'une réponse définitive, toutes sortes de théories ont été émises pour tenter d'expliquer cette disparition. À l'époque, certains ont pensé qu'Amelia et Noonan avaient pu retourner en arrière quand ils ont vu qu'ils n'arrivaient pas à trouver Howland. Des recherches intensives ont été lancées autour des îles au-dessus desquelles l'avion aurait pu passer et qui se trouvent sur le chemin de Howland. On n'a rien trouvé. De nouvelles recherches ont été régulièrement entreprises au fil des ans, en particulier sur l'île de Nikumaroo. On y a trouvé des signes de vie, ce qui indique que des gens sont restés sur l'île pendant une période et à peu près au bon moment, mais rien n'a pu explicitement être relié à Amelia Earhart ou Fred Noonan.

Selon une autre thèse, ils ont été capturés par les Japonais et maintenus prisonniers en tant qu'espions. Des témoignages de Saipan datant des années 1960, racontent que des témoins sur l'île ont vu deux Américains, un homme et une femme, gardés par des soldats japonais qui, selon certains rapports, ont emmené leurs prisonniers dans la forêt et les ont exécutés. On a alors raconté qu'Amelia Earhart et Fred Noonan avaient été engagés par le gouvernement américain pour espionner les positions japonaises dans le Pacifique — une idée qui a été largement discréditée. Un tour du monde aussi médiatisé dans de nombreux pays, dont le Japon, n'aurait guère été une bonne couverture pour des opérations secrètes d'espionnage.

En fin de compte, tout ce que nous pouvons dire, c'est que l'avion s'est perdu en mer. Même aujourd'hui, malgré toute la technologie disponible pour suivre les avions, il arrivera de temps en temps que l'un se perde ou dévie considérablement de son itinéraire, sans raison apparente. Dans les années 1920 et 30, lorsque Amelia volait, la technologie radio en était à ses débuts et le matériel dont elle disposait était nouveau et n'avait fait l'objet que de peu de tests. Cette pionnière de l'aviation a repoussé les limites de ce qui était possible. Elle a démontré que les femmes étaient tout aussi capables de piloter un avion que les hommes. Voler était à l'époque une entreprise dangereuse, et Amelia ne fut que l'une des nombreuses personnes qui ont perdu la vie en poursuivant leurs ambitions. Les pilotes comptaient sur leur instinct et sur la chance, autant que sur leurs compétences et leur expérience. Nous ne savons pas ce qui est arrivé à Amelia Earhart, et nous ne le saurons probablement jamais avec certitude. Tout ce qui est sûr, c'est que sur ce vol fatidique, sa chance a tourné.

CETTE PIONNIÈRE DE L'AVIATION A REPOUSSÉ LES LIMITES DE CE QUI ÉTAIT POSSIBLE.

MYSTÈRE

Événement inexpliqué

Raison inconnue

Réalité ou fiction ?

Vérité ou mensonge ?

Personne disparue

Personne inconnue

Crime non élucidé

L' AFFAIRE RUDOLF HESS

10 mai 1941

Mystère : que pensait obtenir Rudolf Hess en partant en Écosse au milieu de la Seconde Guerre mondiale ?

Protagonistes : Hess, Hitler, Albrecht Haushofers, le duc d'Hamilton et une veuve de Cambridge

Dénouement : seule une hypothèse loufoque semble être la plus probable.

J'étais dans la maison et tout le monde est allé se coucher tard dans la nuit quand j'ai entendu l'avion rugir au-dessus de nos têtes. En courant à l'arrière de la ferme, j'ai entendu un fracas et j'ai vu l'avion en flammes dans un champ à environ 200 mètres… Je me suis précipité de nouveau à l'arrière de la maison et sur le terrain, j'ai vu [un] homme allongé sur le sol avec son parachute à proximité. Il sourit, et comme je l'avais aidé à se remettre debout, il me remercia, mais j'ai vu qu'il s'était blessé au pied.

**Récit de la capture de Rudolf Hess par David McLean,
publié dans le *Daily Record* le 12 mai 1941**

Hess ou pas Hess, je vais regarder les Marx Brothers.

Réponse de Winston Churchill à qui l'on apprend la nouvelle.

Peu après 23 heures, dans la nuit du 10 mai 1941, Rudolf Hess, adjoint du Führer de l'Allemagne nazie et ami intime d'Adolf Hitler, saute en parachute d'un avion qu'il pilote lui-même au-dessus de l'Écosse. Il atterrit dans un champ à environ 15 km au sud de Glasgow et est récupéré par David McLean, un agriculteur local, qui l'emmène dans sa maison et lui offre une tasse de thé. Hess dit à McLean qu'il est le capitaine Alfred Horn et qu'il est porteur d'un message important pour le duc d'Hamilton, l'un des membres les plus éminents de l'aristocratie en Écosse. McLean téléphone à la *Home Guard*, qui prend Hess sous sa garde et le remet à l'armée britannique. Hess, qui prétend toujours être Alfred Horn, dit qu'il ne parlera qu'au duc. Ce dernier, lorsqu'il apprend cet événement étrange, rend visite au prisonnier. Lors de la rencontre qui suit, Hess révèle sa véritable identité au duc, qui envoie tout de suite après, un rapport de la conversation directement à Winston Churchill.

Il s'agit de l'un des événements les plus étranges de la Seconde Guerre mondiale. Il a conduit à des spéculations sans fin sur les raisons pour lesquelles Hess a agi ainsi, et l'on a notamment émis des doutes sur son état mental à l'époque. L'obsession du gouvernement britannique à vouloir garder le secret sur cette affaire — certains dossiers qui la concernent sont toujours classés plus de 70 ans plus tard — nous prive de nombreux éléments pour comprendre ce qui s'est passé. Comme l'on pouvait s'y attendre, ces lacunes ont été comblées par un large éventail de théories qui tiennent plus ou moins la route et concernant, entre autres, le rôle joué par le gouvernement et ses services de renseignement pour attirer Hess en Grande-Bretagne sous de faux prétextes. L'objectif d'une telle action semblait être soit la capture de Hess, soit, au contraire, l'ouverture d'un processus d'une complexité ahurissante qui allait assurer l'Allemagne d'attaquer l'Union soviétique, ce qui aurait un peu réduit la pression sur la Grande-Bretagne, qui était seule à se battre contre l'Allemagne nazie après la défaite de la France.

© Corbis

RUDOLF HESS
Les raisons pour lesquelles l'adjoint du Führer de l'Allemagne nazie s'est enfui en Écosse restent mystérieuses.

Selon une autre théorie, l'affaire faisait partie d'un complot plus vaste visant à éliminer Churchill du pouvoir en Grande-Bretagne, permettant ainsi d'installer un gouvernement plus favorable à l'Allemagne. Dans ce scénario, Hess serait venu en Grande-Bretagne afin de prendre contact avec un prétendu « parti de la paix », composé d'anciens conciliateurs tels que Lord Halifax, de concert avec les membres de l'aristocratie qui avaient montré de la sympathie envers l'Allemagne nazie avant guerre. L'un d'eux est le duc d'Hamilton, l'homme que Hess a voulu rencontrer, du moins selon cette théorie, afin d'offrir le soutien et la coopération de l'Allemagne dans la formulation de ce qui serait, en fait, un coup d'État contre Churchill. Et puis il y a une autre théorie, qui affirme que l'homme qui débarque en Écosse n'est pas du tout Hess, mais un imposteur jouant le rôle de Hess, et qui continue de le prétendre, même après avoir été condamné à perpétuité en 1946 lors du procès de Nuremberg et qui a emporté son secret dans la tombe après sa mort en 1993 à la prison de Spandau à Berlin.

LIEU DU CRASH
La *Home Guard* et la police posent pour une photo avec les restes de l'avion de Hess.

Inutile de dire que la plupart de ces théories du complot doivent plus à l'imagination de leurs auteurs que pour les faits tels que nous les connaissons, même s'il est actuellement impossible de dire avec certitude ce qui s'est réellement passé. Un raisonnement qui relie les services secrets britanniques à cette affaire, affirme que la *Royal Air Force* (RAF) a permis à Hess de venir par avion en Grande-Bretagne parce qu'on lui a ordonné de ne pas arrêter son avion. L'examen de la réponse du *Fighter Command* en Écosse ce soir-là ne va pas dans le sens de cette théorie. La RAF a peut-être été surprise par l'arrivée d'un seul avion allemand dans le pays, mais une fois qu'il a été détecté, plusieurs escadrons de Spitfires ont décollé d'urgence pour l'intercepter. Seules les compétences de Hess en tant que pilote l'ont empêché d'être abattu – il a été repéré à partir du sol en train de survoler la côte à pas plus de 15 m d'altitude et a ensuite continué à travers l'Écosse à basse altitude pour éviter d'être vu par la RAF.

Si cela avait été un complot britannique, on pourrait penser que ce genre de plan aurait été mis en place pour traiter avec lui une fois qu'il aurait été pris. Lorsqu'il l'a été, son arrivée a été accueillie avec étonnement et la réponse a été, au mieux, confuse, ce qui suggère que les Britanniques n'étaient pas au courant. Il est possible que les services secrets britanniques étaient impliqués, en ayant fait croire aux Allemands que le « parti de la paix » britannique avait travaillé activement pour mettre fin à la participation de leur pays dans la guerre. C'était certainement ce que Hitler voulait croire, un accord avec la Grande-Bretagne aurait laissé l'Allemagne nazie libre de poursuivre ses objectifs d'expansion en Europe de l'Est et en Russie. Mais à part un petit nombre de sympathisants nazis et de fascistes britanniques, il n'existe aucune preuve d'un tel mouvement en Grande-Bretagne. Et il est facile de montrer que l'idée selon laquelle l'homme capturé en Écosse était un imposteur n'est que pur fantasme — un fonctionnaire du *Foreign Office* britannique, qui avait rencontré le vrai Hess à de nombreuses reprises à Berlin avant la guerre, a confirmé son identité peu de temps après son arrivée. Ainsi, les théories du complot facilement balayées, on se retrouve avec une question un peu plus difficile : que s'est-il vraiment passé ?

Les théories du complot se concentrent toutes sur le rôle des Britanniques dans cette affaire. Si l'accent est mis sur ce que Hess a fait en Allemagne juste avant son départ pour la Grande-Bretagne, il en ressort une image assez différente. Hess et Hitler connaissaient tous les deux très bien le travail géopolitique du professeur Karl Haushofer, et dans *Mein Kampf*, Hitler avait adapté les idées du professeur au concept de *Lebensraum*, littéralement « l'espace vital », qui soulignait la nécessité d'une expansion allemande à l'est pour croître et prospérer. Selon Hitler, la grande erreur que l'Allemagne a commise durant la Première Guerre mondiale est d'avoir combattu sur deux fronts. Dans une tentative de ne pas faire la même erreur lui-même, il a activement étudié la possibilité d'un accord avec la Grande-Bretagne.

HESS, HITLER, ET LES HAUSHOFER

Si la bataille d'Angleterre avait été remportée par la Luftwaffe, la Grande-Bretagne aurait soit dû venir à la table des négociations, soit être envahie et perdre la guerre. Heureusement, la RAF réussit à repousser l'attaque allemande, obligeant Hitler à repenser sa stratégie. Celui-ci est bien conscient qu'aussi longtemps que Churchill resterait Premier ministre, il n'y aurait aucune chance de transaction. Il semble avoir demandé à Hess de trouver un moyen de surmonter cette impasse. Hess se tourne alors vers Albrecht, le fils du professeur Haushofer, qui a suivi son père dans le même champ d'études. Malgré le fait qu'Albrecht ait affirmé que personne en Grande-Bretagne, quelle que soit sa tendance politique, ne pourrait envisager un pacte avec Hitler, ils élaborent un plan.

Albrecht Haushofer rencontre le duc de Hamilton en 1936, lorsque le duc se rend à Berlin pour les Jeux olympiques. Selon certaines indications, le duc a peut-être été présenté à Hess au même moment. Le plan conçu par Hess et Haushofer implique de contacter le duc afin de mettre en place une réunion dans un pays neutre, le plus probablement au Portugal, pour discuter d'un plan de paix. Ce doit être fait par le biais d'un intermédiaire en Grande-Bretagne qui, comme par hasard, vient d'écrire au professeur Haushofer. Il s'agit de Mrs. Violet Roberts, la veuve d'un universitaire de Cambridge, qui a connu le professeur avant la guerre. Elle lui a apparemment écrit pour lui exprimer son regret que la guerre ait lieu entre leurs deux pays et pour leur suggérer de communiquer *via* une boîte postale qu'elle a ouverte à Lisbonne. Tout le monde se demande ce qu'une veuve de Cambridge a à se comporter de cette manière en plein milieu d'une guerre ; bien qu'il n'existe aucune preuve, il est possible que les renseignements britanniques aient été impliqués.

Quelle que soit la vérité sur cette affaire, Albrecht Haushofer répond à Mrs. Roberts en novembre 1940, en signant sa lettre uniquement d'un « A » et lui demandant de transmettre un message au duc de Hamilton. Si les services secrets britanniques n'étaient pas impliqués avant, ils le sont certainement désormais, parce que le MI5 intercepte cette lettre. Nous ne savons pas exactement ce qu'ils en ont fait, bien que l'on puisse supposer à raison que l'on ait enquêté sur Mrs. Roberts et le duc. On ne sait rien de plus sur Mrs. Roberts et l'on peut seulement supposer que le duc, un officier en service dans la RAF, a été jugé tout à fait innocent. En fin de compte, il semble que le MI5 ait décidé de ne rien faire.

Le message n'a pas été remis au duc et la lettre est restée sans réponse. Hess ne parvient pas à établir un contact avec quelqu'un qu'il croit impliqué dans un parti britannique de la paix. Comme toute chance de mettre en place une réunion au Portugal a disparu, Hess semble avoir commencé à envisager d'autres moyens d'entrer en contact avec le duc, et notamment en prenant les choses en mains et en se rendant lui-même en Écosse. Il n'est pas certain que Hitler ait été au courant

ON NE SAIT RIEN DE PLUS SUR MRS. ROBERTS ET L'ON PEUT SEULEMENT SUPPOSER QUE LE DUC, UN OFFICIER EN SERVICE DANS LA RAF, A ÉTÉ JUGÉ TOUT À FAIT INNOCENT. EN FIN DE COMPTE, IL SEMBLE QUE LE MI5 AIT DÉCIDÉ DE NE RIEN FAIRE.

de tout cela — il avait à l'époque personnellement interdit à Hess de prendre l'avion. Il est donc possible que Hess lui ait proposé l'idée et qu'il l'ait refusée. Si c'est le cas, alors Hess a désobéi à Hitler et est parti de sa propre initiative. Ayant appris que Hess s'était rendu en Grande-Bretagne, Hitler aurait éclaté dans une violente colère, ordonnant d'arrêter tous ceux qui avaient contribué à aider Hess, y compris Albrecht Haushofer, et de fusiller Hess pour avoir trahi son pays, s'il devait rentrer en Allemagne.

L'image qui se dégage d'Allemagne est celle d'un Hess de plus en plus désespéré, doutant de la réussite de la mission qui lui a été donnée par Hitler. Au cours de l'année 1940 et en 1941, Hess a été peu à peu mis à l'écart au sein du parti nazi par des hommes politiques plus habiles — en particulier, par Martin Bormann. Ce dont Hess a besoin, c'est d'un succès spectaculaire qui permettrait de rétablir sa réputation aux yeux d'Hitler. Ainsi, plutôt que d'être une conspiration élaborée, l'affaire est peut-être davantage le plan farfelu d'un homme qui s'est lui-même convaincu de pouvoir résoudre le conflit entre la Grande-Bretagne et l'Allemagne à lui tout seul. Il est difficile de dire ce que Hess avait imaginé pouvoir faire; il semble avoir accordé peu d'attention à la manière dont il serait reçu en Grande-Bretagne. En vérité, essayer de trouver une explication rationnelle au comportement d'un homme irrationnel, est toujours un exercice inutile. Cela dit, si tous les dossiers relatifs à l'affaire sont un jour ouverts, l'information pourrait être efin dévoilée, permettant de résoudre l'énigme une fois pour toutes. Peut-être est-ce un vœu pieux que les archives du gouvernement britannique concernant la libération de matériel classé soient ouvertes. Il semble que le mystère de l'affaire Hess durera longtemps encore.

MYSTÈRE

Événement inexpliqué

Raison inconnue

Réalité ou fiction ?

Vérité ou mensonge ?

Personnes disparues

Personne inconnue

Crime non élucidé

GLENN MILLER – PORTÉ DISPARU
15 décembre 1944

Mystère : qu'est-il arrivé à Glenn Miller?

Protagonistes : le Lt-Col. Norman Baessell, le Major Glenn Miller, l'officier de vol John Morgan et un UC-64 Norseman de l'U.S. Army Air Force

Dénouement : ils ont probablement piqué du nez dans la Manche.

Au moment où tu recevras cette lettre, nous serons à Paris, à moins bien sûr d'avoir piqué du nez dans la Manche.

Extrait d'une lettre de Glenn Miller à sa femme, datée du 4 décembre 1944

La disparition d'un homme au cours de la Seconde Guerre mondiale, qui a coûté la vie à des millions de personnes, ne reçoit sans doute pas autant la même attention si l'homme en question est l'un des musiciens les plus populaires de son époque. Glenn Miller s'est fait connaître en tant que leader de son propre « big band » au milieu des années 1930, en créant des arrangements à la frontière entre le jazz et la musique de danse. *In the Mood*, *Moonlight Serenade* et *Chattanooga Choo Choo* comptent parmi ses titres les plus connus. Il rejoint l'armée américaine en 1942, à l'apogée de sa gloire, afin de participer à l'effort de guerre en emmenant un orchestre en Europe pour divertir les troupes. Sa disparition suscite de nombreuses spéculations sur les circonstances qui l'entourent. La dernière fois qu'il est vu, il embarque en Angleterre dans un avion en partance pour la France. L'explication la plus probable, c'est que quelque chose s'est mal passé durant le vol, une panne mécanique par exemple. À moins que l'avion n'ait été frappé par ce que nous appellerions aujourd'hui des tirs amis. Inutile de dire que ces scénarios très simples n'ont pas satisfait tout le monde, et de nombreuses rumeurs et explications alternatives ont circulé depuis qu'il a été porté disparu.

GLENN MILLER
Le chef d'orchestre
et tromboniste, l'un
des interprètes les plus
populaires de l'ère du swing.

En décembre 1944, le major Miller est en Grande-Bretagne pendant près de six mois, donnant des concerts avec le groupe qu'il dirige et faisant régulièrement des émissions de radio sur la BBC. Un général américain décrit l'effet produit par la musique de Miller sur le moral des soldats américains en Grande-Bretagne et en Europe comme étant une chose meilleure qu'une lettre de leur famille. Alors que les forces alliées continuent de progresser à travers la France vers la frontière allemande, Miller prévoit d'emmener le groupe à Paris pour jouer pour les soldats qui doivent partir de la ligne de front. Le premier concert est prévu la veille de Noël, et Miller a déjà fait plusieurs voyages à Paris pour prendre des dispositions. Le 13 décembre, Don Haynes, le manager du groupe, doit s'y rendre pour s'assurer que tout est en place pour l'arrivée de l'orchestre de 50 personnes trois jours plus tard, mais le mauvais temps l'empêche de le faire. À la dernière minute, les plans sont modifiés et Miller décide de s'y rendre au lieu de Haynes, qui suivrait avec la bande. La seule chose qui le retient est le brouillard, qui couvre le sud de l'Angleterre.

Le 14 décembre, Haynes rencontre le lieutenant-colonel Norman Baessell, qui part à Bordeaux le matin et propose à Miller de le prendre à bord, et de le déposer à Paris avant de poursuivre vers sa destination. Le but du voyage de Baessell reste incertain, mais il ne faisait apparemment que passer en France pour s'approvisionner en champagne à l'occasion des fêtes de Noël. Le matin de la date de départ prévue, le temps est toujours froid et brumeux, et Miller et Baessell sont forcés d'attendre après le déjeuner avant que l'avion dans lequel ils doivent monter, un avion monomoteur UC-64 Norseman piloté par l'officier d'aviation John Morgan, ne reçoive l'autorisation de voler. Bien que le brouillard commence à se lever, les conditions de vol sont loin d'être idéales. Selon Haynes, qui les a vu décoller, Miller a exprimé quelques inquiétudes sur le vol lorsqu'il est monté dans l'avion. Il a dit que Baessell avait répondu en demandant à Miller s'il voulait vivre éternellement. C'est la dernière fois que les trois personnes à bord de l'avion ont été vues vivantes.

Trois jours plus tard, le 18 décembre, Haynes et le reste du groupe arrivent à Paris, espèrent que Miller se trouve à l'aéroport pour les accueillir. Au début, personne ne s'alarme de son absence, mais les jours suivants, il devient évident que l'avion à bord duquel il a voyagé n'a pas atterri à Paris. On ne trouve aucune trace de lui ou de ses compagnons, et l'inquiétude commence à monter. La veille de Noël, sa femme est informée qu'il est porté disparu. Au fil des ans, on s'est demandé pourquoi l'armée américaine a été si longue à rechercher l'avion disparu.

ABATTU PAR DES TIRS AMIS? Le rapport officiel sur la disparition déclare qu'un accident aurait probablement été causé soit par des ennuis de moteur, soit par l'accumulation de glace sur les ailes, celles-ci affectant l'aérodynamisme de l'avion et entraînant le décrochage de l'appareil. L'absence de recherche peut s'expliquer par le retard avec lequel l'alarme a été donnée: trois jours s'écoulent en effet entre le décollage et le moment où l'avion est porté disparu, ce qui réduit considérablement les chances de trouver quelqu'un vivant.

Personne n'ayant la moindre idée de l'endroit où l'aéronef a pu s'échouer, les recherches, en admettant qu'elles soient effectuées, auraient dû couvrir une vaste zone. Il faut aussi prendre en compte la situation de l'époque : le 16 décembre, les Allemands ont monté une vaste offensive dans la région des Ardennes, la fameuse « bataille des Ardennes », et on peut peut-être comprendre que les ressources n'ont pas été détournées des combats pour rechercher trois personnes qui, selon toute probabilité, étaient déjà mortes.

UN NORSEMAN
Un UC-64 Norseman, semblable à celui dans lequel Glenn Miller a embarqué le jour de sa disparition.

Trente ans plus tard, en 1985, on apprend que les membres d'équipage d'un bombardier britannique Lancaster, au retour d'une mission avortée sur l'Allemagne, ont vu un accident d'avion dans la Manche, le même jour que le Norseman a disparu. Le Lancaster venait de larguer ses bombes sur une zone désignée de la Manche, car il était trop dangereux d'atterrir avec des bombes encore à bord. Le navigateur, qui observait la chute des bombes, a repéré un petit avion, qu'il a identifié comme étant un Norseman, échapper à tout contrôle et s'écraser dans l'eau. Deux autres membres d'équipage ont vu la même chose et, des années plus tard, le pilote, qui n'avait pas vu cela lui-même, a confirmé que la radio lui avait fait part de ce qui s'était passé. Il semble incroyable aujourd'hui que personne à bord du Lancaster n'ait signalé l'incident à l'époque ; il s'agissait, après tout, du crash d'un avion ami. Le pilote a expliqué que sa principale préoccupation était de ramener son avion en toute sécurité et comme il n'y avait pas eu de débriefing parce que la mission avait été abandonnée, il n'a pas pensé dire quelque chose à propos de l'incident.

On a émis des doutes sur cette version, en particulier si l'avion qui transportait Miller se trouvait dans la zone de largage des bombes en même temps que les bombardiers Lancaster qui traversaient la Manche. La précision avec laquelle le navigateur a pu déterminer le type d'avion qui s'est écrasé a également fait l'objet de spéculations, car le Norseman UC-64 était rare en Grande-Bretagne à l'époque. Il

LES RUMEURS

s'est avéré que le navigateur avait été formé au Canada, où l'avion a été largement utilisé, ce qui explique qu'il aurait été en mesure de le reconnaître, même dans de mauvaises conditions météorologiques. Bien qu'il s'agisse du seul récit que nous ayons recueilli par des témoins oculaires dignes de foi, il est impossible d'en vérifier l'exactitude.

Presque aussitôt après que Miller a été porté disparu, des rumeurs ont commencé à circuler sur ce qui lui était arrivé. Toutes se fondent sur l'hypothèse qu'il n'est pas mort dans un accident d'avion au-dessus de la Manche, mais qu'il est décédé après son arrivée à Paris, l'incident étant couvert par l'armée américaine. La plus ridicule de ces rumeurs, c'est que le général Eisenhower, commandant en chef des forces alliées en Europe, aurait commandé à Miller de mener des pourparlers secrets avec les officiers allemands concernant une capitulation. Pourquoi diable Eisenhower aurait-il choisi un chef de « big band » sans aucune expérience militaire pour effectuer une mission aussi délicate ?

Une autre rumeur, et l'une des plus tenaces, c'est que, plutôt que d'être mort dans un accident d'avion, Miller aurait été tué lors d'une bagarre dans un bordel parisien ; on aurait tu l'incident par crainte des conséquences morales. Comme toutes les autres histoires qui figurent dans ces chapitres, celle-ci ne résiste pas à ces hypothèses, car elles ne tiennent pas compte du sort des deux autres personnes présentes dans l'avion. Baessell et Morgan ont également disparu et aucun d'eux n'a jamais été revu, ce qui nous mène à la conclusion raisonnable que tous les trois, qui ont été vus la dernière fois ensemble lorsque l'avion a décollé de Bedfordshire, ont disparu dans le même incident. On ne connaîtra jamais avec certitude les circonstances exactes de leur disparition, mais l'explication la plus probable est que, que ce soit à la suite d'une panne mécanique ou de tirs amis, leur avion s'est écrasé dans la Manche et a coulé sans laisser de trace.

L'OR DES NAZIS

avant 1945

MYSTÈRE

Événement inexpliqué

Raison inconnue

Réalité ou fiction ?

Vérité ou mensonge ?

Personne disparue

Personne inconnue

Crime non élucidé

Mystère : qu'est devenu tout l'or pillé par les nazis ?

Protagonistes : les nazis, les Alliés, les banques suisses, et différents individus aux mains sales

Dénouement : il n'a toujours pas été retrouvé.

La découverte la plus significative… c'est le mouvement total de l'or volé dans les pays occupés et chez les victimes individuelles qui fuyaient vers la Suisse – principalement la Banque nationale suisse – à partir de l'Allemagne, et utilisé par l'Allemagne pour payer pour ses importations de guerre. La Banque nationale suisse aurait dû savoir qu'une partie de l'or qu'elle recevait de la Reichsbank avait été pillée dans les pays occupés, en raison de la connaissance publique du faible niveau des réserves d'or de la Reichsbank et des avertissements répétés des Alliés.

Le sénateur Stuart Eizenstat, extrait d'une séance d'information donnée en 1998 après la publication d'un rapport du département d'État sur l'or pillé par les nazis

REICHSBANK
Les réserves d'or
de l'Allemagne étaient
dans la salle des coffres
de la Reichsbank avant
que celle-ci fût bombardée.

Avant même la déclaration de guerre officielle en 1939, le régime nazi en Allemagne avait déjà commencé à organiser le financement de sa militarisation et le paiement de l'importation de marchandises essentielles et de matériel de guerre. Après l'occupation de l'Autriche, de la Tchécoslovaquie et de la ville libre de Dantzig, les réserves d'or de ces trois territoires sont transférées à Berlin et placées dans les coffres de la *Reichsbank*. Le programme se poursuit après l'invasion de la Pologne : une grande partie des richesses des pays envahis, notamment des Pays-Bas, de la Belgique, de la France, et de l'Europe orientale, est pillée et transférée en Allemagne.

En plus de l'or provenant des banques centrales, des métaux précieux, des bijoux et des œuvres d'art sont saisis, ainsi que les biens juifs des entreprises et des particuliers, en Allemagne et dans la zone occupée. Tout ce qui a de la valeur est volé aux victimes des camps de concentration (dents en or, bagues, lunettes, etc.) puis vient grossir le butin qui est conservé à la *Reichsbank* et en d'autres lieux en Allemagne. Ils y sont enregistrés comme étant la propriété de la SS. Au lendemain de la guerre, une grande partie de ces richesses sera récupérée par les Alliés, mais dans le chaos qui accompagne l'Occupation, puis la capitulation de l'Allemagne, d'énormes quantités disparaissent.

Le régime nazi avait également transféré de grandes quantités d'or aux institutions financières des pays neutres. Elles servaient d'une part à acheter des devises étrangères, afin de réaliser ce qu'on appellerait aujourd'hui du blanchiment d'argent, d'autre part à alimenter des comptes personnels dans le but de constituer une assurance en cas de défaite de l'Allemagne. Beaucoup de ces établissements étaient des banques suisses, qui détenaient aussi de nombreux comptes de Juifs assassinés pendant la guerre. Il faudra ensuite de nombreuses années et de sérieux efforts pour restituer ces dépôts à leurs propriétaires légitimes ou, lorsque cela ne sera possible, de trouver leurs héritiers. Malgré une politique de plus grande ouverture de la Suisse au cours de ces dernières décennies, poussée en partie par les actions en justice intentées par des organisations juives, des suspicions demeurent sur de grandes quantités d'or. Sont-elles encore cachées dans les coffres des banques, en Suisse ou ailleurs ?

Parmi les marchandises que l'Allemagne nazie a besoin d'importer en grandes quantités, le minerai de fer et le tungstène, tous deux utilisés dans la production d'acier, sont les plus importants. Le minerai de fer vient de Suède, tandis que le tungstène provient de mines en Espagne et au Portugal. Les trois pays ont déclaré leur neutralité au début de la guerre et, tout en conservant ce statut, ont continué de fournir à l'Allemagne des matériaux indispensables à son effort de guerre, jusqu'à ce qu'ils comprennent qui gagnerait la guerre. L'Allemagne ayant eu recours à la fausse monnaie pour financer ses achats au début de la guerre, les fournitures sont ensuite principalement payées sous forme d'or, volé en Europe.

L'économie suédoise a tiré un immense profit de sa neutralité en commerçant avec l'Allemagne, et sa prospérité d'après-guerre est due en grande partie à l'argent que le pays a gagné de la vente de minerai de fer et d'autres matériels de guerre. Les Portugais ont choisi de garder la main sur leurs réserves d'or après la guerre, et y ont été autorisés par les Alliés. On estime qu'ils ont acquis une centaine de tonnes d'or et l'on pense que la plupart se trouvent dans les coffres des banques portugaises, sous forme de lingots d'or frappés de la croix gammée de l'Allemagne nazie.

Le 3 février 1945, la force aérienne américaine lance un énorme raid sur Berlin et détruit la *Reichsbank*. Bien que les coffres-forts situés en dessous de la banque, et qui contiennent environ 93 % des richesses financières de l'Allemagne nazie, soient restés intacts, on décide de déplacer toutes les réserves hors de la ville afin de les protéger contre les forces alliées qui avancent rapidement. Elles sont emmenées à la mine de potassium de Kaiseroda près de Merkers dans le *Land* de Thuringe, à 320 km au sud-ouest de Berlin. Le contenu de plusieurs musées allemands, ainsi que de nombreuses œuvres d'art pillées, y ont aussi été stockés et placés en sécurité. Au total, ce ne sont pas moins de 100 tonnes d'or et 1 000 sacs de papier-monnaie de diverses valeurs qui ont été placés dans la mine.

L'OR DISPARU

La rapidité avec laquelle la Troisième armée du général George Patton progresse à travers le pays après avoir franchi le Rhin avec succès le 22 mars 1945, prend les Allemands par surprise. Les unités de l'armée allemande et les employés responsables de la Reichsbank pour déplacer les réserves tardent à réagir, et tout, à l'exception d'environ 400 sacs de monnaie, a pu être récupéré. Les habitants des environs de la mine ont fourni leur aide aux Américains en leur indiquant l'emplacement du butin. La totalité du contenu est envoyé à Francfort dans un convoi de véhicules blindés, composé de 32 camions et d'escortes armées. Selon des rumeurs persistantes, l'un des camions ne serait jamais arrivé à Francfort et, bien qu'il n'y ait aucune preuve de cela, diverses œuvres d'art dont on sait qu'elles étaient dans la mine, ont été retrouvées en vente en Amérique plusieurs années plus tard.

Après la perte de la majeure partie des réserves allemandes, Hitler ordonne que les 7 % restants, placés dans les succursales de la *Reichsbank* dans certaines parties du pays pourtant envahies, soient cachés dans divers endroits des Alpes bavaroises et tyroliennes. Ils seraient alors disponibles pour financer, du moins selon Hitler qui y croit apparemment encore, un bastion nazi dans les montagnes jusqu'à ce qu'une résurgence et une éventuelle évasion deviennent possibles. À ce stade de la guerre, l'Allemagne étant seulement à quelques semaines de la capitulation, les transports sont chaotiques. Alors qu'on essaie de cacher les réserves, beaucoup de personnes impliquées semblent avoir décidé qu'il était temps de s'occuper d'abord d'elles-mêmes. Dans un ouvrage publié en 1984, Ian Sayer et Douglas Botting estiment la valeur de l'or, des devises et des œuvres d'art disparues à 2,5 milliards de dollars. Beaucoup de ceux qui avaient accès au butin n'avaient pas les mains propres, dont de nombreux Américains. Sayer et Botting ont également montré que le gouvernement américain avait tenté de dissimuler les activités illégales de leurs soldats.

IAN SAYER ET DOUGLAS BOTTING ESTIMENT LA VALEUR DE L'OR, DES DEVISES ET DES ŒUVRES D'ART DISPARUES À 2,5 MILLIARDS DE DOLLARS.

Après la guerre, des mesures sont mises en place pour restituer l'or volé. Les archives détaillant la quantité d'or dérobée aux victimes des camps de concentration ayant disparu à la fin de la guerre, il s'avère long et difficile de restituer les biens aux familles des personnes assassinées par les nazis. En 1997 se tient à Londres une conférence sur l'or pillé par les Nazis. Il y est décidé que l'or volé et non restitué sera versé à un fonds destiné à aider les survivants de l'Holocauste. Après avoir été d'abord réticentes, la plupart des institutions financières qui étaient impliquées avec les nazis ont dit la vérité sur leur rôle dans la guerre. Une exception de taille : la banque du Vatican continue à maintenir qu'elle n'a rien à cacher, malgré de nombreuses preuves du contraire.

L'AFFAIRE ROSWELL

Été 1947

MYSTÈRE

Événement inexpliqué

Raison inconnue

Réalité ou fiction ?

Vérité ou mensonge ?

Personne disparue

Personne inconnue

Crime non élucidé

Mystère : qu'est-ce qui s'est vraiment crashé dans le désert du Nouveau-Mexique ?

Protagonistes : des ufologues, les habitants de Roswell, l'US Air Force et le gouvernement, ainsi que quelques extraterrestres

Dénouement : nous sommes toujours seuls.

Les nombreuses rumeurs faisant état d'une soucoupe volante sont devenues réalité hier, lorsque le service des renseignements du 509e escadron de l'air force de la base de Roswell a pris possession d'un disque grâce à la coopération d'un rancher et du bureau du shérif du comté de Chaves au Nouveau Mexique. L'objet volant a atterri dans un ranch près de Roswell durant la semaine dernière. Sans téléphone, le rancher a conservé le disque jusqu'à ce qu'il puisse contacter le bureau du shérif, qui informa le major Jesse A. Marcel du 509e escadron de l'air force. Une action fut immédiatement lancée, et le disque fut récupéré au domicile du rancher. Il a été examiné à la base de Roswell, puis transmis à de plus hautes autorités.

Communiqué de presse de la base de l'armée de l'air de Roswell le 8 juillet 1947, et retiré dès le lendemain

© Bettmann | Corbis

LES DÉBRIS
Le major Jesse Marcel
(à gauche) examine
les débris récupérés dans un
ranch au Nouveau Mexique.

Au fil des ans, l'affaire Roswell est devenue l'une des manifestations supposées extraterrestres les plus célèbres et les plus controversées. Les amateurs, ou ufologues comme on les désigne parfois, ont accès à de nombreux documents sur le sujet, des films aux séries TV en passant par les centaines de livres et sites web que l'on trouve à la pelle. Et comme les bonnes gens de Roswell au Nouveau-Mexique ont décidé d'embrasser l'événement qui porte le nom de leur ville, les plus fanatiques peuvent se rendre au *UFO Festival* (festival des OVNI) qui s'y déroule chaque été où, parmi de nombreuses attractions, ils peuvent venir déguisés en compagnie de leurs animaux domestiques pour participer à un concours sur le thème des aliens. Au cas où quelqu'un ne visualiserait pas bien ce dont il s'agit, le site du festival montre plusieurs photos de personnes déguisées en extraterrestre avec des animaux aussi improbables que des putois d'Amérique et autres chihuahuas (si vous ne me croyez pas, jetez un coup d'œil sur le site web: www.ufofestivalroswell.com). Que s'est-il donc passé dans le désert du Nouveau-Mexique près de Roswell pour inspirer un tel enthousiasme et pourquoi cette affaire en particulier est-elle devenue si célèbre, alors que la plupart des autres récits faisant état de rencontres extraterrestres sont rapidement tombés dans l'oubli ?

Il est difficile de cerner la date exacte, mais vers fin juin, début juillet 1947, William Brazel, propriétaire d'un ranch, tombe sur d'étranges débris dans le désert à environ 50 km au nord de Roswell. Plus tard, il les décrira comme étant faits de « bandes de caoutchouc, de papier d'aluminium, d'un papier plutôt dur et de barres ». À première vue, il ne semble pas surexcité par sa découverte. Il laisse les débris où ils sont pendant quelques jours avant de revenir avec sa famille et d'en ramasser autant qu'il peut. Il les jette à l'arrière de son pick-up, les rapporte à la maison, et les met dans sa grange. Cet été-là, les journaux sont remplis d'articles relatant des observations de mystérieux disques volants, et en tant que citoyen responsable, Brazel pense qu'il ferait mieux de déclarer ce qu'il a trouvé au cas où il s'agirait de cela. Comme il n'a pas le téléphone, il décide de faire un saut dans le bureau du shérif la prochaine fois qu'il ira à Roswell.

Le shérif informe le Roswell Army Air Field et le lendemain, le major Jesse Marcel et un autre homme, qui n'est pas en uniforme, se rendent au ranch pour ramasser les débris. Le 8 juillet, un attaché de presse de la base aérienne, qui dira plus tard ne pas avoir vu les débris, publie un communiqué aux journaux locaux, cité au début de ce chapitre, en disant qu'un disque volant a été trouvé. Il est rapidement retiré, mais entre-temps, plusieurs journaux ont déjà relayé l'histoire. Les débris sont envoyés à Fort Worth Army Air Base, où ils sont identifiés comme étant les restes d'un ballon météo.

Au bout d'environ une semaine, l'intérêt des médias pour cette affaire retombe et Roswell redevient la ville endormie qu'elle a toujours été. Plus de 30 ans plus tard, elle revient sous les feux des projecteurs : ce qui avait semblé être, à première vue, un incident mineur dans le désert, et que l'on avait expliqué de manière simple, a pris d'immenses proportions. Il ne s'agit désormais plus seulement du crash d'un vaisseau spatial extraterrestre, mais de la découverte de corps d'aliens qui étaient à son bord, et d'une vaste conspiration du gouvernement pour en étouffer tous les détails. Depuis le premier livre paru sur le sujet en 1980, les différents auteurs ont ajouté des couches successives de mystère à l'histoire et, les années passant, ont trouvé un nombre sans cesse croissant de témoins qui ont pu confirmer toutes les versions différentes des événements.

L'HISTOIRE FAIT SON CHEMIN

On a entendu des descriptions de la découverte de la soucoupe volante et de son équipage extraterrestre par des agents des services secrets, qui devaient sans doute tous porter un costume noir et des lunettes de soleil. On a parlé du matériau utilisé pour fabriquer l'engin, qui n'était finalement ni du caoutchouc, ni du papier d'aluminium, ni du bois, ni du papier, contrairement à ce qui avait été signalé, mais diverses substances étranges et extraordinaires, avec des propriétés auparavant inconnues sur Terre. Des témoins auraient subi des intimidations afin de conserver le silence, et des documents militaires auraient été falsifiés afin de masquer le cours réel des événements, tandis que les corps des extraterrestres morts auraient été emmenés dans un lieu secret pour y être autopsiés. On peut supposer que les tentatives d'intimidation n'ont pas eu l'effet escompté, car ce qui a commencé comme un entrefilet s'est transformé, dans les années 1990, en tempête médiatique. Pour couronner le tout, le film de l'autopsie sorti en 1995, a créé une frénésie médiatique dans le monde entier. Les débats ont fait rage sur l'authenticité de la vidéo, divisant les experts entre ceux qui soutenaient que c'était réel, et ceux qui pensaient que tout cela était une machination. Dix ans plus tard, la personne qui avait fait le film a finalement avoué la supercherie, expliquant qu'il avait bricolé les scènes dans un appartement à Londres en utilisant des mannequins en caoutchouc, plusieurs cervelles de mouton qu'il avait achetées à la boucherie et une généreuse portion de confiture de framboise.

Pendant ce temps, l'US Air Force, se sentant peut-être exclue de la procédure, a publié un rapport donnant plus de détails sur le ballon météo qui, comme elle l'a toujours prétendu, s'était réellement crashé dans le désert. Ce ballon météo faisait partie d'un programme secret appelé le projet Mogul, ayant pour but de détecter les essais nucléaires soviétiques à l'aide de ballons à haute altitude. Même si les ufologues se sont divisés en plusieurs factions soutenant différentes versions des événements, quasiment personne n'a cru à l'histoire du ballon météo. Les descriptions de ce qui s'était soi-disant produit, sont devenues encore plus extrêmes. On a prétendu qu'un vaisseau spatial s'était s'écrasé sur le territoire du Nouveau-Mexique et que des entrepôts secrets et des morgues, mis en place par le gouvernement, étaient remplis de débris et de cadavres extraterrestres.

> CE BALLON MÉTÉO FAISAIT PARTIE D'UN PROGRAMME SECRET APPELÉ LE PROJET MOGUL, AYANT POUR BUT DE DÉTECTER LES ESSAIS NUCLÉAIRES SOVIÉTIQUES À L'AIDE DE BALLONS À HAUTE ALTITUDE.

À cette époque, l'histoire avait fait son chemin, sans plus se fonder, ni même ressembler, aux faits constatés. Il est difficile de dire à quel point le grand public, en dehors de quelques fanatiques purs et durs, croit que tout ceci est un énorme canular, ou l'apprécie comme une histoire amusante. L'affaire Roswell est devenue un objet d'études qui illustre la façon dont les mythes modernes se développent et s'adaptent au fil du temps. Peu importe désormais de savoir si l'événement réel a été provoqué par un ballon météo, une soucoupe volante, ou n'importe quoi d'autre d'ailleurs. L'histoire a transcendé les faits et les gens ont le choix d'y adhérer ou de l'ignorer. Et si vous vivez à Roswell, vous pouvez toujours inviter des gens à venir vous rendre visite, et leur donner l'occasion de déguiser leurs animaux de compagnie en aliens.

LE TRIANGLE DES BERMUDES

avant 1950

Mystère : le Triangle des Bermudes existe-t-il vraiment ?

Protagonistes : le vol 19 et d'autres navires et avions perdus

Dénouement : tout ceci est absurde.

Tracez une ligne entre la Floride et les Bermudes, une autre des Bermudes à Porto Rico, et une troisième ligne vers la Floride en passant par les Bahamas. Dans cette région, connue sous le nom « Triangle des Bermudes », ont eu lieu de nombreuses disparitions.

Cette zone n'est en aucun cas isolée. Les côtes de la Floride et des Carolines sont peuplées, ainsi que les îles concernées. Les distances en mer sont relativement courtes. Jour et nuit, il y a du trafic en mer et par voie aérienne. Les eaux sont bien surveillées par la Garde côtière, la marine et l'armée de l'air. Et pourtant, cette zone relativement limitée est le théâtre de disparitions qui dépassent les lois du hasard.

Extrait d'un article de Vincent Gaddis dans le magazine *Argosy*, février 1965

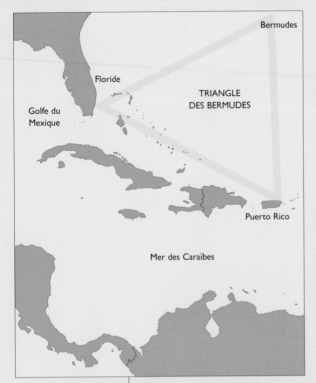

LE TRIANGLE DES BERMUDES
La région de l'Atlantique où les navires et les avions auraient mystérieusement disparu sans laisser de trace.

LA PATROUILLE PERDUE

L'existence d'une zone de l'océan Atlantique où les navires et les avions disparaissaient dans des circonstances mystérieuses a fait les gros titres de la presse dans les années 1950 et 1960. On a alors parlé d'une zone au large des côtes de la Floride et au nord des Bahamas comme étant le théâtre d'événements étranges. On l'a baptisée le triangle des Bermudes car elle s'étendait entre la pointe de la Floride et les îles de Porto Rico et des Bermudes. Inutile de dire que toute une panoplie d'explications paranormales et extraterrestres a été avancée afin de rendre compte des disparitions inexpliquées. Certains auteurs en ont fait leurs choux gras, exposant leurs théories à un public incrédule. La diversité des explications donnée est vraiment incroyable : enlèvements par des extraterrestres, force émise par le continent perdu de l'Atlantide, bateaux disparaissant à tout jamais dans une sorte de brouillard étrange et les faisant glisser dans un univers parallèle à travers un vortex temporel… Tout ceci n'est-il qu'un tissu de bêtises, ou se passe-t-il vraiment quelque chose d'étrange ?

C'est un événement tragique, survenu le 5 décembre 1945, qui est à l'origine du concept du triangle des Bermudes. Cinq avions américains de l'US Navy, des avions torpilleurs Grumman TBM Avenger, quittent la base navale de Fort Lauderdale en Floride pour un vol d'entraînement de routine impliquant un entraînement de raid aérien et des exercices de navigation. Ils ne sont jamais revenus. Le bilan est lourd : les 14 aviateurs sont portés disparus. Le vol 19 était dirigé par le lieutenant Charles Taylor, un aviateur expérimenté. Il semble que les ennuis soient survenus une fois le largage achevé au-dessus des hauts-fonds de *Hens and Chickens*, à environ 100 km au large des côtes de la Floride. Le contact radio avec Taylor a établi que les deux compas de son avion ne fonctionnaient pas, ce qui lui a fait perdre ses repères. Il semble avoir confondu des îles situées dans les Bahamas avec les Keys de Floride et, au lieu de continuer vers l'ouest, ce qui l'aurait ramené en Floride, il a mis le cap sur le nord, puis a tourné vers l'est, ce qui l'a entraîné encore plus loin dans l'océan. Un message radio de l'un des pilotes stagiaires dans un autre avion disait que s'ils se dirigeaient vers l'ouest, ils atteindraient la terre, mais néanmoins, les cinq avions ont poursuivi en direction de l'est. Dans le dernier message radio qui a été capté, Taylor dit qu'à moins qu'ils ne touchent terre, ils devront procéder à un amerrissage forcé, ce qui est probablement ce qui s'est produit. L'Avenger est un avion lourd, de construction solide, et même si l'un des pilotes avait réussi à se poser avec succès, il est peu probable qu'il serait resté longtemps à la surface. Pour aggraver la tragédie, l'un des hydravions envoyés de Floride à la recherche des aviateurs disparus, s'est également perdu avec ses 14 membres d'équipage. Il a apparemment explosé peu de temps après avoir décollé.

LES AVENGER
Des bombardiers torpilleurs Grumman TBM Avenger, semblables à ceux qui sont impliqués dans le vol 19.

À partir du moment où l'on a émis l'hypothèse du triangle des Bermudes, on lui a associé plusieurs disparitions de navires et d'avions. Le USS *Cyclope* se perd en mer avec ses 306 passagers et membres d'équipage en mars 1918, quelque part entre sa dernière escale à la Barbade et sa destination de Baltimore, c'est-à-dire dans le triangle des Bermudes. L'épave du navire n'ayant jamais été retrouvée, il est impossible de dire ce qui a causé sa perte, ni même de savoir si le bateau était effectivement dans la région du triangle des Bermudes lorsqu'il a coulé. Diverses théories ont été avancées au fil du temps, dont aucune ne peut être confirmée, mais il semble probable que la conception du navire, qui était un cargo dangereusement long, associé au mauvais temps, a conduit à sa disparition. Cette catastrophe est la plus lourde perte hors combat pour la marine américaine.

On cite souvent les naufrages du SS *Cotopaxi* et celui du SS *Marine Sulphur Queen* lorsqu'on parle du triangle des Bermudes. Le *Cotopaxi* est un navire de commerce qui a disparu avec ses 32 membres d'équipage en décembre 1925, tandis qu'il transportait une cargaison de charbon de Charleston, en Caroline du Sud, à Cuba. Selon un appel de détresse, le navire prend l'eau et s'incline, ce qui signifie qu'il est en train de

USS CYCLOPS
Le navire a été perdu
sans laisser de trace
en mars 1918, quelque
part entre la Barbade et
Baltimore.

couler. Malgré cette raison apparemment simple expliquant la disparition du navire, on y a vu des phénomènes étranges, que relate Steven Spielberg dans *Rencontres du troisième type*. Au début du film, un groupe de scientistes, qui a déjà découvert les avions de vol 19, trouve le *Cotopaxi* au milieu du désert de Gobi. Ils en concluent que quelque chose d'étrange se passe.

Le *Marine Sulphur Queen* disparaît avec ses 39 membres d'équipage en février 1963 au large des côtes de Floride. L'enquête de la garde côtière américaine conclut que le navire n'était pas en état de navigabilité et n'aurait pas dû être autorisé à quitter le port. Tout ce qui reste du navire, ce sont de petits morceaux de débris flottant à la surface de l'eau. L'enquête n'a pas pu déterminer la cause exacte du naufrage. Ce manque d'information conduit invariablement certains à relier cette disparition au triangle des Bermudes, en dépit du fait que le navire n'était pas en état de prendre la mer.

Dans un livre publié pour la première fois en 1975, Lauwrence Kusche nous fait part de son scepticisme sur l'existence du triangle des Bermudes et de son rôle dans la disparition du vol 19. Il constate que dans presque tous les cas cités par ceux qui croient en l'existence du triangle, il existe une version plus probable de la façon dont les navires et aéronefs se sont perdus, impliquant généralement une erreur humaine, de mauvaises conditions météorologiques ou tout simplement la malchance. Il qualifie le triangle des Bermudes de « mystère fabriqué », créé par des gens qui ont tout à gagner de la vente de leurs livres, et qui ont soit tiré des conclusions hâtives à partir du minimum de faits, soit qui ont délibérément falsifié les détails pour les adapter à leurs théories. La garde côtière américaine et l'assurance maritime Lloyd de Londres partagent l'avis de Kusche. Elles prétendent que le nombre de disparitions de navires et d'aéronefs n'est pas particulièrement élevé, compte tenu du trafic observé dans cette zone de l'Atlantique. Le vrai mystère n'est-il pas de savoir pourquoi certains pensent que ce qui est arrivé à ces navires et ces avions qui se sont perdus dans la région, serait dû au triangle des Bermudes ?

LES CINQ DE CAMBRIDGE
Années 1950

MYSTÈRE

Événement inexpliqué

Raison inconnue

Réalité ou fiction ?

Vérité ou mensonge ?

Personne disparue

Personne inconnue

Crime non élucidé

Mystère : qui était le cinquième homme ?

Protagonistes : Burgess, Maclean, Philby, Blunt et un autre espion soviétique

Dénouement : les services secrets britanniques ont pris le cinquième homme, sans même s'en rendre compte.

Le fait que la définition de Golitsyn de l'Anneau [les cinq de Cambridge] ait été prise aussi littéralement [par les services secrets britanniques]… semble rétrospectivement remarquable, quand on connaît la tendance de Golitsyn à exagérer et compte tenu de son aveu – il n'aurait vu les fichiers d'aucun des cinq. En réalité, l'habitude qu'avait le KGB de se référer à eux collectivement en employant des expressions telles que « les cinq », « l'anneau des cinq » et « les cinq magnifiques », ne signifie pas, contrairement à ce que Golitsyn prétend, que tous avaient été à Cambridge en même temps. Les cinq étaient appelés ainsi simplement parce qu'ils s'étaient eux-mêmes définis comme cinq vedettes parmi un groupe plus grand de recrues de Cambridge. Si le service de sécurité avait adopté cette définition de sens commun et s'était concentré sur la simple identification des recrues de Cambridge les plus performantes, il aurait identifié beaucoup plus rapidement qu'il ne l'a fait, Blunt et Cairncross comme étant les quatrième et cinquième hommes.

Christopher Andrew, *The Defence of the Realm*
(« La défense du royaume »)

© Bettmann | Corbis

GUY BURGESS
Burgess est démasqué:
l'agent double s'enfuit en
Union soviétique en 1951.

Vers la fin de l'année 1946, alors que la guerre froide ne fait que commencer, les cryptographes britanniques et américains « cassent » les codes utilisés par les agents secrets soviétiques pour envoyer des messages à Moscou dans les dernières années de la Seconde Guerre mondiale. Les messages décryptés par le projet Venona, révèlent la présence d'agents soviétiques infiltrés dans les gouvernements et les services secrets des États-Unis, de la Grande-Bretagne, du Canada et de l'Australie. On apprend aussi que la sécurité des laboratoires effectuant des recherches atomiques a également été entièrement pénétrée. Plusieurs fois, les messages interceptés indiquent que cinq agents ont infiltré le renseignement britannique à un niveau élevé. Le transfuge du KGB Anotoliy Golitsyn indique que les services secrets soviétiques les appellent « l'Anneau ».

Même si l'identité des agents concernés est protégée par l'utilisation de noms de code, les messages interceptés contiennent suffisamment d'informations pour compromettre au moins l'un d'entre eux, permettant à terme d'en démasquer quatre sur cinq. Guy Burgess et Donald Maclean fuient en Union soviétique en 1951, où Kim Philby les rejoint 12 ans plus tard. Le quatrième homme, Anthony Blunt, n'est démasqué jusqu'en 1979, bien qu'ayant avoué être un espion dès 1963. À l'époque, on lui avait accordé l'immunité en échange d'informations. Au fil des ans, de nombreux candidats sont suspectés comme étant le dernier membre du groupe, le fameux « cinquième homme », mais, contrairement aux quatre autres, son identité n'a jamais été officiellement confirmée.

LE RÉSEAU DE CAMBRIDGE

Les quatre membres de « l'Anneau » ont tous fréquenté des écoles publiques anglaises et, au début des années 1930, ils ont tous étudié à l'université de Cambridge. Ils ont tous une sensibilité politique de gauche, comme c'est le cas de nombreux étudiants à l'époque, et affichent leur soutien au communisme. Étant donné qu'il existe plusieurs versions de la façon dont chacun a commencé à espionner pour le compte de l'Union soviétique, il est difficile de savoir avec certitude comment ils ont été recrutés, mais il semblerait que des membres dirigeants du parti communiste britannique étaient en contact avec des agents soviétiques. Blunt est le plus âgé du groupe et, au moment où les autres arrivent à Cambridge, il est membre du *Trinity College*. Il est donc logique, qu'il soit devenu un découvreur de talents et un mentor pour les autres, bien qu'il ait plus tard nié ce rôle.

Blunt et Burgess font tous deux partie de la société secrète des *Cambridge Apostles* (« apôtres de Cambridge »), politiquement à gauche, et dont les membres se considèrent comme l'élite intellectuelle de l'université. Ils sont tous deux homosexuels, ce qui est illégal en Grande-Bretagne à l'époque. Cela a peut-être favorisé leur attitude *anti-establishment* et les a encouragés à vivre une double vie, avant même qu'ils ne deviennent espions. Ils suivront en tout cas, avec Maclean et Philby, la voie toute tracée qui les mènera de l'université de Cambridge au *Foreign Office* ou aux services diplomatiques et, de là, aux services secrets, où ils resteront pendant toute la durée de la Seconde Guerre mondiale.

© Bettmann | Corbis

KIM PHILBY
Philby est soupçonné après la fuite de Burgess et de Maclean, mais il ne sera démasqué qu'en 1963.

Tous les quatre souligneront plus tard que la montée du fascisme en Europe, notamment en Espagne et en Allemagne, sera le principal catalyseur de leur volonté d'espionner pour le compte de l'Union soviétique, affirmant que la politique d'apaisement menée par le gouvernement britannique en réponse aux visées expansionnistes d'Adolf Hitler, les avait mis si en colère, qu'ils s'étaient sentis obligés de trahir leur propre pays. Le fait qu'ils aient continué à transmettre des informations secrètes à leurs officiers traitants soviétiques pendant toute la durée de la guerre, longtemps après le départ de Neville Chamberlain et des autres politiciens qui étaient pour l'apaisement, laisse penser que leurs actions étaient motivées par le soutien idéologique à l'Union soviétique, et pas uniquement par antifascisme ou par dégoût de la politique d'apaisement. S'ils n'avaient trahi que pour ces raisons-là, ils auraient cessé de le faire fin février 1940, lorsque l'Allemagne et l'Union soviétique ont signé le pacte Molotov-Ribbentrop, un traité de non-agression entre les deux pays.

Après la guerre, Blunt reprend ses études universitaires et devient un historien de l'art respecté. Il a donc peu accès à des informations secrètes. Burgess, Maclean et Philby continuent tous les trois à travailler pour les services diplomatiques et secrets et transmettent d'énormes quantités d'informations aux Soviétiques. En 1951, un message intercepté par le projet Venona et datant de 1944, est finalement déchiffré : il contient des informations sur l'un des cinq membres de « l'Anneau ». Il explique en détail que l'agent connu sous le nom de code d'Homère, qui travaille à l'ambassade britannique à Washington, a rendu visite à son épouse enceinte à New York à une certaine date. La seule personne qui correspond à cette description est Donald Maclean, qui a travaillé à l'ambassade de 1944 à 1948, et dont son épouse d'origine américaine a vécu avec sa mère à New York durant cette période.

Les preuves contre Maclean, qui travaille à Londres à cette époque, ne sont pas assez solides pour engager des poursuites contre lui, mais il est placé sous surveillance. Philby ayant gravi les échelons des services secrets pour devenir le chef de la branche de contre-espionnage du MI6, il a accès à des messages interceptés par Venona. Il remonte lui aussi à Maclean et, inquiet d'être découvert lui-même si Maclean est interrogé, il envoie un avertissement *via* un intermédiaire. Burgess vient de rentrer de Washington, en disgrâce après plusieurs indiscrétions liées à son alcoolisme, et son officier traitant soviétique lui ordonne d'escorter Maclean en Russie, lui laissant croire qu'il sera ensuite autorisé à rentrer en Grande-Bretagne. Maclean n'étant pas « surveillé » le week-end, les deux hommes quittent la Grande-Bretagne un vendredi soir. Ils prennent un ferry pour la France et, de là, le train à travers l'Europe, la Tchécoslovaquie et l'Union soviétique. Une fois arrivé à Moscou, Burgess, qui est devenu plus un handicap qu'un atout pour le renseignement soviétique, est empêché de rentrer en Grande-Bretagne. Lui et Maclean resteront en Russie jusqu'à leur mort.

Les défections de Burgess et Maclean compromettent la position de Philby au MI6 et il est forcé de démissionner. On le soupçonne d'être le « troisième homme » du réseau d'espionnage, mais il ne craque pas sous interrogatoire et, aucune preuve n'étant recueillie contre lui, il n'est accusé de rien. Il devient journaliste et vit à Beyrouth, jusqu'à ce qu'il soit finalement dénoncé par un transfuge soviétique en 1963. Il est alors contraint de fuir à Moscou. Blunt est lui aussi dénoncé la même année par Michael Straight, un Américain qu'il avait tenté de recruter pour les Soviétiques dans les années 1930 alors qu'ils étaient tous deux à l'université de Cambridge. L'immunité qu'il reçoit en échange d'informations signifie qu'il a conservé les positions qu'il avait atteintes en sa qualité d'historien de l'art, y compris au sein de la famille royale où il est « Surveyor of the Queen's Pictures ». Après avoir été confondu en

1979, il sera dépouillé du titre de chevalier qui lui avait été décerné en 1956 pour services rendus à l'histoire de l'art. Étonnamment, personne ne semble s'être préoccupé de savoir comment un homme qui avait été soupçonné d'être un agent soviétique depuis le début des années 1950, est resté au sein de l'*establishment* britannique pendant tant d'années.

Il reste désormais à découvrir l'identité du cinquième et dernier membre du groupe des « Cinq de Cambridge ». On a enquêté sur plusieurs personnes qui avaient été associées aux quatre espions à l'université de Cambridge et plusieurs d'entre elles ont été accusées d'être le cinquième homme. On a cité Michael Straight, ou encore Victor Rothschild, deux autres membres des *Cambridge Apostles* en même temps que Blunt et Burgess, sans qu'aucun ne corresponde entièrement au profil. Straight avouera une certaine implication avec les services secrets soviétiques durant son séjour à Cambridge, mais ne semble pas avoir été considéré comme un atout important par Moscou. Rothschild, qui deviendra Lord Rothschild à la mort de son père, avait travaillé pour le MI5 pendant la Seconde Guerre mondiale, avant d'être passé au crible par les services de renseignement, puis lavé de tout soupçon d'espionnage.

Dans son livre, *The Defense of the Realm: The Authorised History of MI5* (« La défense du royaume : l'histoire officielle du MI5 »), Christopher Andrew désigne John Cairncross comme étant le cinquième homme. Cairncross avait été mis en cause par des documents découverts dans l'appartement de Guy Burgess lorsqu'il a été démasqué en 1951 et a été forcé de démissionner de son poste de secrétaire du ministre d'État aux Affaires étrangères. Après avoir été identifié comme espion par Blunt en 1963, il n'a guère d'autre choix que d'avouer, en admettant, au cours d'un interrogatoire l'année suivante, avoir transmis des documents aux Soviétiques pendant la Seconde Guerre mondiale, tandis qu'il travaillait pour le MI6, à Bletchley Park, le manoir situé dans le Buckinghamshire, où les codes utilisés par les militaires allemands ont été déchiffrés. Pendant son séjour à Bletchley, il avait accès aux dossiers classés ULTRA des services de renseignement militaire britanniques, « ultra » étant le nom donné aux messages déchiffrés envoyés par les machines allemandes de chiffrement Enigma. Cairncross

LE 5ᴱ HOMME

© Rolf Richardson

BLETCHLEY PARK
John Cairncross a passé des documents classés « top secret » à l'Union soviétique, tout en travaillant à Bletchley Park.

les remettait à son officier traitant soviétique. Le plus important de tous concernait des plans allemands de la bataille de Koursk, la plus grande bataille de blindés jamais livrée dans laquelle l'Armée rouge a remporté une victoire décisive, inversant le cours de la guerre sur le front de l'Est.

Après avoir été dénoncé par Blunt en 1964, Cairncross a également été identifié comme un espion en 1985 par le transfuge Oleg Gordievsky, un officier supérieur du KGB qui avait travaillé pour le MI6. Gordievsky a ensuite confirmé que Cairncross était considéré par les services secrets soviétiques comme étant l'un des Cinq de Cambridge. Dans son livre, Christopher Andrew pense que les services secrets britanniques ont, dans un premier temps, mal interprété ce que les Soviétiques entendaient par l'expression « Cinq de Cambridge ». Plutôt que de se référer à un nid d'espions spécifiques qui travaillaient ensemble, il s'agissait tout simplement d'un raccourci pour désigner les cinq espions qui leur avaient fourni les meilleures informations au cours de la Seconde Guerre mondiale. Selon Andrew, les services secrets britanniques ont identifié le cinquième homme dès 1964, sans s'en rendre compte, et ont ensuite passé plusieurs années à enquêter sur ce qui s'est avéré être une fausse piste en recherchant un autre espion qui correspondait aux profils des quatre autres espions de Cambridge.

SELON ANDREW, LES SERVICES SECRETS BRITANNIQUES ONT IDENTIFIÉ LE CINQUIÈME HOMME DÈS 1964, SANS S'EN RENDRE COMPTE.

Cairncross venait d'un milieu très différent des quatre autres. Il a grandi dans une petite ville d'Écosse, où son père tenait une droguerie. Il obtient une place à Cambridge, puis dans la fonction publique grâce à ses excellents résultats, et non grâce à des contacts ou par cooptation. Dans son autobiographie, publiée deux ans après sa mort, en 1995, Cairncross nie catégoriquement être le cinquième homme et maintient avoir espionné pour l'Union soviétique uniquement pour l'aider à lutter contre l'Allemagne nazie. Mais le livre sonne comme un moyen de se dédouaner et les arguments avancés par Cairncross pour se défendre ne sont pas très convaincants. Après la guerre, il ne réussit pas à grimper dans la hiérarchie des services de renseignement, contrairement à Burgess, Maclean et Philby. Sa valeur en tant qu'agent secret est donc moindre pour les Soviétiques. Néanmoins, par ses actions, il a trahi la Grande-Bretagne et, cinquième homme ou pas, il restera dans l'histoire comme un agent soviétique et un traître à sa patrie.

LES ÉVADÉS D'ALCATRAZ
11 juin 1962

MYSTÈRE

Événement inexpliqué

Raison inconnue

Réalité ou fiction ?

Vérité ou mensonge ?

Personne disparue

Personne inconnue

Crime non élucidé

Mystère : ont-ils réussi à s'échapper ou se sont-ils noyés dans la baie de San Francisco ?

Protagonistes : Frank Morris, John et Clarence Anglin, ainsi que le FBI

Dénouement : il est peu probable qu'ils aient réussi, mais ce n'est pas impossible non plus.

Des recherches approfondies menées sous la direction du FBI dans les eaux de la baie, à Angel Island, dans le comté de Marin, San Francisco et la région située à l'est de la baie de San Francisco. Les photos et les descriptions des détenus sont largement diffusées par tous les médias.

Le tableau des marées en vigueur indique qu'entre 21 heures et 3 heures du matin, de forts courants agitent les eaux, en direction de l'ouest à partir d'Alcatraz à travers le Golden Gate vers l'océan. Selon les experts, il serait extrêmement difficile pour quiconque de rejoindre Angel Island au nord en partant d'Alcatraz, de la manière prévue par les forçats.

Extrait d'un rapport du FBI daté du 12 juin 1962, le lendemain de l'évasion

© Kropic | Dreamstime.com

LE ROCHER
La prison, tristement célèbre, occupe la plupart de l'île d'Alcatraz au milieu de la baie de San Francisco.

À en juger par le cinéma d'Hollywood, si un gardien de prison dit à un condamné que sa prison est la plus sûre au monde, ce n'est probablement pas une très bonne idée. Dans le film de Clint Eastwood *Les évadés d'Alcatraz*, le gardien interprété par Patrick McGoohan dresse la liste complète de ce qu'il est déconseillé de dire à un nouveau détenu. Pour être juste, le film est un portrait étonnamment sobre et fidèle des événements réels, mis à part quelques clichés sur la prison. Il décrit en détail comment trois hommes, Frank Morris et les frères John et Clarence Anglin, ont conçu et exécuté l'une des évasions les plus audacieuses jamais tentées.

Dans le film, la dernière scène des trois évadés venant de réussir à sortir de la prison, les montre en train de pagayer dans la baie de San Francisco, loin de l'île d'Alcatraz, sur un radeau de fortune. La scène finale du film montre les gardiens et plusieurs membres des forces de l'ordre en train de découvrir les restes du radeau sur une plage et, alors qu'ils tentent de se convaincre que les trois évadés se sont noyés dans la baie, le gardien cueille un chrysanthème dans le sable. C'est la même fleur qu'il avait prise à Frank Morris en prison. En la trouvant sur la plage, il comprend qu'il ne s'est pas noyé, mais il n'est pas prêt à l'admettre.

Dans la réalité, les événements sont un peu moins clairs. Le radeau a été découvert sur Angel Island, à un peu plus de 2,5 km de la baie d'Alcatraz, mais il est impossible de dire avec certitude ce qu'il est arrivé aux trois compères. Depuis le 11 juin 1962, jour de leur évasion, on n'a jamais retrouvé aucun signe d'eux, aucun corps n'a été repêché à l'époque et, durant les 50 années suivantes, ils n'ont jamais été signalés. S'ils ont survécu, cela signifie qu'ils ont réussi à ne pas se faire repérer malgré l'une des plus grandes chasses à l'homme que le FBI ait jamais lancée.

La prison fédérale de l'île d'Alcatraz, appelée « The Rock » (le rocher) par ses habitants, a vraiment été conçue comme un pénitencier de haute sécurité pour héberger les criminels les plus récalcitrants du pays. Morris et les frères Anglin y ont tous été envoyés après plusieurs tentatives d'évasion d'autres prisons fédérales. Les prisonniers étaient détenus dans des cellules individuelles et devaient gagner le droit à obtenir des privilèges, comme les visites de leur famille ou l'accès à la bibliothèque de la prison, en se conformant aux règles. Lorsqu'on pensait qu'un prisonnier s'était suffisamment amendé, il était transféré dans une autre prison fédérale pour terminer sa peine. La plupart des prisonniers du Rocher n'y séjournaient donc pas très longtemps. le pénitencier était aussi relativement petit, hébergeant environ 250 prisonniers, et bien que certains des détenus fussent de célèbres gangsters, comme Al Capone et Machine Gun Kelly, la majorité d'entre eux étaient des criminels de carrière qui passaient leur vie à faire des allers-retours en prison.

L'ÉVASION

On pense que Frank Morris est le cerveau qui a mis au point l'évasion. Il connaît toutes les étapes du système pénitentiaire, de la maison de redressement dès l'âge de 13 ans, à un séjour de dix ans dans le pénitencier de l'État de Louisiane pour vol de banque. Après s'en être échappé et avant d'être repris lors d'un cambriolage, il est envoyé à Alcatraz, où il va rencontrer plusieurs détenus, notamment John et Clarence Anglin, qu'il avait connus dans d'autres prisons fédérales. Les frères Anglin sont passés par de nombreuses prisons au fil des ans, principalement pour des cambriolages et des vols à main armée, avant d'être finalement envoyés à Alcatraz après plusieurs tentatives d'évasion. Ils sont détenus tous les trois dans des cellules proches les unes des autres, et ils commencent à planifier leur évasion avec un quatrième homme, Allen West, qui ne parviendra cependant pas à sortir de sa cellule le jour J.

PORTRAITS
De gauche à droite:
Clarence Anglin, John Anglin
et Frank Morris, le cerveau
qui a mis au point l'évasion.

Le plan consiste à creuser le contour de la grille de ventilation près du sol au fond de leurs cellules avec des cuillères volées à la salle à manger. Le trou du fond des cellules fait, ils ont accès à un couloir de service de moins d'un mètre de large non gardé. De là, ils peuvent monter sur le toit de la prison, descendre le long d'une conduite et rejoindre le radeau de fortune qu'ils ont fabriqué avec des imperméables de la prison. Quand ils ne creusent pas, le trou est bouché par une fausse grille réalisée en carton peint de la même couleur que le mur. Lorsque l'un travaille, un autre fait le guet. S'ils doivent faire du bruit, Morris se met alors à jouer de l'accordéon dans sa cellule.

Dans la nuit de l'évasion, ils placent sur leurs lits trois têtes factices en papier mâché, sur lesquelles ils ont collé des cheveux récupérés chez le coiffeur de la prison, afin que les gardiens de prison ne se rendent pas compte qu'ils ont disparu. Ils sortent par le trou creusé dans le mur au fond de leur cellule et récupèrent le radeau. De là, ils montent sur le toit de la prison, rampent à travers une conduite, puis glissent vers le sol. Tout ce qu'il leur reste à faire, c'est d'escalader deux clôtures grillagées et ils seront libres. Ils trouvent ensuite un endroit sur la rive hors d'atteinte des projecteurs de la prison puis, à l'aide d'un accordéon, ils gonflent le radeau. Cela fait, ils s'élancent, pagayant avec des morceaux de contreplaqué.

ONT-ILS RÉUSSI?

Le lendemain matin, les gardiens de prison découvrent les têtes en papier mâché et déclenchent l'alarme. C'est le début d'une énorme chasse à l'homme, menée par le FBI, à qui Allen West, l'homme laissé pour compte, fournit des détails sur le plan d'évasion. Les rescapés doivent ramer jusqu'à Angel Island, puis nager sur une courte distance jusqu'au Comté de Marin sur le continent. Une fois sur place, ils doivent tenter de voler des vêtements et une voiture pour s'enfuir. Le lendemain, le FBI découvre ce qui reste du radeau sur Angel Island, avec des pagaies et un sac contenant les effets personnels de l'un des frères Anglin. Avec rien d'autre pour continuer, les enquêteurs en déduisent que les trois prisonniers se sont probablement noyés dans la baie et que leurs corps ont été emportés au large par les courants dominants.

L'enquête du FBI progressera peu et le dossier est fermé en 1979, date à laquelle Morris et les frères Anglin sont déclarés officiellement morts. Le *United States Marshals Service* ne refermera cependant le dossier que lorsqu'on trouvera la preuve que les trois évadés sont morts ou ont été repris, même si chacun d'eux aurait maintenant plus de 80 ans. En 2011, un documentaire télévisé du *National Geographic* révèle que le FBI a trouvé des empreintes dans le sable qui s'éloignent du radeau sur Angel Island et, malgré les affirmations contraires données au cours de l'enquête, il dévoile aussi un rapport indiquant qu'une voiture a été volée dans le Comté de Marin la nuit de l'évasion. Ces deux nouvelles révélations ne sont pas suffisantes pour prouver à elles seules de façon concluante que Morris et les frères Anglin ont réussi à s'échapper. S'ils l'ont fait et qu'ils sont encore en vie aujourd'hui, après tout ce temps, ils ne sont certainement pas près de vendre la mèche maintenant.

L'ASSASSINAT DE JFK

22 novembre 1963

MYSTÈRE

Événement inexpliqué

Raison inconnue

Réalité ou fiction ?

Vérité ou mensonge ?

Personne disparue

Personne inconnue

Crime non élucidé

Mystère: était-ce un tireur isolé ou un complot plus vaste ?

Protagonistes: le leader du monde libre, Lee Harvey Oswald, la mafia, les Cubains, la CIA — la liste est longue…

Dénouement: il s'agit soit d'un tireur isolé, soit d'un complot plus vaste.

Le fait qu'aucun des théoriciens du complot n'ait été en mesure d'offrir des preuves convaincantes de leurs soupçons, ne semble pas gêner beaucoup de gens. La plausibilité d'un complot est moins importante pour eux que le fait invraisemblable que quelqu'un d'aussi inconséquent qu'Oswald ait les moyens de tuer quelqu'un d'aussi important – aussi puissant et bien gardé – que Kennedy. Pour accepter qu'un acte de violence aveugle perpétré par un obscur mécontent puisse faire tomber un président des États-Unis, c'est reconnaître un monde chaotique et désordonné qui effraie la plupart des Américains.

Robert Dallek, *John F. Kennedy: An Unfinished Life* (« *Une vie inachevée* »)

JOHN FITZGERALD KENNEDY

1917 — 1963

Une des rares choses qu'il est aujourd'hui possible de dire à propos de l'assassinat du président John F. Kennedy avec un certain degré de certitude, c'est qu'il a en effet été tué ce jour-là, le 22 novembre 1963, à Dallas. Tout le reste a été l'objet de tant de spéculations, et tout élément de preuve a été interprété de tant de façons différentes et souvent contradictoires, qu'il est devenu presque impossible de séparer les affirmations crédibles et factuelles de l'événement, de ce que raconte n'importe cinglé et affabulateur. Au fil des ans, il y a eu tant de désinformation, de demi-vérités et de mensonges éhontés qu'il est difficile d'imaginer obtenir un jour une réponse définitive à ce mystère : qui a commandité l'assassinat ?

LA ROUTE VERS DALLAS

L'élection présidentielle de 1960 est la plus serrée que les États-Unis ont connue depuis celle de 1888. La courte victoire de Kennedy sur le candidat républicain Richard Nixon est due en partie à l'appui qu'il a reçu dans les États clés de la Floride et du Texas. Dès l'été 1963, il se tourne déjà vers les élections de 1964, pour lesquelles ces deux États seront de nouveau décisifs. À la Maison Blanche, on pense qu'il a perdu un peu de terrain dans les deux États. En Floride, on critique son manque de soutien au mouvement anti-castriste qui s'est développé au sein de l'importante et influente communauté cubaine en exil. On lui reproche en particulier l'échec du débarquement de la Baie des Cochons, prétendant qu'il a refusé que l'armée américaine soutienne pleinement la tentative d'invasion militaire de Cuba par des exilés cubains en avril 1961. Cette opération dirigée par la CIA se solde par un désastre complet. Dans le même temps, le soutien à l'État conservateur du Texas décline car Kennedy prend fait et cause pour la lutte des droits civiques, l'un des problèmes nationaux les plus urgents et les plus conflictuels auquel l'Amérique de l'époque se trouve confrontée.

JFK
Kennedy à son bureau de la Maison Blanche. Il devient président à l'âge de 43 ans.

Les voyages en Floride et au Texas sont prévus pour novembre et, malgré de nombreux avertissements sur les dangers que cela implique, Kennedy est déterminé à les accomplir. Il est bien conscient de la publicité positive que les deux visites peuvent produire, notamment parce que sa femme Jackie, que les médias traitent comme une star de cinéma, l'accompagnera. L'étape en Floride se déroule sans incident majeur, et le jeudi 21 novembre, Kennedy et sa suite arrivent à Houston, au Texas. En plus des objectifs déclarés de la visite, il espère apaiser une rivalité qui s'est développée entre le gouverneur de l'État, John Connally, qui se situe à l'extrémité conservatrice du parti démocrate, et plusieurs de ses collègues à l'esprit plus libéral.

Air Force One, l'avion présidentiel, arrive à l'aéroport de Love Field, à environ 10 km du centre de Dallas, à 11 h 25, le matin du vendredi 22 novembre. Après avoir serré la main à d'innombrables personnes, le président et Jackie Kennedy partent pour le centre-ville à bord de leur Lincoln Continental décapotable spécialement aménagée, avec le gouverneur Connally et sa femme assis en face d'eux. Ils se dirigent vers le Trade Mart, où le président doit déjeuner avec d'éminents dirigeants locaux et donner un bref discours. Le cortège suit le parcours habituel des défilés à travers la ville. À Dealey Plaza, il fait un virage à droite sur Houston Street, puis tourne à gauche sur Elm Street, pour passer sous un viaduc, puis se dirige vers la sortie pour prendre Stemmons Freeway, d'où il ne faut que quelques minutes pour rejoindre le Trade Mart.

DEALEY PLAZA

Le *Texas Book Depository* (le dépôt de livres scolaires), est un bâtiment en brique de sept étages à l'angle de Houston et Elm. Alors que le cortège s'approche de Dealey Plaza, des spectateurs qui se trouvent sur la place remarquent plusieurs personnes en train de regarder par les fenêtres au cinquième étage, et un homme seul à la fenêtre située à l'angle à l'étage supérieur. La limousine tourne à Elm Street et, peu de temps après, on entend une forte détonation, initialement considérée par presque tout le monde comme un pétard ou la pétarade d'un moteur. Quelques secondes plus tard, tandis que la limousine s'approche de Grassy Knoll — « le monticule herbeux », une zone herbeuse qui monte en pente douce vers quelques monuments en béton et un parking délimité par une palissade — deux détonations supplémentaires retentissent. Cette fois, il n'y a plus le moindre doute : ce sont des coups de feu.

Des témoins décriront plus tard avoir vu l'homme à la fenêtre du sixième étage du Book Depository avec un fusil, certains l'ayant même assez clairement vu pour pouvoir en donner une description complète. Un des hommes qui regarde le cortège du cinquième étage a clairement entendu le mécanisme d'un fusil qu'on arme et les douilles toucher le sol au-dessus de lui, après chacun des trois coups de feu. Abraham Zapruder était debout sur une borne en béton à côté du monticule herbeux en train de filmer le cortège avec une caméra amateur lorsque le cortège passe. Les images qu'il a prises constituent sans doute, aujourd'hui encore, le film amateur le plus analysé au monde. Il montre clairement Kennedy venant d'être abattu. La première des trois balles l'a apparemment manqué, mais la deuxième a frappé le président en haut du dos, est ressortie par la gorge, venant blesser le gouverneur Connally dans le dos et au poignet droit. Les théoriciens de la conspiration l'ont appelée la « balle magique », doutant qu'un seul coup de feu ait pu causer tous les dommages qui lui sont attribués.

Le film de Zapruder montre l'effet dévastateur du troisième coup de feu, révélant des détails crus et pénibles. Il frappe Kennedy à la tête, causant une blessure massive et évidemment fatale. Cette fraction de seconde, lorsque Kennedy est frappé à la tête et que son corps est rejeté en arrière et à gauche par l'impact, est le moment crucial pour déterminer si quelqu'un d'autre que l'homme situé dans le dépôt de livres, est impliqué dans l'assassinat. S'il y a eu un quatrième coup, il n'aurait pas pu être tiré par un tireur isolé et serait probablement l'œuvre d'un second tireur derrière la palissade sur le monticule herbeux, ce qui fournirait ainsi la preuve directe d'une conspiration, même si elle ne ferait pas nécessairement toute la lumière sur les individus impliqués. Le film de Zapruder donne certainement l'impression que Kennedy a été abattu par un tir provenant de l'avant et à sa droite, depuis le monticule herbeux, mais il est loin d'être concluant. Les déclarations faites par les différents témoins se contredisent les unes avec les autres sur ce point. Certains ont affirmé avoir vu des gens derrière la palissade peu de temps après les coups de feu et ils ont soit entendu le bruit, soit vu de la fumée, soit senti une odeur de cordite, tandis que d'autres, dont une femme qui était avec Zapruder, ce qui fait d'elle l'une des personnes les plus proches du monticule herbeux, n'a rien remarqué venant de cette direction.

> **LE FILM DE ZAPRUDER DONNE CERTAINEMENT L'IMPRESSION QUE KENNEDY A ÉTÉ ABATTU PAR UN TIR PROVENANT DE L'AVANT ET À SA DROITE, DEPUIS LE MONTICULE HERBEUX.**

Le président est transporté à l'hôpital le plus proche, où il est déclaré mort à une heure, soit une demi-heure après la fusillade. Environ dix minutes plus tard, l'officier de police de Dallas J. D. Tippitt arrête un homme qui marche dans la rue, dans le quartier de Oak Cliff à Dallas, à 5 km de Dealey Plaza, et qui correspond à la description qu'il a reçue de Lee Harvey Oswald, un employé du *Texas Book Depository*, et que l'on recherche depuis la fusillade. L'homme sort une arme de poing et tire quatre fois sur Tippitt, le blessant mortellement, puis s'enfuit. Il est vu entrant dans une salle de cinéma des environs, et il est arrêté peu de temps après. Il s'appelle Oswald, et est un ex-marine de 24 ans. Après avoir été d'abord accusé du meurtre de Tippitt, plus tard ce jour-là, il est également accusé de l'assassinat du président Kennedy.

Oswald est conduit au siège de la police de Dallas et, interrogé à plusieurs reprises, il nie les accusations de meurtres. Interrogé par les journalistes sur sa culpabilité, il proteste de son innocence et affirme qu'il est un pigeon que l'on a payé pour être accusé. Deux jours plus tard, le dimanche 24 novembre, tandis qu'on le conduit dans le sous-sol du siège de la police afin d'être transféré à la prison du comté, il est touché à l'estomac par Jack Ruby, le patron d'une boîte de nuit de Dallas, et décède de la blessure tard dans la journée. Ruby a affirmé avoir tué Oswald afin que la ville de Dallas puisse réparer son image ternie et épargner à Jackie Kennedy l'épreuve d'un procès. Il a été reconnu coupable de l'assassinat d'Oswald en mars 1964 et est décédé d'un cancer en janvier 1966, durant son procès en appel. Selon des allégations persistantes, il aurait été forcé par la mafia de tuer Oswald.

La Commission Warren a été mise en place par le nouveau président Lyndon Johnson dans les jours qui ont suivi l'assassinat afin d'enquêter sur les circonstances de l'événement. Présidée par le juge en chef Warren Earl, elle rapporte en septembre 1964 que Lee Harvey Oswald a agi seul. La nature précipitée de l'enquête et son empressement apparent pour parvenir à cette conclusion, lui ont valu d'être rejetée par beaucoup qui y ont vu une tentative d'étouffer l'affaire. En 1979, le *House Select Committee on Assassinations*, ou HSCA, publie un rapport qui contredit la Commission Warren, estimant que si Oswald a bien tiré trois coups de feu sur le président, les données acoustiques obtenues à partir de l'enregistrement d'une radio de la police ont montré qu'il était possible qu'un quatrième coup ait également été tiré. Elle en conclut

TIREUR ISOLÉ OU COMPLOT?

© Corbis

DEALEY PLAZA
Le *Book Depository* est
le premier bâtiment sur
la gauche, le monticule
herbeux est au premier plan
au centre.

qu'une conspiration est à l'origine de l'assassinat, même si, compte tenu des indices disponibles, la nature de ce complot ne peut être déterminée.

La théorie du complot la plus persistante accuse la mafia, souvent en collusion avec des membres incontrôlables de la CIA qui, dans les années 1960, avaient établi des contacts avec le crime organisé au cours de missions secrètes pour assassiner Fidel Castro. Le manque d'enthousiasme de Kennedy pour le changement de régime à Cuba, ainsi que les tentatives énergiques de Robert Kennedy pour réprimer la foule après avoir été nommé au poste de procureur général par son frère, sont cités comme des mobiles de meurtres pour certains personnages mafieux de premier plan. Ainsi, Carlos Marcello à la Nouvelle-Orléans, Santo Trafficante en Floride, et Sam Giancana à Chicago, auraient pu vouloir la mort du président. Des années plus tard, Marcello aurait avoué sa participation à un codétenu alors qu'il purgeait une peine de prison, en expliquant qu'en Sicile, si l'on veut tuer un chien, on lui coupe la tête, et non la queue, ce qui signifie que, John Kennedy mort, Robert Kennedy ne pourrait plus menacer les intérêts de la mafia.

Il existe des preuves d'un lien entre Oswald, qui avait déjà vécu à la Nouvelle-Orléans, et un certain nombre de personnes associées à Carlos Marcello. Mais, là encore, il existe des indices, certains d'entre eux étant ténus, permettant de lier Oswald à toutes sortes d'autres complots potentiels. Il a mené une vie que l'on peut décrire d'étrange, fuyant l'Union soviétique après avoir quitté la Marine. Il a vécu plus de deux ans en Russie avant de retourner aux États-Unis, où il va se rapprocher d'un groupe cubain pro-castriste. Certains théoriciens du complot ont prétendu qu'il a travaillé pendant tout ce temps pour la CIA, qu'il est allé en Russie pour recruter des agents secrets, puis qu'il a infiltré des groupes communistes cubains de retour en Amérique. Ce serait la raison pour laquelle la CIA n'aurait pas été trop coopérative lors des enquêtes sur l'assassinat.

Selon une théorie du complot tout à fait différente, Oswald aurait travaillé pour les services secrets cubains, qui avaient l'intention de tuer Kennedy en réponse à des tentatives d'assassinat commises par la CIA sur la personne de Castro. Oswald, ou, au moins, un homme prétendant être Oswald, s'est rendu à l'ambassade de Cuba à Mexico en septembre 1963, où il a demandé un visa pour Cuba. Durant plusieurs jours, il a fait des visites répétées à l'ambassade et obtenu finalement un visa, mais, plutôt que de se rendre à La Havane, il est retourné aux États-Unis. A-t-il pu vraiment rencontrer des agents secrets cubains à l'ambassade pour planifier la tentative d'assassinat et sa fuite d'Amérique, ou y a-t-il une autre explication à ce comportement étrange? Comme tout le reste dans l'affaire Oswald, en essayant de démêler ses intentions d'aller au Mexique, on n'aboutit qu'à d'autres questions sans réponse et, en fin de compte, il est impossible de savoir ce qui l'a motivé et avec qui il a comploté si, bien sûr, il a comploté avec quelqu'un. Comprendre Oswald pourrait bien fournir la clé pour déverrouiller le mystère, mais l'énigme d'aujourd'hui demeure la même qu'à l'époque.

En faisant taire Oswald, Jack Ruby a probablement mis fin à toute chance pour nous de savoir avec certitude s'il existait un complot pour tuer Kennedy. Il y avait certainement de nombreux individus en Amérique qui n'ont pas été fâchés d'apprendre la nouvelle de sa mort, mais cela ne signifie pas nécessairement qu'ils ont monté un complot visant à le tuer. Les indices ne servent qu'à imaginer des hypothèses sur la participation de personnes autres qu'Oswald. Alors que beaucoup restent convaincus qu'un complot est à l'origine de l'un des moments marquants du XXe siècle, 50 ans après l'événement, nous ne savons pas davantage ce qui s'est passé.

MYSTÈRE

Événement inexpliqué

Raison inconnue

Réalité ou fiction ?

Vérité ou mensonge ?

Personne disparue

Personne inconnue

Crime non élucidé

LA DISPARITION DE HAROLD HOLT

17 décembre 1967

Mystère : qu'est-il arrivé à Harold Holt ?

Protagonistes : le premier ministre australien, un sous-marin invisible, et les eaux du détroit de Bass

Dénouement : pas de sous-marin, pas de suicide, juste un tragique accident

Dans la matinée du dimanche 17 décembre 1967, il est passé chercher une voisine, Marjorie Gillespie, sa fille et deux jeunes gens, et ensemble, ils sont allés observer au large le Britannique Alec Rose dans sa tentative de tour du monde en solitaire à la voile. Le groupe s'est ensuite rendu à Cheviot Beach où Holt a mis son maillot de bain, a dit qu'il connaissait la plage comme sa poche et, peu après midi, il a plongé dans ce que tout le monde s'est accordé plus tard à qualifier de déferlante. Harold a été vu nageant librement dans la mer, lorsque l'eau déchaînée l'a soudainement encerclé et il a disparu. On a appelé les secours, une opération de sauvetage a été montée, et Zara, accompagnée de la famille proche, est arrivée. À la nuit tombée, environ 190 personnes étaient à la recherche du Premier ministre sans s'attendre à le retrouver vivant. Les recherches ont été réduites le 22 décembre et ont officiellement pris fin le 5 janvier 1968. Le corps de Holt n'a jamais été retrouvé.

Extrait du dictionnaire australien des biographies, article sur Harold Holt

Au cours d'une carrière politique de plus de 30 ans, Harold Holt a eu sa juste part de réussite, notamment en succédant à Sir Robert Menzies au poste de Premier ministre de l'Australie en janvier 1966, ainsi qu'à la tête du parti libéral de l'Australie, avec une victoire décisive sur ses rivaux du parti travailliste à l'élection générale en novembre de la même année. Et pourtant, la vie politique étant ainsi, on ne se rappelle pas aujourd'hui ces événements importants. Si l'on se souvient un peu de lui, c'est pour le choix des mots peu judicieux qu'il a utilisés dans un discours prononcé en Amérique, en juin 1966, et pour la façon soudaine et dramatique dont son mandat de Premier ministre a pris fin.

© Bettmann | Corbis

HAROLD HOLT
Holt a effectué une brillante carrière politique avant de devenir Premier ministre de l'Australie en janvier 1966.

Le discours qu'il prononce à Washington en présence du président Lyndon B. Johnson, est obséquieux. Holt promet aux États-Unis que l'Australie continuerait de leur apporter son soutien dans la guerre du Vietnam. Il termine en disant que l'Australie resterait une amie fidèle de l'Amérique et serait « All the way with LBJ » (« Jusqu'au bout avec L.B. Johnson »), qui est le slogan de Johnson durant la campagne présidentielle de 1964. Il fait cette déclaration au moment où l'opinion publique, en Amérique comme en Australie, commence à critiquer la guerre.

L'année suivante s'avère difficile pour Holt. Le gouvernement de coalition doit faire face à de profondes divisions et un nombre croissant de soldats australiens, dont certains sont des appelés, est tué au Vietnam. Le dimanche 17 décembre 1967, Holt s'en va nager au large de Cheviot Beach, près de sa résidence secondaire située à Portsea, dans l'État de Victoria, et disparaît. On ne l'a jamais revu et, comme son corps n'a pas été retrouvé, un mois plus tard, on annonce qu'il est présumé mort par noyade. Au fil des ans, de nombreuses hypothèses diverses et variées ont été avancées pour expliquer ce qui s'est passé, des plus plausibles — il se serait suicidé car des révélations sur sa vie privée étaient sur le point de devenir publiques — aux plus fantaisistes — il aurait été un espion chinois et il ne se serait pas noyé, mais aurait été récupéré par un sous-marin et emmené en Chine.

Holt est un Australien typique : il aime boire des bières avec ses amis, joue occasionnellement aux chevaux, et aime les femmes. Et lorsqu'il ne travaille pas, il passe une grande partie de son temps dehors, se livrant à ses deux passe-temps favoris, la natation et la pêche au harpon. La semaine précédant sa disparition a été longue et difficile. Les divisions qui apparaissent au sein du gouvernement de coalition sont de plus en plus graves de jour en jour et, en plus des difficultés qu'il a déjà rencontrées au cours de la guerre du Vietnam, son gouvernement est confronté à une érosion sensible de la confiance des Australiens, qui s'exprime par la perte récente de deux élections partielles, remportées par le parti travailliste. Passer le week-end à Portsea, loin des conflits politiques à Canberra, est un moyen de se reposer et de se détendre, et ce week-end fatidique de novembre n'est en cela pas différent des autres.

Le dimanche matin, il descend à Cheviot Beach avec plusieurs amis qui ont été invités à rester pour le week-end, et en compagnie de Marjorie Gillespie, sa voisine directe à Portsea et maîtresse de longue date. Ses amis déclareront plus tard que les vagues étaient violentes ce jour-là et tous, à l'exception de Holt, ont pensé qu'il valait mieux ne pas aller dans l'eau. C'était un bon nageur et il y est allé en dépit des conditions. Selon Marjorie Gillespie, il s'est cependant trouvé en difficulté peu de temps après et a disparu après avoir apparemment été entraîné sous l'eau par une vague particulièrement importante. Ce sera la dernière fois que quelqu'un l'a vu. Malgré des recherches impliquant la police, l'armée, des plongeurs de la marine et des hélicoptères de sauvetage, on n'a retrouvé aucune trace de lui. En l'absence de corps, il n'y a pas eu d'enquête du coroner et il a été décidé par la suite, qu'étant donné que les circonstances de sa mort étaient manifestes, une enquête serait une perte de temps et d'argent. L'absence d'enquête officielle sur les circonstances du décès de Holt a ouvert un espace dans lequel se sont engouffrées toutes sortes de spéculations et théories de complot.

SOUS-MARIN OU SUICIDE? Outre les habituelles histoires d'enlèvements d'extraterrestres, auxquelles on peut s'attendre dans de telles circonstances, la plus extravagante et étonnamment persistante des rumeurs entourant la disparition de Holt est celle qui raconte son enlèvement par un sous-marin chinois. Cela ressemble à un scénario de James Bond, mais, malheureusement pour les fans du genre, ce n'est, comme James Bond lui-même, que de la pure fiction. Aucune preuve n'a jamais été produite pour étayer cette thèse. Comme l'a souligné un témoin des événements de ce dimanche, si un sous-marin, chinois ou autre, avait été assez près de la plage pour pouvoir prendre un nageur, comment se fait-il que personne ne l'a remarqué ? Si Holt était un espion chinois, ce en quoi il n'existe pas la moindre preuve, il aurait bien évidemment pu mettre au point une meilleure méthode pour fuir que de nager dans les vagues, sous les yeux de ses amis et des membres de sa famille, dans l'espoir de rencontrer un sous-marin, de monter à bord on ne sait trop comment et ce, sans que personne ne le voie.

On peut facilement rejeter l'histoire du sous-marin, qui n'est qu'un tissu de bêtises, probablement concocté pour vendre un livre. Une autre rumeur, qui prétend que Holt aurait disparu pour pouvoir fuir avec sa maîtresse, ne tient pas non plus la route, car Marjorie Gillespie est restée en Australie après sa disparition. Reste la probabilité qu'il s'est vraiment noyé dans les vagues et que son corps a été soit emporté vers le détroit de Bass, au large de Cheviot Beach et où la mer est agitée, soit il s'est empêtré dans les bancs de varech qui se trouvent sous l'eau le long cette partie de la côte.

CHEVIOT BEACH
Holt a disparu lors d'une baignade sur une plage connue pour ses forts courants et marées.

Ces dernières années, on a émis l'hypothèse selon laquelle Holt s'est suicidé en nageant dans les vagues sans avoir l'intention de revenir vers la rive. La pression liée à son poste aurait pu devenir insupportable pour Holt. Il se pourrait aussi que le mari de Marjorie Gillespie était sur le point de citer son nom au cours de la procédure de divorce, ce qui aurait provoqué un scandale et coûter à Holt à la fois son poste et sa réputation. En l'absence d'une lettre de suicide, il est impossible de dire avec certitude s'il avait l'intention de se tuer ce jour-là ; ceux qui le connaissaient bien, y compris sa famille et ses collègues au sein du gouvernement, ont rejeté cette idée. Ils reconnaissent qu'il était à l'époque sous pression, mais disent que rien dans son comportement ce week-end n'indiquait qu'il envisageait de se suicider.

Il faut sans doute chercher la clé du mystère, et de ce qui s'est le plus probablement passé, dans le nom même de la plage sur laquelle Holt s'est rendu ce jour-là. Elle avait été baptisée d'après le SS *Cheviot*, un paquebot parti de Melbourne et qui s'est brisé dans une mer agitée au large de la plage, en octobre 1887, causant la mort de 35 personnes. Seuls sept corps ont été récupérés, les autres ayant disparu en mer. De nos jours, les disparitions de baigneurs au large des côtes victoriennes demeurent malheureusement bien trop fréquentes. Les eaux agitées du détroit de Bass, associées à de forts courants et contre-courants à proximité des plages, peuvent surprendre même les nageurs les plus expérimentés. Et même si Holt paraissait en bonne santé, il avait connu des problèmes au cours des quelques mois qui ont précédé sa disparition. On lui avait prescrit des analgésiques pour calmer une vieille blessure à l'épaule et il s'était effondré au parlement australien au début de l'année. Officiellement, il souffrait d'une carence en vitamine, mais d'après les rumeurs qui couraient dans les milieux politiques, il avait peut-être une maladie cardiaque qui a été cachée à la presse.

ON LUI AVAIT PRESCRIT DES ANALGÉSIQUES POUR CALMER UNE VIEILLE BLESSURE À L'ÉPAULE ET IL S'ÉTAIT EFFONDRÉ AU PARLEMENT AUSTRALIEN AU DÉBUT DE L'ANNÉE.

Les deux hypothèses les plus probables pour expliquer la disparition de Holt sont les suivantes : soit il s'est trouvé en difficulté et s'est noyé parce qu'il a sous-estimé la gravité de la situation, soit il a eu un problème de santé en nageant, ce qui l'a mis en difficulté dans l'eau. Le rapport du coroner sur sa disparition a finalement été publié en 2005, soit 37 ans après l'événement. Il en arrive à la seule conclusion possible, compte tenu des données disponibles : Holt Harold a pris un risque inutile en entrant dans une eau agitée ce jour-là et s'est noyé de manière accidentelle. Depuis, les lois ont changé dans l'État de Victoria, et l'on peut désormais mener une enquête malgré l'absence d'un corps. On a ainsi examiné 80 cas de noyades présumées en remontant jusqu'à 1957. Les mêmes conclusions valent dans la quasi-totalité des cas.

MYSTÈRE

Événement inexpliqué

Raison inconnue

Réalité ou fiction ?

Vérité ou mensonge ?

Personne disparue

Personne inconnue

Crime non élucidé

LE TUEUR DU ZODIAQUE

avant 1968

Mystère : qui était le tueur du Zodiaque ?

Protagonistes : les services de police de la région de la baie de San Francisco

Dénouement : le dossier n'est pas clos.

J'aime tuer des gens parce que c'est tellement amusant c'est plus amusant que de tuer du gibier dans la forêt parce que l'homme est l'animal le plus dangereux de tous tuer quelque chose me procure l'expérience la plus excitante, c'est encore mieux que de prendre son pied avec une fille le mieux dans tout ça c'est que quand je mourrai, je vais renaître au paradis et [tous ceux que] j'ai tués deviendront mes esclaves je ne vous donnerai pas mon nom parce que vous allez essayer de me ralentir ou d'arrêter ma collection d'esclaves pour ma vie après la mort EBEORIETEMETHHPITI

Texte déchiffré d'un message codé envoyé par le tueur du zodiaque à trois journaux californiens en août 1969, notamment une série de lettres dont la signification de la fin reste obscure.

La série de meurtres commis dans les années 1960 et 1970, dans la baie de San Francisco aux États-Unis, par un homme qui se baptise lui-même « le Zodiaque », terrorise la population locale. En dépit d'une gigantesque enquête policière et de l'attention extrême des médias, l'identité de l'auteur demeure à ce jour un mystère. Le tueur, qui recherche la célébrité, envoie des lettres à plusieurs journaux, se moquant de la police et de son incapacité à l'identifier. Un jour, un homme prétendant être le Zodiaque, appelle même un avocat lors d'une émission télévisée diffusée en direct. Même si cet événement particulier sera considéré comme un canular, il correspond au type de comportement du tueur qui commet des crimes terribles afin d'attirer l'attention sur lui. Si telle était son intention, elle s'est avérée extrêmement fructueuse. Plus de 40 ans plus tard, de nombreux films, livres et émissions de télévision ont été produits sur les meurtres, sans toutefois avoir permis de faire de réels progrès et résoudre le mystère de ces crimes.

LES AGRESSIONS

Dans l'une de ses lettres, le Zodiaque affirme avoir tué 37 personnes. Ce nombre ne peut être néanmoins vérifié. La police lui attribue 5 meurtres au total. Par ailleurs, 2 personnes ont survécu à ses attaques. La première agression qui peut être attribuée de manière certaine au Zodiaque, a lieu le 20 décembre 1968, dans un endroit isolé près du réservoir du lac Herman, non loin de la ville de Benicia sur la rive nord de la baie de San Francisco. Deux adolescents, David Faraday et Betty Lou Jensen, se trouvent dans une voiture stationnée lorsqu'ils sont attaqués. David Faraday est abattu de plusieurs balles dans la tête tirées à bout portant alors qu'il est assis dans la voiture. Il décédera de ses blessures à l'hôpital. Betty Lou Jensen reçoit cinq balles dans le dos alors qu'elle tente de fuir le tueur; elle mourra sur place. Un témoin dira plus tard à la police qu'il a vu deux voitures garées côte à côte à l'endroit du meurtre, mais que rien n'a éveillé ses soupçons.

Le 4 juillet 1969, le Zodiaque frappe de nouveau, abattant Darlene Ferrin, une jeune femme mariée de 22 ans, et Michael Mageau, 19 ans, alors qu'ils sont assis dans une voiture à Blue Rock Springs Park à Vallejo, à quelques kilomètres de la première fusillade, et dans un endroit tout aussi isolé. Bien qu'étant touché au visage, au cou et à la poitrine, Mageau survivra et pourra donner une description de son agresseur et des circonstances de la fusillade. Alors que le couple se trouve dans sa voiture, une autre voiture arrive immédiatement derrière eux. Un homme en sort et s'approche de leur voiture, les aveugle avec une lampe dirigée sur leurs visages, puis leur tire dessus. Darlene Ferrin reçoit neuf balles et est déclarée morte à son arrivée à l'hôpital.

Peu de temps après la fusillade, un homme téléphone à la police de Vallejo et revendique le meurtre ainsi que l'attaque précédente. L'appel est émis d'une cabine téléphonique qui se trouve sur la route du bureau du shérif, et qui est visible de la maison de Darlene Ferrin. Pendant l'enquête, il apparaît que Darlene Ferrin connaissait peut-être l'homme qui l'a tuée. Une voiture blanche a été vue à l'extérieur de sa maison à plusieurs reprises, et la description de l'homme dans la voiture correspond à celle donnée par d'autres témoins. Il s'agit d'un homme blanc, d'environ 40 ans, trapu et aux cheveux bruns. Quelques jours plus tard, des lettres arrivent dans trois différents journaux de San Francisco, signées par le Zodiaque et marquées d'une croix entourée d'un cercle, que certains interpréteront comme une représentation de la roue du Zodiaque. Chaque lettre contient une partie du message codé donné au début de ce chapitre, et un message du tueur disant que, si ses lettres ne sont pas imprimées en « une » des journaux, il se déchaînerait, et ne s'arrêterait pas avant d'avoir tué 12 personnes de plus.

Un autre jeune couple, Bryan Hartnell, 20 ans, et Cecelia Shepard, 22 ans, est attaqué le 27 septembre 1969, alors qu'ils pique-niquent tous les deux au bord du lac Berryessa dans la Napa Valley, à environ 30 km de Vallejo. Un homme avec un fusil et portant une cagoule marquée du symbole du Zodiaque, s'approche d'eux et leur dit qu'il vient de s'évader de prison. Il exige qu'ils lui donnent leur voiture et, après les avoir attachés, les poignardent tous les deux à plusieurs reprises. Hartnell survivra, mais Cecelia Shepard succombera à ses blessures deux jours plus tard. Le tueur téléphone à la police pour signaler lui-même le crime et dire qu'il a laissé un message sur les lieux pour prouver qu'il est vraiment le Zodiaque. Il a en effet écrit les dates de ses précédentes attaques sur la porte de la voiture du couple et il a dessiné le symbole du Zodiaque, avant de s'éloigner tranquillement.

Le dernier meurtre attribué au Zodiaque a lieu le 11 octobre 1969. La même arme utilisée lors des précédentes fusillades a été utilisée pour tuer le chauffeur de taxi Paul Stine à San Francisco. Il a été touché à la tête par

© Bettmann | Corbis

LE ZODIAQUE
Des croquis sur la base de déclarations de témoins ont été utilisés sur des affiches de recherche, mais le Zodiaque n'a jamais été identifié.

le passager qu'il a pris en charge. Des témoins ont vu l'assassin prendre le portefeuille et les clés de Stine et déchirer un morceau de tissu de sa chemise, avant d'essuyer l'intérieur du taxi avec, et de s'éloigner. Les policiers sont sur les lieux en quelques minutes, mais ne parviennent pas à attraper l'homme. Un officier de police contrôle un homme qui sort de la scène de crime et qui pourrait être le tueur, mais ne l'arrête pas, car sa description ne correspond pas à celle que lui a donnée le répartiteur radio. Il s'avérera plus tard que la description fournie n'était pas la bonne.

D'autres lettres sont envoyées par le Zodiaque, certaines contenant des morceaux de la chemise de Paul Stine afin de prouver leur authenticité. Dans une lettre, il menace de faire exploser un autobus scolaire et se vante d'avoir discuté avec certains policiers peu de temps après avoir abattu le chauffeur de taxi. L'incident le plus bizarre survient quelque temps plus tard, quand un homme prétendant être le Zodiaque se débrouille pour parler à Melvin Belli, un éminent avocat, lors d'une émission de télévision. Belli parle longuement avec l'homme; la police localise l'appel émis d'une institution pour malades mentaux. On en conclut qu'il s'agit d'un canular. Cette année-là, Belli reçoit une carte de Noël du Zodiaque qui contient un autre morceau de la chemise de Paul Stine et un message dans lequel il demande qu'on l'aide, mais que quelque chose dans sa tête l'en empêche.

LE ZODIAQUE PARLE
Presque toutes les lettres du zodiaque commencent par la phrase: «C'est le zodiaque qui vous parle ».

Des messages continuent d'être envoyés dans les années 1970, principalement adressés au journaliste du *San Francisco Sun* Paul Avery, qui a couvert l'affaire. On enquête sur plusieurs attaques qui auraient pu être commises par le même homme, mais aucune ne peut lui être définitivement attribuée. À partir de mars 1971, les messages cessent. Après une interruption de près de trois ans, le *Chronicle* reçoit un dernier message, qui se termine par la ligne « Me = 37, SFPD = 0 » (« moi = 37, police de San Francisco = 0 »), comme si l'assassin avait compté des points et prétend avoir tué 37 personnes au total. De nombreux canulars seront envoyés par la suite, mais aucun autre meurtre ne lui sera attribué, ni aucun autre contact pouvant être authentifié. Pour des raisons qui restent inconnues, le Zodiaque disparaît.

Au fil des années, la police de San Francisco estime avoir enquêté sur plus de 2 000 personnes suspectées d'être responsables des meurtres. Un de leurs principaux suspects est Arthur Leigh Allen, l'homme que Robert Graysmith identifie comme le tueur dans ses livres. Robert Graysmith a travaillé en tant que dessinateur au *San Francisco Chronicle* à l'époque des meurtres et continue de s'intéresser à l'affaire. Graysmith utilisera d'abord un pseudonyme pour l'homme qu'il a identifié comme le meurtrier, afin de se protéger d'éventuelles poursuites judiciaires. Lorsque le film *Zodiac* sort en 2007, et dont le scénario est tiré des livres de Graysmith, avec Jake Gyllenhaal dans le rôle de Graysmith, Allen est mort, ce qui permet au réalisateur David Fincher de le nommer. Le seul problème, c'est que les preuves contre Allen sont entièrement circonstancielles. Il a continué à clamer son innocence jusqu'à sa mort et, en 2002, une analyse ADN réalisée sur la salive trouvée sur les timbres utilisés pour les lettres envoyées par le tueur, ne correspond pas à l'ADN d'Allen. Allen n'est donc plus considéré comme suspect par la police, même si certains, y compris Graysmith, ne sont pas tout à fait convaincus qu'il n'était pas impliqué dans les meurtres, d'une manière ou d'une autre.

Parmi les nombreux autres suspects sur lesquels ont enquêté la police, ainsi que des détectives amateurs qui se sont passionnés pour l'affaire, seuls quelques-uns peuvent être reliés directement à Allen et uniquement par des preuves circonstancielles. Plus de 40 ans après les crimes, il semble peu probable que de nouveaux éléments de preuve soient découverts, mais, si c'est le cas, la police a désormais l'avantage d'être en mesure d'utiliser l'ADN recueillie sur les lettres du Zodiaque. Dans le même temps, l'homme qui se cache derrière ces meurtres terribles demeure un mystère, ainsi que les raisons qu'il avait de les avoir commis, et le dossier de l'affaire reste ouvert.

MYSTÈRE

Événement inexpliqué

Raison inconnue

Réalité ou fiction ?

Vérité ou mensonge ?

Personne disparue

Personne inconnue

Crime non élucidé

LORD LUCAN

7 novembre 1974

Mystère : Lord Lucan s'est-il suicidé ou est-il toujours vivant quelque part en Afrique ?

Protagonistes : le comte playboy, le « Clermont Club », Lady Lucan et Sandra Rivett

Dénouement : un meurtrier qui a échappé à la punition qu'il méritait.

Cher Bill,

Les circonstances les plus horribles ont eu lieu ce soir, que j'ai brièvement décrites à ma mère. Quand j'ai arrêté la bagarre à Lower Belgrave Street et l'homme à gauche, Veronica m'a accusé de l'avoir recruté. Je l'ai emmenée à l'étage et j'ai envoyé Frances au lit et j'ai essayé de la nettoyer. Elle l'a fermée un peu et quand j'ai été dans la salle de bains, j'ai quitté la maison. Les preuves circonstancielles contre moi sont solides, parce que V va dire que tout était ma faute. Je vais aussi me planquer un peu mais je m'inquiète pour les enfants... Que George et Frances traversent la vie en sachant que leur père est resté à quai pour une tentative d'assassinat, ce serait trop. Quand ils seront assez vieux pour comprendre, explique-leur le rêve de la paranoïa, et prends soin d'eux.

Bien à toi,

John

Texte d'une lettre écrite par Lucan à William Shand-Kydd, son beau-frère, dans la nuit du 7 novembre 1974, quelques heures après le meurtre de Sandra Rivett

Près de 40 ans après la disparition de Lord Lucan, le cas continue de fasciner les Britanniques. Chaque fois qu'un homme qui lui ressemble vaguement est retrouvé à l'autre bout du monde, ou que les médias sortent une nouvelle information après toutes ces années, tous les détails de l'affaire font les gros titres de la presse : « J'ai aidé Lord Lucan à vivre en secret en Afrique » ou « Un expatrié du Royaume-Uni dément être Lucan ». Si les membres de l'ancienne aristocratie ont peut-être perdu beaucoup de leur pouvoir et de leur prestige de nos jours, ils nous fascinent encore, surtout s'ils sont associés à une histoire sordide ou à des commérages salaces. Lucan a réussi à nous satisfaire sur ces deux tableaux. Les photos que l'on a de lui révèlent une expression généralement distante et désintéressée sur son visage, comme s'il a de la peine à cacher son dédain pour ceux qui sont d'un rang inférieur. Avec son allure militaire et sa moustache soigneusement entretenue, il donne l'impression d'être sorti des pages d'un de ces romans victoriens où le personnage principal dilapide la fortune familiale et est décrit comme un goujat et un malotru. Son image de comte play-boy est désormais balayée depuis que, selon toute vraisemblance, il a brutalement assassiné une jeune femme de 28 ans, Sandra Rivett. La seule raison pour laquelle quelqu'un voudrait aujourd'hui le retrouver, c'est pour qu'il réponde de ce crime horrible.

LE COUPLE LUCAN
Avant de se marier en 1963, Lucan avait abandonné son emploi pour devenir joueur à temps plein.

Richard John Bingham, septième comte de Lucan, appelé John par sa famille, et Lucky par ses amis, est un aristocrate dans l'âme. Il fait ses études à Eton, sert dans les *Coldstream Guards* puis, en quittant l'armée, rejoint une banque d'affaires. En 1960, à l'âge de 26 ans, il décide de travailler à temps partiel, ce qui est probablement un peu plus adapté à son mode de vie. Après avoir gagné 26 000 livres Sterling au jeu du chemin de fer, une variante du baccara, lors d'une soirée privée organisée par John Aspinall, il arrête de travailler à la banque pour devenir joueur à temps plein. En 1964, il se marie et hérite du titre et de l'argent de son père. Il devient membre du « Clermont Club », un casino exploité par Aspinall à Berkeley Square. La plupart des membres du club ressemblent beaucoup à Lucan : ils sont riches, ont des relations et n'ont rien de mieux à faire que de perdre leur temps et leur argent en jouant aux cartes en pariant gros, et en ayant des aventures avec les femmes des autres.

LE COMTE PLAY-BOY

JOHN ASPINALL
Le propriétaire
du « Clermont Club »
et ami de Lucan, avec
sa femme et son chauffeur.

Le principal problème lorsqu'on est un joueur, c'est que l'on ne gagne pas tout le temps, et, dans des jeux comme le chemin de fer, les dés sont toujours pipés en faveur de votre hôte. Au « Clermont Club », Aspinall semble avoir escroqué les parieurs par des moyens malhonnêtes, et Lucan, après de premiers succès, commence à perdre beaucoup. Comme tous les joueurs compulsifs, plutôt que de cesser de jouer, il augmente les enjeux et perd non seulement tout son argent, mais accumule aussi de lourdes dettes. Sa vie commence à échapper à tout contrôle et, en 1974, en plus d'être fauché, il se sépare de sa femme et entre dans une âpre bataille contre elle pour la garde de leurs trois enfants.

Sandra Rivett, la nounou des enfants de Lady Lucan, ne travaille normalement pas le jeudi soir, et sort souvent avec son petit ami. Or le jeudi 7 novembre 1974, elle est à la maison des Lucan à Lower Belgrave Street. Elle a en effet échangé sa soirée de congé avec celle de la veille, le mercredi. Peu avant neuf heures du soir, elle descend à la cuisine qui se trouve au sous-sol pour faire une tasse de thé pour Lady Lucan. Elle est alors attaquée par-derrière par un homme armé d'un morceau de tuyau de plomb. Il la frappe plusieurs fois derrière la tête, lui fracassant le crâne et la tuant presque immédiatement. Selon le récit qu'elle donnera à la police, Lady Lucan est descendue à la cave pour voir ce qui s'est passé, après avoir attendu son thé environ 15 minutes. Elle tombe sur son mari, qui a quitté le domicile familial l'année précédente, mais qui possède encore une clé. Il l'attaque avec le tube, lui causant de graves blessures, avant de sembler reprendre soudain ses esprits puis s'arrête, en s'excusant pour ce qu'il a fait. Elle réussit à sortir de la maison et donne l'alerte dans un *pub* du quartier. Au moment où la police arrive quelques minutes plus tard, Lord Lucan est parti. Les policiers découvrent le cadavre de Sandra Rivett dans un sac de toile sur le sol de la cuisine.

Peu de temps après, Lucan téléphone à sa mère à partir d'un téléphone privé, à Londres, que la police n'a pas réussi à localiser. Il lui dit qu'un terrible accident est survenu à la maison de Lower Belgrave Street et lui demande de s'y rendre pour s'occuper des enfants. L'histoire qu'il raconte, qu'il répétera plusieurs fois à différentes personnes, est la suivante : alors qu'il se trouvait à l'extérieur de la maison, il a vu, en regardant par la fenêtre, un homme attaquer Sandra Rivett et son épouse. Au moment où il est entré dans la maison, l'homme s'est enfui par l'arrière et a escaladé le mur du jardin pour sortir. L'enquête de police ne permet de trouver aucun signe de la présence d'un autre homme dans la cuisine ou d'une personne ayant escaladé le mur. Les policiers constatent également que, pour être capable de voir ce qui se passe au sous-sol depuis la rue, une personne stationnée à l'extérieur serait obligée de se mettre à genoux et que, comme l'ampoule dans la cuisine avait été enlevée, il aurait été, de toute façon, presque impossible de distinguer quoi que ce soit à l'intérieur. La conclusion est évidente : Lucan a assassiné Sandra Rivett, la prenant peut-être, dans l'obscurité, pour sa femme, la victime visée.

Les policiers reconstituent ensuite quelques-uns des mouvements de Lucan dans la nuit du meurtre. Après avoir passé un coup de téléphone à sa mère à Londres, il roule jusque dans l'East Sussex, dans le sud de l'Angleterre, à bord d'une voiture qu'il a empruntée à l'un de ses amis du « Clermont Club ». Là, il se rend chez Ian et Susan Maxwell-Scott afin de passer un certain nombre d'appels téléphoniques et d'écrire quelques lettres, notamment celle à son beau-frère, citée au début de ce chapitre. Après avoir raconté à Susan Maxwell-Scott la même histoire qu'à sa mère, il quitte la maison. La voiture, une Ford Corsair, sera retrouvée quelques jours plus tard près du port de Newhaven, sur la côte sud. Il y a des taches de sang sur le siège avant, et dans le coffre, un morceau de tuyau en plomb, semblable à celui que la police a retrouvé sur les lieux de l'assassinat, mais aucun signe de Lucan.

La police pense d'abord qu'il a pu prendre le ferry à partir de Newhaven pour se rendre en France, ou que, pris de remords, il s'est suicidé. Mais l'enquête ne permet de trouver aucun indice solide sur son sort. Les nombreuses fois où l'on a cru l'apercevoir, les pistes se sont révélées être des impasses. Peu de temps après sa disparition, un Anglais correspondant à sa description est arrêté en Nouvelle-Zélande. Il s'agit en fait de John Stonehouse, un député qui avait simulé son suicide pour échapper à ses dettes et s'enfuir avec sa maîtresse. Stonehouse a été extradé vers la Grande-Bretagne puis emprisonné. Des années plus tard, en 2003, des journaux ont titré que Lucan avait finalement été retrouvé

LE COMTE DISPARU

à Goa, en Inde. L'information s'est révélée fausse : l'homme en question, un hippie vieillissant connu sous le nom de Jungly Barry, s'est avéré être un chanteur folk originaire de Huddersfield, dans l'ouest du Yorkshire, en Angleterre.

Selon l'une des rumeurs les plus persistantes, les amis de Lucan du « Clermont Club », dont John Aspinall et le financier incroyablement riche Sir James Goldsmith, l'auraient aidé à sortir de Grande-Bretagne et l'auraient installé dans une nouvelle vie quelque part en Afrique. Aucune preuve n'est venue étayer ces rumeurs et Goldsmith, jusqu'à sa mort en 1997, a utilisé tous les moyens juridiques possibles pour poursuivre tous ceux qui ont fait de telles accusations. Plus récemment, sachant que Goldsmith ne pourrait plus poursuivre qui que ce soit, certains indices ont été mis au jour. Ceux-ci laissent supposer qu'il peut y avoir une part de vérité dans la rumeur.

© Hulton-Deutsch Collection | Corbis

LE MILLIARDAIRE
Sir James Goldsmith en savait peut-être plus sur les intentions de Lucan que ce qu'il a bien voulu dire.

Une femme qui a travaillé en tant que secrétaire d'Aspinall dans les années 1980, a affirmé qu'à sa demande, elle avait réservé des vols pour les enfants Lucan à destination de l'Afrique, en particulier du Kenya et du Gabon, afin que Lucan pût les voir. Selon son récit, les détails ont été organisés par téléphone entre Aspinall, Goldsmith et Lucan. Les voyages ont été organisés de façon à ce que Lucan pût voir ce que ses enfants devenaient, mais en restant à distance d'eux afin qu'ils ne connussent pas son sort. Il est impossible de savoir si la femme en question a dit la vérité, même si, lors de ses entretiens avec la BBC, son récit semble fiable. George Bingham, le fils aîné de Lucan, ne la croit certainement pas, affirmant qu'alors qu'il s'est rendu en Afrique un certain nombre de fois, il n'a jamais été au Gabon de sa vie.

Par ailleurs, une montre portant une inscription sur Lucan aurait été vue dans une boutique d'antiquités en Afrique du Sud. Des photographies montrent Lucan porter une montre du même modèle, mais, là encore, il est relativement simple d'en trouver une identique et d'y ajouter une inscription dans l'espoir d'en augmenter la valeur. Cette piste ne peut donc pas être considérée comme une preuve définitive de la présence de Lucan dans le pays. Un indice plus révélateur est apparu dans une interview accordée au tabloïd britannique *The Daily Mirror* en 2012 par

Hugh Bingham, le frère de Lucan, qui n'avait jamais parlé de la disparition avant, et vit maintenant lui-même en Afrique du Sud. Il a déclaré au journal qu'il pensait que Lucan s'était enfui en Afrique. Bien qu'il ne l'ait pas vu, et qu'il ne lui ait pas parlé depuis le meurtre à Belgravia, et qu'il ne sache pas où il est, il pensait qu'il pouvait être encore en vie. Si c'est le cas, alors Lucan approcherait désormais les 80 ans et, si on le retrouvait, il pourrait encore répondre devant la justice pour le crime qu'il a commis il y a 40 ans. Cela mettrait un point final à cette sordide saga et montrerait que Lucan, malgré ses relations, est aussi responsable de ses actes que le commun des mortels.

MYSTÈRE

Événement inexpliqué

Raison inconnue

Réalité ou fiction ?

Vérité ou mensonge ?

Personne disparue

Personne inconnue

Crime non élucidé

JIMMY HOFFA

30 juillet 1975

Mystère : pourquoi la mafia a-t-elle tué Jimmy Hoffa et qu'a-t-elle fait de son corps ?

Protagonistes : l'ancien président des *Teamsters* et divers truands

Dénouement : tout tourne autour de la caisse de retraite.

Quand il est sorti de prison sur une grâce présidentielle de Nixon en 1971, et qu'il a commencé à se battre pour récupérer la présidence du syndicat des Teamsters, il est devenu très difficile de parler à Jimmy. On voit parfois ça avec des gars quand c'est la première fois qu'ils sortent Jimmy est devenu imprudent – à la radio, dans les journaux, à la télévision. Chaque fois qu'il ouvrait la bouche, il disait quelque chose sur la façon dont il allait soumettre la mafia et faire sortir la mafia du syndicat. Il a même dit qu'il allait empêcher la mafia d'utiliser la caisse de retraite. Je ne peux pas imaginer certaines personnes entendre ça et penser que leur poule aux œufs d'or allait être tuée s'il se vengeait. Tout ça venant de Jimmy était hypocrite, c'est le moins qu'on puisse dire, étant donné que Jimmy était celui qui a fait venir la mafia en premier lieu dans le syndicat et la caisse de retraite.

Frankie Sheeran dit « l'Irlandais », cité dans *I Heard You Paint Houses* par Charles Brandt

Le lendemain de sa disparition, la voiture de Jimmy Hoffa est retrouvée sur le parking du restaurant Machus Red Fox à Bloomfield, dans la banlieue de Detroit. L'enquête de la police, puis du FBI, établit qu'il s'y est rendu le 30 juillet 1975, pour y rencontrer deux personnages notoires de la mafia, Anthony Giacalone, dit « Tony Jack », et Anthony Provenzano, dit « Tony Pro ». Les gens qui ont vu Hoffa ce matin-là ont dit qu'il paraissait nerveux, comme si quelque chose le préoccupait, et plusieurs témoins l'ont vu au restaurant, déclarant qu'il regardait comme s'il attendait quelqu'un. Vers 14 h 45, une voiture quittant sa place de parking au restaurant a failli heurter un camion et le chauffeur du camion a dit à la police qu'il avait reconnu Hoffa assis sur le siège arrière, mais qu'il ne connaissait aucune des autres personnes dans la voiture. C'était une Mercury de couleur marron appartenant à Joe Giacalone, le fils de Tony Jack, qui a déclaré l'avoir prêtée à Charles O'Brien, dit « Chuckie », un proche de la famille Hoffa. O'Brien a nié avoir été au volant de la voiture ou avoir vu Hoffa ce jour-là. Son alibi a par ailleurs permis de rendre compte de ses déplacements et vérifier ses dires.

Tony Jack et Tony Pro ont tous les deux prétendu ne pas être au courant d'une rencontre avec Hoffa et ont pu prouver où ils se trouvaient le jour en question. On a trouvé des empreintes digitales de Chuckie O'Brien à l'intérieur de la voiture, ainsi qu'un cheveu de Hoffa sur le siège arrière. Des analyses ADN pratiquées au cours de ces dernières années, ont prouvé que le cheveu était bien le sien. Elles ne prouvent pas, en revanche, que O'Brien et Hoffa étaient dans la voiture au même moment, ni que O'Brien était dans la voiture quand il a quitté le restaurant. Même si l'on sait ce qui s'était passé, la police et le FBI n'ont pas suffisamment de preuves pour accuser quelqu'un. Hoffa s'étant rendu à une rencontre avec la mafia et n'ayant jamais été revu, il ne faut pas être un génie pour comprendre qu'il a été assassiné. Il ne suffit cependant pas de savoir ce qui s'est passé, encore faut-il pouvoir le prouver devant les tribunaux et, en l'absence de corps, il n'est même pas possible d'affirmer avec certitude qu'il soit mort, et encore moins de savoir qui l'a tué. Ainsi, l'enjeu du mystère entourant la disparition de Jimmy Hoffa ne consiste même pas à découvrir qui l'a tué, mais pourquoi, et ce qu'est devenu le corps.

© Bettmann | Corbis

JIMMY HOFFA
Le style pugnace de Hoffa énervait beaucoup de gens, y compris certains hauts responsables de la mafia.

HOFFA
ET LA MAFIA

Issu d'un milieu modeste, Jimmy Hoffa grimpe rapidement dans la hiérarchie des Teamsters, le syndicat des conducteurs routiers américains — bien que n'ayant jamais conduit de camion — grâce à son sens de l'organisation et sa nature combative. En 1957, il en devient le président et, bien que l'on se souvienne désormais de lui pour sa corruption et ses liens avec la mafia, il remporte de nombreuses victoires qui permettent l'amélioration des conditions de travail et des droits des salariés. Grâce à lui, les Teamsters, qui étaient jusqu'alors un acteur relativement mineur, deviennent le plus grand syndicat d'Amérique, avec un million et demi de membres. S'il n'avait pas déjà créé des liens avec la mafia elle-même, la taille de la caisse de retraite aurait de toute façon attiré son attention. Dans les années 1960, on estime qu'elle vaut un milliard de dollars. En plus d'être impliqués dans le détournement simple, les responsables syndicaux utilisent le fonds de pension pour soudoyer des fonctionnaires et payer la mafia pour intimider quiconque se place en travers de son chemin. Des mafieux sont inscrits sur le registre du personnel, y compris Tony Pro, qui, bien que n'ayant jamais travaillé une seule fois de sa vie de manière honnête, est vice-président des Teamsters de Union City, au New Jersey.

En plus d'attirer l'attention de la mafia, les Teamsters sont la cible de Robert Kennedy, le principal conseiller du Comité McClellan, chargé d'enquêter sur le racket au sein des organisations professionnelles. Kennedy poursuivra Hoffa pendant des années avant de finir par cueillir son homme en 1964. Hoffa est condamné à 13 ans de prison pour corruption et fraude. Après avoir fait appel, Hoffa est emprisonné en 1967. Il nomme son fidèle partisan Frank Fitzsimmons président par intérim du syndicat. Par coïncidence, Tony Pro purge une peine dans la même prison que Hoffa et, après s'être d'abord entendus l'un avec l'autre, ils se fâchent. L'objet du désaccord : les Teamsters verseront une pension à Hoffa, mais pas à Tony Pro.

Hoffa est libéré au bout de seulement cinq ans de prison, sa peine ayant été commuée par le président Richard Nixon, à condition que Hoffa respecte l'interdiction d'occuper un poste au sein du syndicat pendant cinq ans. Pendant que Hoffa attend que la fin de ce délai, Fitzsimmons continue à exercer le rôle de président du syndicat. Il s'avère un interlocuteur beaucoup plus facile pour la mafia que Hoffa. Fitzsimmons fait ce que la mafia demande, alors que Hoffa a toujours voulu négocier. Son caractère pugnace a aussi éloigné plusieurs personnalités de premier plan au sein de la mafia, notamment Tony Pro — tous les deux en sont venus aux mains lors d'une réunion organisée pour, au contraire, apaiser leurs relations. Aussi, lorsqu'en 1975, la fin de sa suspension approche et que Hoffa veut retrouver son poste au sein des Teamsters, les gros bonnets de la mafia ne sont pas des plus enthousiastes. La réunion au restaurant Red Fox aurait été négociée par Tony Jack afin d'apaiser les tensions et, peut-être, de dire une fois pour toutes à Hoffa que les chefs de la mafia ne veulent pas qu'il revienne. À un certain moment, ils ont apparemment changé d'avis et décidé de le mettre hors jeu de manière permanente.

© Bettmann | Corbis

LE RED FOX
La voiture de Hoffa a été retrouvée sur le parking du restaurant le lendemain de sa disparition.

Pour son livre *I Heard You Paint Houses*, Charles Brandt a interrogé Frankie Sheeran dit « l'Irlandais », un tueur à gages notoire de la mafia, qui se trouvait à Detroit le jour où Hoffa a disparu, en compagnie du chef mafieux de Pennsylvanie, Bufalino Russell, l'un des personnages les plus influents de la mafia en Amérique à l'époque. Selon Sheeran, il devait accompagner Hoffa à la réunion pour s'assurer que rien ne lui arriverait, mais Bufalino lui aurait dit la veille de ne pas y aller. Sheeran savait exactement ce que cela signifiait et était également bien conscient que s'il avait averti Hoffa, il aurait été le prochain sur la liste. Hoffa est au rendez-vous mais, Tony Pro et Tony Jack n'arrivant pas, il monte dans une voiture conduite par son vieil ami Chuckie O'Brien, à qui il fait confiance, et qui lui dit peut-être que le lieu de la réunion a changé. Mais, au lieu de le conduire auprès des deux truands, O'Brien livre Hoffa à ses assassins.

Au fil des ans, on a raconté des tas de choses sur ce qu'est devenu le corps de Hoffa. Selon la rumeur la plus célèbre, il aurait été coulé dans le béton du stade de football des New York Giants, construit à l'époque de sa disparition. Marvin Elkind dit « la belette », un homme de main repenti, a affirmé que le corps de Hoffa avait été coulé dans les fondations du Renaissance Center à Détroit. Nous ne saurons probablement jamais vraiment où il a fini. Une chose est certaine, cependant : à trop jouer avec le feu, on finit toujours par se brûler.

MYSTÈRE

Événement inexpliqué

Raison inconnue

Réalité ou fiction ?

Vérité ou mensonge ?

Personne disparue

Personne inconnue

Crime non élucidé

LA DISPARITION D'AZARIA CHAMBERLAIN

17 août 1980

Mystère : comment Azaria Chamberlain est-elle morte ?

Protagonistes : la famille Chamberlain, les médias australiens et le système judiciaire

Dénouement : il a fallu 30 ans, mais la justice a finalement prévalu.

Résultats

1) Le nom de la personne décédée est Azaria Chantel Loren Chamberlain, née à Mount Isa, Queensland le 11 juin 1980. Elle était la fille de Michael Leigh Chamberlain et d'Alice Lynne Chamberlain.

2) Azaria Chamberlain est morte à Uluru, qui s'appelait alors Ayers Rock, le 17 août 1980.

3) Sa mort a été causée par l'attaque d'un dingo qui l'a aussi emportée.

D'après une enquête de 2012 sur la mort d'Azaria Chamberlain

Le soir du 17 novembre 1980, la famille Chamberlain, Mark, Lindy et leurs trois enfants, Aidan, Reagan et Azaria, un bébé âgé de neuf semaines, pratiquent en même temps les deux activités préférées des Australiens : camper dans la brousse et faire un barbecue. Ils ont planté leur tente dans un camping situé à proximité d'Uluru, ou Ayers Rock, comme cela s'appelait encore à l'époque, avec cinq autres familles, qui faisaient la même chose, et faisaient cuire le repas à l'espace commun à barbecue à 25 m à peine de leur tente. Il était près de huit heures. Les événements tragiques des quelques minutes qui suivent marqueront leurs vies à jamais. La bataille juridique qui s'ensuivit ne prendra fin qu'avec la publication du rapport de la quatrième enquête le 12 juin 2012, près de 32 ans plus tard.

LES QUELQUES MINUTES FATALES

Lindy Chamberlain décrira plus tard la façon dont elle a porté Azaria à la tente, où Reagan, âgé de quatre ans, dormait déjà, pour la coucher pour la nuit et s'est ensuite rendu à la voiture pour chercher une boîte de haricots pour Aidan. Peu de temps après être retournée au barbecue, elle a entendu un bébé pleurer, et comme le bruit venait de la tente, elle y est allée pour vérifier si Azaria allait bien. D'autres personnes présentes au barbecue ont également déclaré avoir entendu le bébé, puis, peu de temps après, Lindy est sortie de la tente, et ils ont entendu son cri : « Mon Dieu, un dingo a emporté mon bébé. » Lindy a apparemment vu un dingo disparaître dans l'obscurité en emportant Azaria dans sa gueule. Elle a d'abord tenté de suivre l'animal dans la direction qu'elle croyait qu'il avait prise, avant de revenir à la tente et vérifier si le bébé avait vraiment disparu.

On a immédiatement commencé à fouiller la zone autour du terrain de camping, ainsi que les dunes de sable plus loin. Les gardiens du parc et la police locale sont arrivés dans les 20 minutes, unissant leurs efforts pour trouver la petite fille. Le lendemain, un homme de la région, connu pour être un traqueur expérimenté, a trouvé des empreintes de dingo à l'arrière de la tente des Chamberlain et à plusieurs endroits dans le camping. Il a repéré un ensemble d'empreintes montrant que le dingo avait porté quelque chose de lourd et qu'il l'avait même parfois traîné au sol. On a ensuite perdu la trace, mais le traqueur a déclaré à l'époque qu'il était sûr qu'un dingo avait pris le bébé, une opinion partagée par toutes les personnes présentes au camping cette nuit-là.

238   LES PLUS GRANDS MYSTÈRES DE L'HISTOIRE

LE PROCÈS DE LINDY CHAMBERLAIN

Malgré cela, des doutes surgissent peu après sur la version des faits donnée par Lindy Chamberlain. On n'avait jamais vu auparavant un dingo se comporter ainsi et on considère ces animaux incapables de porter le poids d'un bébé, même sur une courte distance. Une semaine après la disparition d'Azaria, on retrouve sa couche, sa combinaison et le maillot qu'elle portait, mais pas la veste que Lindy lui avait mise, selon elle, sur ses autres vêtements. En s'emparant de l'affaire, les médias se concentrent particulièrement sur la façon dont un dingo aurait pu enlever les vêtements du bébé, et se demandent pourquoi la veste n'a pas été retrouvée. Les Chamberlain étant des adventistes du septième jour, certains articles évoquent la possibilité qu'ils pratiquent des rituels étranges relatifs à leur religion et impliquant le sacrifice d'un bébé. Certains vont même jusqu'à dire que le prénom Azaria signifie « sacrifice dans le désert ». Bien que cela soit totalement faux, cela contribue à jeter de l'huile sur le feu. En outre, le comportement de Marc et Lindy Chamberlain lors de leurs interviews télévisées, est jugé incompatible avec celui de parents en deuil.

© Bettmann | Corbis

LE COUPLE CHAMBERLAIN
Les médias ont présenté Mark et Lindy Chamberlain comme des parents indifférents à la mort de leur fille.

La première enquête du coroner a eu lieu en décembre 1980 dans un contexte de sensationnalisme médiatique et, alors qu'elle en conclut qu'un dingo a tué Azaria, des doutes subsistent quant aux vêtements du bébé. Le coroner émet l'hypothèse qu'ils ont dû être retirés par quelqu'un, en remarquant qu'après la mort du bébé, son corps « a été arraché au dingo et éliminé par une méthode inconnue, par une personne ou des personnes inconnues ».

Après le verdict du coroner, un examen médico-légal de la voiture des Chamberlain permet de découvrir des taches de sang fœtal, qui ne peuvent venir que d'un enfant, sous le siège avant du passager. D'après un expert, les accrocs dans la combinaison d'Azaria sont compatibles avec des coupures faites par une lame métallique pointue, mais pas par les dents d'un dingo. Lindy est inculpée du meurtre de sa fille et Michael est considéré comme complice. Lors du procès, les preuves obtenues par l'enquête médico-légale et le témoignage des experts l'emportent sur les déclarations des témoins présents au camping à l'époque, et les Chamberlain sont tous les deux reconnus coupables.

Lindy est condamnée à la prison à perpétuité et Michael écope d'une peine avec sursis.

Toutefois, on met presque aussitôt en doute la validité des preuves médico-légales. Les tests qui ont conclu à du sang dans la voiture des Chamberlain se sont avérés être totalement erronés : toutes sortes d'autres liquides donnent exactement les mêmes résultats que des taches de sang. Cela ne suffira pourtant pas pour rouvrir le dossier. Mais un fait nouveau va changer la donne et permettre de relancer l'enquête : il s'agit de la découverte de la veste d'Azaria, près d'un terrier de dingo. Cet événement tend à confirmer que Lindy a dit la vérité au sujet du vêtement d'Azaria ce jour-là. Après avoir purgé près de trois ans de sa peine, Lindy est libérée de prison en attendant son procès en appel. Lors d'une audience qui se déroule en septembre 1988, toutes les condamnations contre elle et son mari sont annulées.

L'affaire servira par la suite d'exemple pour montrer comment une enquête et un procès peuvent être influencés par le sensationnalisme des médias. Ce qui a été particulièrement frappant, c'est la fureur qui a entouré les croyances religieuses non conventionnelles des Chamberlain. Sans la participation des journalistes, qui semblent avoir été plus intéressés par la déformation des faits pour obtenir une meilleure histoire, et l'effet que cela a produit sur l'opinion publique, il semble maintenant peu probable que les Chamberlain aient été accusés. Dans un premier temps, la police a jugé crédibles les déclarations faites par les témoins du camping. Si les enquêteurs avaient collé à ce point de vue, une erreur judiciaire aurait pu être évitée. Les expertises médico-légales n'auraient très probablement pas primé sur les déclarations des témoins si la presse et l'opinion publique ne s'étaient pas liguées pour accepter tout ce qui semblait désigner la culpabilité des Chamberlain.

Une quatrième et dernière enquête a eu lieu en 2012 pour examiner les agressions de dingo sur des enfants, qui ne sont certes pas courantes, mais qui se sont produites à plusieurs reprises, en particulier dans des endroits où les dingos se sont habitués à la présence de l'homme par des contacts réguliers. Le rapport du coroner publié le 12 juin 2012 établit clairement qu'Azaria Chamberlain a été tuée par des dingos et son certificat de décès a été modifié en conséquence.

MYSTÈRE

Événement inexpliqué

Raison inconnue

Réalité ou fiction ?

Vérité ou mensonge ?

Personnes disparues

Personne inconnue

Crime non élucidé

LE MYSTÈRE D'ANDREAS GRASSL

2005

Mystère : qui est le Piano Man?

Protagonistes : un mystérieux joueur de piano, la police du Kent et les services psychiatriques

Dénouement : il finit par tout avouer lui-même.

L'histoire est bien plus complexe que celle qui a paru jusqu'ici dans la presse – l'histoire d'un jeune homme qui voulait voir le monde, mais qui s'est perdu en chemin. Ce n'est pas une histoire rare. Des millions de parents ont perdu leurs enfants en essayant de les forcer à vivre comme eux. La seule chose qui est cette fois-ci unique, c'est le résultat.

Extrait du site Internet du *Spiegel*, 30 août 2005

La ville balnéaire anglaise de Sheerness sur l'île de Sheppey est rarement mentionnée dans la presse britannique. Pourtant, elle sera étonnamment le théâtre d'une histoire qui a été racontée dans le monde entier. Le 7 avril 2005, elle est soudainement propulsée sur le devant de la scène pour 15 minutes de gloire au cours d'un incident relativement mineur qui attire néanmoins l'attention du public en raison de son caractère étrange et mystérieux.

© Clem Rutter | Creative Commons

SHEERNESS
La ville a défrayé la chronique après la découverte du Piano Man sur l'une de ses plages.

Un jeune homme vêtu d'un costume et d'une cravate est aperçu errant sur une plage et, bien qu'il ne présente à l'évidence aucune menace pour personne, la police est appelée car il semble désorienté et confus. Lorsqu'on s'approche de lui, on le découvre trempé et il ne peut pas, ou ne veut pas, répondre aux questions qui lui sont posées. Afin d'assurer sa sécurité, pensant qu'il a déjà tenté de se suicider ou qu'il songe au suicide, la police l'emmène au service psychiatrique du Medway Maritime Hospital à Gillingham.

Si l'histoire s'était arrêtée là, elle aurait du mal à faire la première page du *Sheerness Times Guardian* et encore moins à être reprise par de nombreuses agences de presse internationales. Ce qui l'a rendue si particulière, c'est ce qui s'est passé ensuite. En essayant de communiquer avec le jeune homme, une des infirmières du service psychiatrique lui a donné un crayon et du papier, en espérant qu'il pourrait répondre par écrit, même s'il ne pouvait pas parler. Au lieu d'écrire un message, il a dessiné un piano et, lorsqu'il s'est assis devant un piano, il a commencé à jouer. Les journalistes s'accrochent à ce talent, racontant qu'il a joué pendant des heures et qu'il est peut-être un pianiste de concert qui a perdu la mémoire ou a fait une sorte de dépression nerveuse. La photographie publiée en marge de l'histoire montre un grand jeune homme blond et mince, avec sur le visage une expression perdue, que l'on décrit dans les journaux comme étant celle d'un artiste sensible et tourmenté.

LE PIANO MAN

Malgré la large diffusion de la photographie, en Grande-Bretagne et dans de nombreux pays du monde, personne ne reconnaît le jeune homme. On le surnomme le Piano Man et, afin de tenter de découvrir son identité, la photographie est envoyée aux orchestres et aux groupes musicaux d'Europe et d'ailleurs. Diverses pistes sont suivies. On pense à plusieurs reprises qu'il s'agit d'un musicien tchèque, d'un musicien de rue français ou d'un mime italien. Un service d'assistance téléphonique est mis en place afin de recueillir les appels qui émanent aussi bien de personnes qui pensent vraiment savoir qui il est, que de tous les cinglés qui ressentent le besoin de partager leurs opinions sur cette affaire avec quelqu'un qui veut bien les écouter.

Les avis des experts sont aussi confus que ceux du grand public sur le Piano Man. Ils établissent différents diagnostics pour tenter d'expliquer ses troubles. Certains, qui ont peut-être trop vu *Rain Man*, pensent que c'est un savant, quelqu'un qui souffre d'autisme et qui a un talent exceptionnel dans un domaine particulier. Un éminent psychiatre laisse entendre qu'il a subi un épisode psychotique qui est manifesté comme une incapacité à parler, tandis qu'un autre pense qu'il s'agit d'un imposteur qui fait tout pour attirer l'attention sur lui. Si c'est vrai, le Piano Man est alors un très bon acteur. Des détails sembler aller dans le sens de cette hypothèse : ainsi, lorsqu'on l'a trouvé, toutes les étiquettes avaient été retirés des vêtements qu'il portait, comme s'il s'était efforcé d'empêcher les autorités de découvrir son identité, plutôt que de sembler agir comme un homme en pleine dépression nerveuse.

MYSTÈRE RÉSOLU

Au bout de quatre mois, personne ne ne s'est manifesté pour dire qu'il connaît l'identité de l'homme au piano : aucun membre de sa famille, aucun ancien camarade d'école ou ami d'université, pas d'ancien collègue de travail. Des interprètes lui ont parlé dans plusieurs langues et, bien qu'il ait semblé réagir au norvégien, on n'a pas avancé beaucoup plus. Puis il s'est réveillé un matin de la mi-août et il a commencé à parler. Il a dit que son nom était Andreas Grassl, qu'il avait 20 ans et venait d'un village près de Waldmünchen dans l'est de la Bavière, non loin de la frontière avec la République tchèque. Juste avant d'être découvert sur la plage de Sheerness, il avait travaillé en France, mais il n'avait aucune idée de la façon dont il était arrivé en Angleterre ni comment il avait fini sur la plage.

Avant que la presse n'apprenne ce rebondissement, l'hôpital a contacté l'ambassade d'Allemagne à Londres et, après confirmation de son identité, on l'a ramené chez lui. Il s'est avéré que ses talents de pianiste avaient été exagérés et, alors qu'il n'était pas un mauvais musicien, il n'était certainement pas un virtuose. Lorsque sa famille a perdu le contact avec lui lors de son séjour en France, elle a signalé sa disparition à la police française, qui lui a dit que, comme il avait plus de 18 ans, elle ne pouvait pas faire grand-chose à ce sujet. Sa photo a été largement diffusée en Allemagne, comme elle l'avait été dans toute l'Europe, mais personne dans sa famille ne l'avait reconnu car il avait changé son apparence en se faisant teindre les cheveux.

Andreas Grassl et sa famille n'ont pas souhaité parler aux médias et ont essentiellement communiqué par l'intermédiaire d'un avocat. L'histoire est celle d'un jeune homme malheureux qui a grandi sur une exploitation laitière en Bavière. Il faisait figure de marginal au sein de la communauté agricole, déclarant à ses camarades d'école qu'il pourrait être homosexuel et rêvant de mener une vie plus glamour que celle qui consistait à traire les vaches deux fois par jour. À 18 ans, il avait choisi de travailler dans un institut pour les personnes atteintes de maladies mentales plutôt que de faire son service militaire et avait espéré faire carrière à la télévision. Aucune de ses ambitions ne s'est réalisée et, à la fin de sa mission à l'institut médical, il s'est installé en France et a obtenu un emploi similaire. Selon ses parents, il n'a aucun souvenir de ce qui lui est arrivé et ils nient catégoriquement que leur fils ait voulu commettre un canular. Étant donné que ni Grassl, ni personne d'autre n'ait déjà tenté de capitaliser sur la publicité générée par les médias, il semblerait qu'ils aient très probablement dit la vérité.

SELON SES PARENTS, IL N'A AUCUN SOUVENIR DE CE QUI LUI EST ARRIVÉ.

LE VOL AF447

1er juin 2009

Mystère : qu'est-ce qui a causé le crash de l'avion ?

Protagonistes : trois pilotes d'Air France et beaucoup de confusion

Dénouement : ce qui aurait pu être un incident mineur a dérapé.

Les avions de ligne modernes ne sont pas censés tomber du ciel. Surtout s'ils sont hautement automatisés, comme les avions de passagers à commandes de vol électriques tels que l'Airbus A330. Comme le « Titanic » réputé insubmersible, l'Airbus A330 était considéré comme un avion fiable. Il était équipé de systèmes numériques qui corrigeaient de manière infaillible les erreurs de pilotage ainsi que toute vibration causée par le mauvais temps. Jusqu'à une nuit fatale il y a deux ans, l'Airbus A330 avait une fiche de sécurité exemplaire. Ce qui a fait plonger l'Airbus 330 utilisé sur le vol AF447 entre Rio de Janeiro et Paris dans l'Atlantique, tuant les 228 personnes à bord, reste l'un des plus grands mystères de l'histoire de l'aviation.

Extrait d'un article de *The Economist* le 25 mars 2011

L'avion est souvent considéré comme le moyen de transport le plus sûr et, à dire vrai, ces dernières années, le bilan des principaux transporteurs de passagers est parle de lui-même. Mais lorsqu'un accident se produit, c'est une véritable catastrophe, comme ce fut le cas du vol AF447, qui s'est abîmé dans l'océan Atlantique le 1er juin 2009, entre Rio de Janeiro et Paris, causant la mort des 216 passagers et des 12 membres d'équipage. Le choc d'une perte si terrible est aggravé par la nature mystérieuse de l'accident. L'avion, un Airbus 330-200, a disparu quelque part au-dessus de l'Atlantique entre le Brésil et le continent africain, au-delà de la portée de la couverture radar et sans émettre d'appel de détresse. C'est la seule fois dans l'histoire récente qu'un avion a entièrement disparu. De gros efforts ont été faits pour comprendre les circonstances de l'accident afin d'éviter que quelque chose de semblable ne se reproduise.

© Christopher Weyer | Creative Commons

L'AVION
L'Airbus A330-200 d'Air France décolle de Tokyo quatre mois avant l'accident.

Malgré d'intenses recherches, il a fallu cinq jours pour retrouver des débris. L'épave n'a été retrouvée que deux ans plus tard, en mai 2011, par des véhicules autonomes sous-marins, des robots capables de fonctionner à une grande profondeur sans opérateur. La carcasse reposait sur une plaine abyssale située sur le flanc est de la dorsale médio-atlantique, à une profondeur de 3 900 mètres, à un endroit où le fond océanique est plat et constitué de sédiments argileux. Les données récupérées à partir des enregistreurs de vol, les fameuses « boîtes noires », ont finalement permis aux enquêteurs de comprendre ce qui s'est passé. L'appareil a en effet rencontré une zone de turbulences sévères, qui ont joué un rôle dans l'accident, car de la glace aurait bouché les sondes Pitot, fournissant ainsi des mesures incorrectes aux instruments de bord et aux trois pilotes de l'avion. Ce problème initial a ensuite été aggravé par des erreurs de pilotage, et par le fait que les pilotes aux commandes n'ont pas compris à temps ce qui se passait. Ces erreurs humaines ont entraîné le crash d'un avion qui se trouvait par ailleurs en parfait état de navigabilité.

Dans des circonstances normales, les pilotes contournent les perturbations météorologiques pour éviter les pires turbulences potentielles, mais dans le cas de l'AF447, il semble que plusieurs petits

LES BOÎTES NOIRES

orages en masquaient un autre beaucoup plus important, que les pilotes n'ont repéré que lorsqu'il était trop tard pour l'éviter. À ce moment-là, le commandant de bord Marc Dubois était en train de se reposer et n'était pas dans le cockpit. C'est le moins expérimenté des trois pilotes, Pierre-Cédric Bonin, qui pilotait l'avion, avec David Robert, assis dans le siège du copilote. Même s'il était le plus jeune des trois, Pierre-Cédric Bonin cumulait tout de même près de 3 000 heures de vol commercial, si bien qu'entre David Robert et lui-même, il n'aurait vraiment pas dû y avoir de problème, même en cas d'orage tropical. Au cours des quatre minutes qui suivirent, les mesures prises par Pierre-Cédric Bonin, ajoutées aux mauvaises décisions de David Robert puis de celles de Marc Dubois rappelé au poste de pilotage, ont finalement provoqué l'accident.

TUBE DE PITOT
La glace sur les tubes de Pitot de l'avion a initié la série d'événements qui se sont terminés par un désastre.

Une première alarme retentit, indiquant que suite au gel des sondes Pitot, le pilote automatique a été désactivé. Il s'agit de la procédure normale dans de telles circonstances. Pierre-Cédric Bonin reprend les commandes de l'avion, et commet une première erreur de pilotage : il redresse brutalement l'avion. Mais à cette altitude, l'appareil ne prend pas la vitesse nécessaire et l'avion décroche. David Robert ne s'aperçoit pas de ce que Pierre-Cédric Bonin a fait. L'alarme de décrochage retentit à son tour, et David Robert demande à Pierre-Cédric Bonin de descendre.

Dans les jets modernes, le levier de commande ne contrôle pas directement l'avion, qui est équipé de commandes de vol électriques. Les mouvements de gouverne du pilote sont transmis à un ordinateur qui envoie ensuite des commandes au moteur et aux systèmes hydrauliques. Après avoir tiré sur le manche, au lieu de continuer à faire redescendre l'avion, Pierre-Cédric Bonin redresse à nouveau, pensant apparemment que l'avion est près du sol, alors qu'il est en fait à plus de 30 000 pieds. Un nouveau décrochage se produit, l'appareil perdant de l'altitude plus rapidement qu'il ne vole dans les airs. Marc Dubois revient alors dans le cockpit, mais aucun ne semble remarquer que l'avion a décroché. Ils se demandent même un moment s'ils montent ou s'ils descendent. Pendant ce temps, l'avion continue à perdre de l'altitude. Quelques secondes avant le crash, Pierre-Cédric Bonin dit finalement qu'il tente depuis de longues minutes de redresser en tirant sur le levier de commande. Les autres comprennent son erreur, mais il est trop tard pour agir.

La seule chose qui aurait pu éviter l'accident aurait été de lâcher les commandes, afin que le nez de l'avion retombe. Il aurait alors pu reprendre de la vitesse et sortir de la phase de décrochage. David Robert a repris les commandes dès qu'il s'est rendu compte de cela, mais ils étaient déjà trop près de la surface de l'océan pour se permettre de piquer. Ses derniers mots ont été : « Putain, on va taper... C'est pas vrai ! » Malheureusement pour tous, c'est bel et bien ce qui s'est produit et en quelques secondes, l'avion s'est écrasé sur l'eau.

Le 5 juillet 2012, l'autorité responsable des enquêtes de sécurité dans l'aviation civile, le Bureau d'enquêtes et d'analyses (BEA), a conclu à l'erreur humaine, les pilotes ayant continué à cabrer malgré les avertissements de décrochage qui ont retenti dans le cockpit. L'avion a tellement perdu de la vitesse qu'il a cessé de voler et est tombé. Les compagnies aériennes du monde entier avaient déjà mis en œuvre les modifications de procédures recommandées par le rapport avant même sa publication, afin d'éviter qu'un autre accident similaire ne se reproduise. Airbus utilise désormais un nouveau type de sondes Pitot qui ne risquent plus de geler. Ces mesures, conjuguées à une prise de conscience générale de la nécessité pour tous les pilotes d'un avion d'être pleinement conscients de ce que font les autres, en tout temps, ont encore amélioré la sécurité des vols. Pourtant, aussi sophistiquée que puisse être la technologie et aussi avancées que puissent être les procédures de sécurité, l'erreur humaine ne pourra jamais être complètement éliminée. La vie n'est pas aussi simple que ça.

LE MYSTÈRE
DE « L'ENFANT DES BOIS »
DE BERLIN
2011

Mystère : qui était ce jeune garçon étrange ?

Protagonistes : Ray et Robin

Dénouement : son imposture a été découverte.

La blague est finie. Il s'est moqué de nous.

Citation d'un porte-parole de la police de Berlin

Les ressemblances entre les histoires de « l'enfant des bois » de Berlin et celle de Kaspar Hauser (*voir page 119*) sont évidentes pour quiconque les connaît, et vont bien au-delà du simple fait qu'elles se sont toutes les deux déroulées en Allemagne. Les personnes d'un naturel plus méfiant, qui penseraient très probablement que Hauser est un imposteur, auraient très bien pu arriver à la conclusion que « l'enfant des bois » avait lu son histoire et décidé de faire la même chose. La raison pour laquelle quelqu'un voudrait le faire est difficile à connaître, d'autant plus que l'histoire de Hauser se termine tragiquement par sa mort, son assassinat ou son suicide. Quelle que soit la vérité, ceux qui ont pensé dès le début qu'il s'agissait d'un canular, ont eu raison lorsque, le 16 juin 2012, la véritable identité de « l'enfant des bois » a été révélée. Le mystère a été résolu grâce à la publication d'une photo de lui que sa famille et ses amis ont tout de suite reconnue. La question que l'on est en droit de se poser est la suivante : pourquoi cela n'a-t-il pas été fait dès le début ? Tout le monde aurait gagné beaucoup de temps.

L'HISTOIRE

Le 5 septembre 2011, un jeune homme se présente à la mairie de Berlin avec un sac à dos et une tente en prétendant avoir vécu dans les bois au sud de la ville au cours des cinq années précédentes. Il s'exprime en anglais, déclare s'appeler Ray et dit que ses parents, Doreen et Ryan, sont morts tous les deux. Depuis le décès de sa mère dans un accident de voiture cinq ans auparavant, il a vécu à la dure dans la forêt avec son père. Lorsque Ray a découvert son père mort, il a enterré son corps et fait ce que son père lui avait dit de faire : « marche vers le nord jusqu'à ce que tu atteignes la civilisation, et ensuite demande de l'aide ». Il lui a fallu cinq jours pour arriver à Berlin et, à son arrivée, rien ne permet de l'identifier. La seule chose qu'il possède, c'est une amulette gravée aux initiales R et D, qu'il porte autour du cou. En dehors de cela, le mystère est complet.

© Tomasz Jablonski | Dreamstime.com

HÔTEL DE VILLE
Ray est arrivé à l'hôtel de ville de Berlin avec rien de plus qu'un sac à dos et une tente.

Des doutes surgissent immédiatement lorsque Ray raconte son histoire aux autorités berlinoises. Lorsqu'il arrive, il regarde à peine, comme s'il avait vécu dehors ou avait passé ses cinq dernières journées à marcher à travers l'Allemagne. Il est propre et bien habillé, en bien meilleure santé qu'on ne pourrait l'imaginer, et sa tente a l'air presque neuve. Néanmoins, étant donné les circonstances, les autorités ne peuvent pas faire grand-chose de plus que le placer dans un foyer pour jeunes, étant donné qu'il déclare être âgé de 17 ans. Il est donc envoyé dans un établissement de services sociaux pour les jeunes sans-abri où il est soigné pendant que la police de Berlin fait des recherches dans le but d'établir son identité. Pendant ce temps, les médias s'emparent de l'histoire, qui est racontée dans toute l'Allemagne et dans de nombreux pays du monde. Ray est surnommé « l'enfant des bois » par les journaux, et l'on détaille les circonstances de son arrivée à Berlin ainsi que son apparence. Pourtant, malgré cette couverture médiatique, personne ne demande de plus amples informations à son sujet, et il reste dans l'établissement de soins.

L'IMPOSTURE EST DÉCOUVERTE

La police de Berlin ne croit manifestement pas à l'histoire de Ray et fait de gros efforts pour découvrir sa véritable identité. On demande à des experts linguistiques de venir écouter sa voix dans l'espoir de parvenir à reconnaître son léger accent lorsqu'il parle anglais. Tous s'accordent à dire qu'il est originaire de la République tchèque, ce qui correspond à son propre récit puisqu'il a déclaré être arrivé à Berlin par le sud. Or, comme les événements vont par la suite le démontrer, il s'est avéré que l'on était très loin de la vérité. Au bout de plusieurs mois, on le persuade de donner un échantillon d'ADN, mais son analyse ne révèle rien, si ce n'est qu'il est d'origine européenne, ce qui est évident depuis le début. Son profil ADN et ses empreintes digitales sont comparés avec des informations de bases de données internationales sans trouver aucune correspondance. Cela montre seulement qu'il n'a pas de casier judiciaire en Europe. En fait, l'enquête de police ne parvient pas à trouver quoi que ce soit à son sujet, jusqu'à ce qu'en « dernier recours », sa photographie soit finalement diffusée le 12 juin 2012, soif neuf mois après l'arrivée de Ray à Berlin.

En quelques jours, plusieurs personnes le reconnaîtront, en particulier sa belle-mère. Elle contacte la police à Berlin et déclare qu'il s'appelle Robin van Helsum, qu'il a en réalité 20 ans et vient de la ville de Hengelo aux Pays-Bas. Lorsqu'il est confronté à la vérité, Robin avoue la supercherie, mais n'explique toujours pas pourquoi il a fait ça. Certains journaux allemands auront la dent dure, et le rebaptiseront le « menteur hollandais ». On a appris depuis qu'il s'est rendu en Allemagne avec un ami de Hengelo qui, au bout de quelques jours, a décidé de rentrer chez lui. Robin continuera à voyager seul et, pour des raisons connues de lui seul, se rendra à Berlin en inventant toute cette histoire. Sa famille en Hollande avait signalé sa disparition trois jours avant son arrivée à l'Hôtel de Ville de Berlin, mais comme il n'était pas mineur, il n'a pas été activement recherché et personne n'a fait le rapport avec « l'enfant des bois ».

Comme il est majeur, Robin est maintenant confronté à de nombreux ennuis. Le jeune homme pourrait être poursuivi pour fausse identité et escroquerie par les autorités de la ville. Un porte-parole de l'établissement de soins a décrit Robin comme « un gentil jeune homme » et a dit que tout le monde s'était très bien entendu avec lui et avait été choqué de découvrir qu'il était un fraudeur. Comme il est citoyen de l'UE, les autorités allemandes ne peuvent pas l'expulser. Avec un peu de chance, il s'en sortira avec de sévères remontrances, et on lui dira de s'en aller et de ne pas recommencer.